MW00625633

MAPA DE OTROS MUNDOS

RODRIGO FUENTES

MAPA DE OTROS MUNDOS

Mapa de otros mundos

Ilustración de portada y de interiores: Alberto Fuentes Mohr, 1935, dibujos en un cuaderno escolar, a los 8 o 9 años

Foto de solapa: Kate Newman

Maquetación: Víctor Gomollón

Publicado por SOPHOS, S.A., abril de 2022
4.ª avenida 12-59, Zona 10
01010 Guatemala
sophos@sophosenlinea.com
www.sophosenlinea.com

ISBN: 978-9929-745-20-9

Impreso en Guatemala

Para Katie

Me gustan los mapas, porque mienten.
Porque no dan acceso a la cruel realidad.
Porque generosos y con amable humor
despliegan ante mí un mundo
fuera de este mundo.

Wisława Szymborska

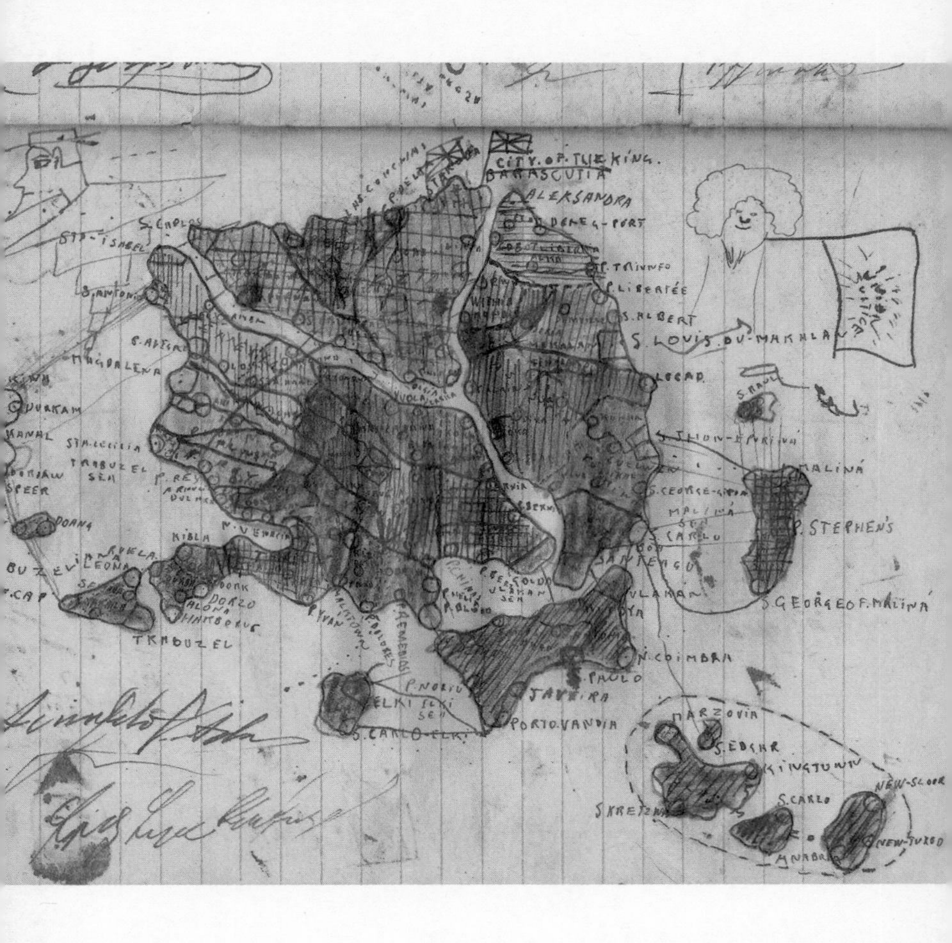
CITY.OF.THE.KING.
BARASCUTIA
ALEKSANDRA
P.TRIUNFO
P.LIBERTÉE
S.ALBERT
LECAD
S.CARLOS
S.ANTONIO
MAGDALENA
DURKAM
KANAL
STA.CECILIA
TRABUZEL SEA
SPEER
DOANA
LEONA
KIBLA
N.VENEZIA
DORZO
ALONA
TRABUZEL
P.YVAN
P.DOLORES
P.NORIU
S.CARLO-ELK
PORTO.VANDIA
JAVEIRA
S.PAULO
N.COIMBRA
MARZOVIA
S.EDGAR
KINGTOWN
S.CARLO
NEW-SLOOR
MALINÁ
P.STEPHEN'S
SANTIAGO
S.GEORGE OF.MALINÁ

I
Providence

Una llamada a las 7:30 de la mañana. Veo el número desconocido y no contesto. Vuelvo a dormir porque es martes y no tengo que ir a la universidad sino hasta tarde, para una reunión del departamento, y en estos días no hay placer más grande que levantarme a cualquier hora. Pero ahora me despierta otra llamada y es mi hermano, Alberto.

¿Aló?, digo.

¿Aló, Rodrigo?

¿Sí?

Arrestaron a papá.

Lo ha dicho en un tono ecuánime, con el temperamento recatado de siempre.

¿Qué?

Arrestaron a papá.

No hombre. ¿De veras?

Sí, llegaron por él a las seis de la mañana.

Ala gran diabla, no hombre.

Estoy sobre un codo, el celular contra una oreja, y el silencio es profundo y sólido y reverbera adentro mío y afuera también. A mis espaldas, al otro lado de la cama, siento a Kate despierta y sobre todo presente, atenta.

¿Y cuáles son los cargos?

Fraude y peculado.

¿*Fraude* y *peculado*? No fregués.

Sí.

Puta, hombre, puta. ¿Qué hacemos?

Me levanto de la cama y voy al baño y el cuerpo está extraño. Sé que es mi cuerpo pero está alejado de mí, el cuerpo entra al baño y sale otra vez y entra de regreso porque ha empezado a temblar. Mi mano agarra mi pelo y creo que hay lágrimas en mis ojos pero no estoy seguro porque ya voy de vuelta a la cama para buscar la computadora sobre la mesa de noche. Abro Prensa Libre y en la portada hay algo sobre un choque de carros, y nada más.

Llamo de vuelta a mi hermano y me dice que habló con Ana Cristina, la esposa de papá, y que llegaron fiscales del Ministerio Público y la CICIG y la policía a la casa y se lo llevaron.

¿La CICIG?, digo. Ala gran.

Sí.

Se refiere a la Comisión Internacional Contra la Impunidad en Guatemala, tan activa investigando casos de corrupción.

Mi hermano me pregunta, o quizás lo hago yo, sobre Ana Lucía, nuestra tía y hermana de papá. Al igual que nosotros, ella es profesora universitaria y trabaja en Nueva York, mientras que mi hermano lo hace en Atlanta y yo estoy en Providence —todos lejos de Guatemala. Pero Ana Lucía no ha vivido en Guatemala desde 1979, luego de que su papá, mi abuelo, fuera asesinado.

Le digo a Alberto que yo la voy a llamar, que yo le aviso. Colgamos y le marco a Ana Lucía pero no hay respuesta.

El primer mensaje que recibo es de Martín:

Rodrigo, te mando un abrazo en estos momentos. Lo siento mucho por vos y tu familia.

Es un periodista con quien tenemos cierta amistad e imagino que ya debe estar enterado, antes que el resto, antes de que esté en las noticias.

Pero refresco la página de Prensa Libre y ahora sí está en la portada.

Capturan a expresidente Colom y a dos exministros, dice el titular, y hay una foto del expresidente Colom en la patrulla en camino a tribunales. Su figura espigada se mantiene erguida en la cabina, con esa cara larga y expresión tristona que siempre ha tenido, y está custodiado por un policía a cada lado. La nota también explica que han arrestado a dos miembros de su gabinete, incluyendo al exministro de finanzas Juan Alberto Fuentes. Actualizaremos la noticia.

Papá es economista y trabajó por décadas en las Naciones Unidas. Ha dedicado la mayor parte de su vida a estudiar la desigualdad y a abogar por una reforma fiscal progresiva en Guatemala. Cuando el recién electo presidente Colom lo invitó a participar en su gabinete en el 2008, aceptó; era uno de los pocos gobiernos de corte progresista que llegaban al poder en el país. Papá nunca había estado en política, al igual que otros ministros que venían de la academia o eran expertos en sus áreas específicas. Pero él solo estuvo en el gabinete dos años, hasta el 2010, cuando la falta de apoyo político para aprobar la reforma fiscal lo llevó a renunciar al cargo.

A papá también lo movía la historia familiar, sobre todo el legado de su propio padre. Su llegada al gobierno parecía iluminada por las brasas de ese pasado.

La mano me tiembla mientras busco otra vez el número de mi tía Ana Lucía y marco.

¿Ana Lucía?

Rodrigo, ¡hola!

Tengo una mala noticia, hombre.

¿Qué pasó?

Su voz está de pronto llena de alarma.

Arrestaron a mi papá.

Ahhh, no fregués, dice, mierda.

Sí.

Ya me había dicho algo sobre una investigación, dice Ana Lucía, pero no, hombre.

Sí, digo, ya está en tribunales, y ahora empieza el proceso, nos vamos a mantener conectados, ya hablamos con mi hermano y nos mantenemos actualizados juntos.

Le voy a tener que contar a mi mamá, dice.

Solo entonces pienso en la abuelita Shirley, de noventa años, aún durmiendo en su apartamentito en Vancouver, sus pequeños tenis blancos en el suelo junto a la cama. Luego de que asesinaran a mi abuelo, ella tuvo que salir huyendo de Guatemala y nunca más volvió a vivir ahí.

Pero esperemos, dice, por favor manteneme actualizada.

Sí, seguro.

Gracias, gracias.

Colgamos, y cada uno de nosotros se voltea para enfrentar la tormenta que está empezando a caernos encima.

Entran mensajes de Alberto:

Ya capturaron como a cinco ministros más
Salud, gobernación, economía
Cultura, defensa, educación también
Creo que van por todo el gabinete

Entiendo que Kate me ha estado acompañando por el apartamento en mi caminata sin sentido, diciéndome cosas para hacerme sentir mejor —sensata, como siempre, sensata y cariñosa y preocupada.

Tenemos una habitación pequeña donde recibí la llamada, conectada por un breve pasillo al espacio rectangular donde están la cocina y la sala-comedor. El techo es alto y los ventanales a lo largo del costado dan a la calle, al centro de Providence. En este tercer piso el sol entra fuerte durante el día, y en la noche el alumbrado público lanza su luz cálida sobre los edificios cercanos, avivando fachadas y cornisas.

Pero ahora es temprano en la mañana y las paredes son blancas y la luz es blanca y entonces comprendo que tengo un frío brutal y estoy temblando sin parar, así que voy a ponerme un suéter y calcetines y mis pantalones bolivianos y se me ocurre subir la temperatura de la calefacción y ponerme mi abrigo negro, el abrigo de hombre Michelín que he estado usando todo el invierno y que es como un abrazo de oso amigable.

Al sentarme en el sofá de la sala y ver la computadora descubro que ya hay una foto de papá en Prensa Libre. Está custodiado en su caminata al aire libre por dos policías vestidos de negro que usan cascos y chalecos antibalas. Lo llevan, imagino, desde la patrulla hacia las carceletas que he visto tantas otras veces en la prensa, desde el 2015, cuando empezaron los arrestos por corrupción contra políticos y empresarios en Guatemala. En la foto se ven unas grabadoras extendidas hacia él por brazos cuyos dueños no alcanzan a distinguirse, y parece que está diciendo algo. Hasta ahora no he escuchado nada a mi alrededor —el silencio sordo lo satura todo.

Más adelante veo el video de Prensa Libre en ese mismo camino de la foto y escucho las declaraciones de papá, relativamente serenas dadas las circunstancias. Explica cómo es que el gabinete decidió en el 2009 dar un subsidio para instalar un sistema de molinetes y tarjetas prepago en los buses Transurbano de la capital de Guatemala. Fue debido a la emergencia de violencia contra los pilotos del transporte público, explica papá, al eliminar el uso de efectivo en los buses se eliminaba el blanco de las extorsiones. Se siguieron todos los procedimientos establecidos por ley, dice. Cuando hubo irregularidades en el uso de los fondos, lo denuncié en la prensa.

¿Qué es esto?, ¿qué carajo es esto? Habla de una manera que suena razonable pero nadie está ahí para escuchar lo que dice. Tiene la mirada vacía de alguien que acaban de arrestar, y su pelo gris se mira largo y alocado. Lo que todos vemos es a un hombre con las manos esposadas a su espalda, incapaz de pasarse una mano por el pelo, respondiendo como puede a las preguntas entre *flashes* de las cámaras.

En otro video, tomado en las sombras de las carceletas, ya no habla papá. Se ve a otros ministros del gabinete, quietos o deambulando sin destino. Nadie les pregunta nada y los reporteros se encuentran más alejados, tras los barrotes. Los *flashes* de las fotos no paran. ¿Cuántas veces he visto en la televisión a gente en estas mismas carceletas, siempre seguro de que eran culpables?

En años recientes, los guatemaltecos nos hemos congregado alrededor de la televisión como si se tratara de un evento deportivo, emocionados por las conferencias de prensa donde fiscales nacionales e internacionales detallan el último caso de corrupción destapado. Los acusados, en grilletes y cabizbajos, posan ante las cámaras con expresiones contritas. Tiene sentido que se celebre un nuevo caso de la CICIG, la comisión de las Naciones Unidas que lleva casi doce años en Guatemala. Con su equipo de investigadores y fiscales, la CICIG prepara casos y los lleva a juicio de la mano del Ministerio Público.

La simplicidad moral que la lucha anticorrupción nos regaló contrastaba con los claroscuros del contexto previo. Aunque la paz que se firmó en 1996 puso fin al llamado «conflicto armado interno», grandes parcelas del Estado siguieron capturadas por los aparatos de seguridad que reprimieron a la población. La élite empresarial que había apadrinado a esas estructuras para custodiar sus privilegios se unió a una nueva clase política y a sus viejos aliados militares. Juntos continuaron ordeñando al Estado. Pero a partir del 2015, la CICIG empezó a enfrentarlos con gran éxito.

El regocijo fue pleno; nunca tuvimos la satisfacción de ver a quienes suponíamos culpables y poderosos pagar por sus crímenes. En sus fascinantes conferencias de prensa, la CICIG y el MP lograron elevar a los señalados al nivel de villanos. Por fin pudimos identificar a los malos y también a los buenos, reconfortados al constatar nuestras sospechas.

Kate me ha traído un café a la sala y se acerca para abrazarme. Tiemblo en sus brazos porque estoy congelándome, así que me voy de vuelta al cuarto con la capucha de la chumpa Michelin cubriendo mi cabeza y mis pantalones bolivianos y los calcetines gruesos y me meto en la cama y sigo temblando.

Ahí adentro, abrazándome a mí mismo con fuerza, me viene el recuerdo de papá cuando yo era un niño, porque no hay papá más papá que cuando uno es niño. Estamos en la playa, con la familia, y tengo cuatro años porque me encuentro entre el agua suave del Atlántico costarricense, donde viví los primeros cinco años de mi vida, y papá se hunde muy bajo entre el agua para que yo me pueda subir sobre sus hombros y luego se levanta. Ahí arriba hay un poco de frío por la brisa marina pero estoy feliz sobre los hombros de papá, y en ese tiempo tiene barba y recuerdo nítidamente apoyar mi torso contra su cabeza peluda y rugosa, y cómo mis manos logran asirse de su barba, y cómo él me quita los deditos de ahí con delicadeza, pero deja las manos arriba para sostener las mías mientras avanza entre el agua de la playa, como si él fuera un monstruo marino y yo lo cabalgara.

Papi, digo o pienso en la cama, y tengo que morder lo más fuerte que pueda, hasta hacerme daño.

Quiero abrazar a papá, aún metido en la cama con frío, quiero abrazarlo con todas mis fuerzas y algo se me estruja por dentro mientras me abrazo a mí mismo. Entonces recuerdo también cuando acabábamos de llegar a Santiago de Chile desde Costa Rica en 1989 por el nuevo trabajo de papá en la CEPAL, y fuimos con él y mamá y mi hermano al Estadio Nacional, para celebrar entre una multitud que Pinochet y su esposa Lucía ya dejaban el gobierno, y había una electricidad incandescente entre esa gente mientras gritábamos: «¡Pinocho, Lucía, les quedan cuatro días! ¡Pinocho, Lucía, les quedan cuatro días!» Y papá me subió sobre sus hombros otra vez para que pudiera ver ese mar de gente, más vivo y mucho más eléctrico que el mar en la costa atlántica de Costa Rica.

Mis pensamientos se comen los unos a los otros en cosa de instantes, y ahora entro al baño y cierro la puerta y prendo la ducha, me baño con agua muy caliente y me visto y salgo del apartamento a caminar por donde sea con el café que Kate me preparó en un vasito de cartón. Subo por la calle Weybosset entre los edificios históricos y a veces psicodélicos del centro de Providence.

Imagino el oprobio que debe sentir papá, y ese sentimiento me cubre como un nylon negro y a veces me quita el aire —una bolsa de plástico negra envuelta alrededor de mi cabeza, apretándose.

Sobre el oprobio: bajo por Westminster Street hacia el canal que atraviesa la ciudad, y en el camino entro al sitio en línea de El País. Lo que me temía está en primera plana:

Arrestado ex Presidente de Guatemala y Presidente de Oxfam.

Papá ha sido durante los últimos tres años el Presidente de Oxfam Internacional, un cargo pro bono que desempeña con entrega y orgullo desde su jubilación de Naciones Unidas. Nunca lo entusiasmó la idea de jubilarse. No sé si es un adicto al trabajo, pero sin duda es alguien que lo disfruta más que yo, el perezoso de la familia.

Recuerdo bien cuando cenábamos en Guatemala hace unos años en *Donde Joselito*, un restaurante de carne que nos encanta y siempre está atestado de gente. Papá había pasado a la última ronda de entrevistas para el puesto en Oxfam y en esa cena considerábamos posibles preguntas y respuestas, yo actuaba de entrevistador y él se lo tomaba en serio, a pesar de que ya estábamos un poco borrachos por el vino y la alegría, y yo criticaba algún aspecto de su respuesta y él la defendía, y así nos íbamos de ida y vuelta. Tiempo después, cuando salimos para celebrar que de hecho le habían ofrecido el puesto, recuerdo esa expresión entre tímida y orgullosa que las personas cercanas le conocemos.

Intento imaginar lo que una noticia así significa para Oxfam. Cómo se sentirá papá, se me ocurre en ese instante, aunque esa pregunta —viva y aguda y brutal por momentos— me acompaña siempre, agazapada en la antesala de mis pensamientos.

Cruzo el puente hacia el otro lado del canal, donde empieza la colina de la universidad de Brown, y me siento en una banca frente al agua mansa. Hay sol y hay frío y fumo un cigarro, y entonces noto los mensajes entrantes de gente querida que expresa su apoyo, y luego una llamada de Stefan, ese amigo que siempre ha estado ahí en las buenas y en las malas, y cuando no contesto es un mensaje suyo el que vibra en el teléfono en mi mano, que a su vez no deja de temblar, por el frío y por el resto.

No sé cómo estarás, si querés hablar, o no. Pero sabés que como siempre siempre siempre, cualquier cosa que pueda hacer por ustedes aquí estoy. Lo que necesites/necesiten. Te quiero mucho, mi hermano, y aunque dificilísimo, no estás solo.

Siento todo ese cariño de los amigos, aunque no tengo idea de qué responder. Los mensajes confirman lo que ha dejado de ser una absoluta pesadilla líquida, eso que empieza a adquirir los contornos inapelables de la realidad.

Me sostengo de la barandilla junto al canal, viendo el agua pasar ahí abajo, cuando entra la llamada de Kate. Me cuenta que Oxfam acaba de sacar un comunicado sobre mi papá y me lo lee en voz alta:

«Oxfam todavía no conoce la naturaleza formal de los cargos, si hay alguno, contra el doctor Fuentes Knight. Aún así, él se ha mostrado completamente franco con el consejo y la dirección de Oxfam sobre el hecho de que está entre antiguos funcionarios investigados por una transacción presupuestaria hecha por el Gobierno guatemalteco mientras él era ministro de Finanzas.

Él nos ha asegurado que ha cooperado completamente con la investigación y tiene la confianza de que no transgredió a conciencia las normas o los procedimientos.»

Emprendo el camino de vuelta al apartamento y Kate está ahí, esperándome, y me abraza y dice que saldremos de esta, que me quiere mucho, y en el sofá mis manos ya han abierto la computadora y recorro las noticias —las actualizaciones, los comentarios abajo, los comentarios en redes sociales— y la enjundia del ataque contra papá y los exministros es ahora feroz, y las voces que piden paciencia para ver cuáles son los cargos y la evidencia son cada vez menos y más tentativas.

Entro al torbellino de Twitter mientras recibo los mensajes de Alberto. Nos enteramos de que la conferencia de prensa del Ministerio Público y la CICIG, donde presentarán el caso y los cargos, será a la 1:30 PM.

La mayor victoria de la CICIG se dio en el 2015, cuando sus acusaciones y las resultantes manifestaciones ciudadanas llevaron al arresto del presidente Otto Pérez Molina y la vicepresidente Roxana Baldetti. Nos enteramos que la cúpula del gobierno había construido una amplia red de corrupción. Durante el juicio pudimos ver decenas de propiedades que cada uno había adquirido durante su tiempo en el ejecutivo, incluyendo fincas extensas, un hotel de lujo en Antigua Guatemala, una mansión en la paradisiaca isla caribeña de Roatán. El dinero del erario público fluía sin límite; la evidencia parecía ser solo la punta visible del iceberg.

Personas de todo el país inundaron la capital para respaldar la lucha anticorrupción —maestros y oficinistas, jóvenes y ancianos, colectivos de distintas procedencias. La muchedumbre pasó frente al Congreso y llegó al Palacio Nacional, donde columnas de estudiantes y comunidades indígenas terminaron de llenar la enorme plaza.

Participé seguido junto a amigos, parientes y muchos más. Ahí me topé con papá unas cuantas veces, pues asistía a las marchas semanales en el Parque Central. También vi a mamá —a sus sesenta y tantos años, pequeña y generalmente discreta— gritar cosas que me sacaron la risa y casi las lágrimas. Admiré su desenvoltura, las consignas que lanzaba como si nunca hubiera dejado de hacerlo. Luego me dijo que se había sentido un poco temerosa, que no la abandonaba el miedo de la represión en los setenta, cuando salía a las calles junto a tantos otros, muchos de ellos asesinados o desaparecidos poco después. Imagino que papá sintió algo similar.

Yo nunca había considerado que manifestar implicara un conocimiento, algo que se aprendía. Primo Levi cuenta que en la Italia anterior a la Segunda Guerra Mundial, su generación ignoraba que podía hacerle frente al fascismo y se limitó a aislarse. La represión en contra de los turineses de la generación previa —Einaudi, Ginzburg y otros— logró sofocar «la semilla de la lucha activa» en la suya. El terror desatado por los regímenes militares contra la generación de mis abuelos y la de mis padres tuvo un efecto similar en la mía.

Las comunidades indígenas, por otro lado, seguían luchando contra el despojo y la represión en sus territorios de la misma forma en que siempre lo habían hecho. Pero el 2015 pareció unir a grupos hasta entonces balcanizados. Las calles de los pueblos y las ciudades de Guatemala volvían a ser el escenario de una auténtica efervescencia ciudadana.

Shirley

Cuando conocí a tu abuelo estaba estudiando su licenciatura en McGill, en Montreal. Debe haber sido el '45 o '46, pero él no sabía nada de inglés, solo francés por el tiempo que su familia vivió en Marruecos y Francia. Y ahí estaba: un guatemalteco que no hablaba una pizca de inglés viviendo en Canadá.

En McGill se hizo amigo de una pandilla de estudiantes griegos, todos parecidos, iban juntos por el campus con su pelo negro y las mismas cejas tupidas.

En realidad conocí a tu abuelo en las Naciones Unidas en Montreal. Los dos estudiábamos en McGill pero también trabajábamos después de clase, editando y traduciendo para las delegaciones internacionales. Y ahí se me acercó y me invitó a cenar, a comer *chicken in a basket* con él.

Sí, *chicken in a basket*, pollo en una canasta. ¿No lo conoces? *Oh, it was all the rage at that time*, a todo el mundo lo volvía loco. Y me acuerdo que descubrí el Tabasco cuando fuimos a comer *chicken in a basket*. No tenía idea de qué era el Tabasco. Y él pidió el bote de Tabasco y bañó todo su pollo en esa salsa.

Después de eso me acompañó a la estación de tren; yo estaba viviendo en Pointe-Claire con mi familia y acostumbraba hacer el trayecto a Montreal.

Así que eso fue todo, mi primera cita con tu abuelo.

Ese fue mi último año en McGill y él se quedó un año más. Teníamos la misma edad pero él había perdido un año porque tuvo que aprender inglés. Me acuerdo que él iba a la misa anglicana los domingos en la mañana para oír el sermón.

No, no era religioso, pero escuchaba el sermón en inglés, para practicar, y después invitaban a la congregación al café y galletas, así que imagino que también conseguía su almuerzo así.

Para nuestra segunda cita me invitó a un restaurante francés encantador. Y me acuerdo que yo acababa de estar en Suiza, y me había comprado una blusa bordada muy bonita. En esa época el bordado suizo era muy famoso. Tenía rojos y amarillos y verdes, y llevé esa blusa. Y yo sabía que me miraba linda.

Llegué a la estación de tren y me estaba esperando. Fuimos al restaurante francés y comimos ostras. Creo que estaba un poco sorprendido de que yo disfrutara tanto esas ostras. Y me acuerdo que yo le gusté mucho esa noche.

¡Pero no éramos amantes! Yo estaba aterrorizada, con esa crianza puritana que había tenido. Y luego imagínate, le pidió prestado el carro a un amigo que tenía, un amigo salvadoreño. Le prestó su Morris, un carrito inglés, y manejamos a Nueva York. Yo le dije «Está bien. Voy contigo pero vamos a tener cuartos separados». Y él me dijo «Cómo no», y me acuerdo que llegamos a Nueva York y fuimos al hotel y de inmediato dije en la recepción «Queremos dos cuartos», aunque ni él ni yo teníamos mucho dinero, éramos estudiantes.

Es decir, en ese tiempo no era como ahora, simplemente no era así. Así que tuvimos cuartos separados, y no dormimos juntos. Él se quedó en un cuarto y yo me quedé en otro cuarto y ese fue nuestro primer viaje.

La conferencia de prensa estaba escenificada de manera casi idéntica a las de casos previos de corrupción: Thelma Aldana, la Fiscal General del Ministerio Público, e Iván Velázquez, el Comisionado de la CICIG, aparecían sentados tras una mesa cubierta por un mantel oscuro, con el logo del Ministerio Público reproducido a sus espaldas.

Aldana y Velázquez habían sido los héroes de la lucha contra la corrupción en Guatemala. Al igual que muchos, yo también los tenía en un pedestal. Cuando fue parte de la Corte Suprema, Aldana había creado juzgados dedicados al femicidio, un paso importante para la justicia guatemalteca, y ahora se le conocía como «la Fiscal de hierro». Velásquez era el tercer comisionado en la historia de la CICIG y el público lo había adoptado como héroe nacional, incluso más rápidamente que a Thelma Aldana, en parte por el reto que significa ser una mujer con poder en el país. En las manifestaciones vi más de una pancarta que decía «Iván para presidente», a pesar de que era colombiano. Cuando Kate trabajaba como periodista, escribimos juntos un artículo para Al Jazeera sobre Velásquez que celebraba su temperamento comedido, las valientes investigaciones que llevó a cabo contra grupos paramilitares en Colombia, y el entusiasmo que despertaba entre los guatemaltecos.

El caso por el mal uso de los fondos asignados al Transurbano ya había seguido un proceso legal en el 2010. En ese momento yo no le puse mucha atención: era común que se litigara contra funcionarios de Estado, sobre todo por empresas que competían por fondos públicos y quedaban excluidas. Esa vez el caso llegó hasta la Corte Suprema y esta determinó que no había fundamento para procesar a miembros del gabinete, encargados de las políticas públicas, pero que sí debía investigarse a los empresarios transportistas, ya que habían recibido y ejecutado los fondos. La misma Thelma Aldana, en ese tiempo miembro de la Corte Suprema, respaldó ese fallo desde una sala de apelación, reafirmando que no había elementos para acusar a los ministros. ¿Qué habrían encontrado que cambiaba las cosas? Me sentía lleno de pavor y de esperanza ante lo que se venía.

Me acomodé en el sofá junto a Kate, la computadora sobre mi regazo. En el peor de los casos, me dije, el comisionado colombiano y la fiscal guatemalteca describirán la responsabilidad administrativa que tuvieron papá y el gabinete al firmar el documento que permitió la entrega del subsidio a los empresarios de los autobuses. Tal vez resaltarían un tema de negligencia, pero me era difícil imaginar incluso eso conociendo el rigor y la atención al detalle de papá.

Con voz pausada, Thelma Aldana empezó explicando que hablarían sobre el caso denominado «Transurbano: Etapa 1», que trataba sobre la implementación del sistema prepago en los buses de Guatemala, y dijo lo siguiente:

La investigación reconstruye y examina los mecanismos legales fraudulentos utilizados por empleados públicos y privados para lograr la sustracción de treinta cinco millones de dólares en perjuicio del Estado de Guatemala.

Mi corazón empezó a latir con violencia. Me acerqué más a la pantalla, ahora sobre la mesita baja frente a nosotros. Aldana hablaba con tono mesurado y de forma concisa. Tenía el pelo corto peinado hacia un lado, los labios de un rojo profundo y sus ojos fuertemente delineados. Enumeró las fechas durante el 2009 en que el gobierno había tramitado el Acuerdo Gubernativo —el documento legal con que se aprobaba el subsidio para el sistema prepago, y por cuya firma estaban acusados los exministros. La Fiscal General describió los diferentes pasos que de acuerdo a ella obviaron el presidente y los ministros hasta aprobar el Acuerdo Gubernativo, sugiriendo que el proceso se aceleró deliberadamente para beneficiar a la Asociación de Empresarios de Autobuses Urbanos, la AEAU. Entonces pronunció una frase que me dejó frío:

El mismo 3 de abril de 2009, en 4 folios y utilizando una justificación amplia, el Ministro de Finanzas Públicas, Juan Alberto Fuentes, envió a la Secretaría General el proyecto del Acuerdo Gubernativo que facultaba al Estado a otorgar $35 millones de dólares a favor de la Asociación.

No puede ser, pensé, están culpándolo a él.

Aldana cambió de tono y se preguntó:

¿Cómo se configuró el fraude en este caso?

En el caso de esta investigación, se respondió a sí misma, se estableció que el mecanismo fraudulento para engañar a la administración pública consistía en evitar la injerencia de actores y procedimientos que pudieran entorpecer el propósito criminal: lograr la aprobación del Acuerdo Gubernativo 103-2009 para erogar $35 millones de dólares en perjuicio del estado guatemalteco.

¿Y cómo se engañó a la administración pública?, se preguntaba ahora.

Thelma Aldana miró hacia abajo, sus pestañas ocultaron sus ojos y empezó a leer de las hojas que tenía sobre la mesa:

No existió un estudio sobre el alcance, el costo y la necesidad de implementar el sistema prepago, ni análisis técnico que precisara si la asociación de transportistas tenía la capacidad de implementar el sistema. A pesar de lo anterior, el Ministerio de Finanzas Públicas presentó el Acuerdo Gubernativo para adjudicar el sistema prepago.

No puede ser, pensé, no puede ser.

Aldana levantó la vista y observó al público, a los periodistas, y con cierto cansancio regresó la mirada al papel:

El entonces vicepresidente de la república, Rafael Espada, se negó a firmar el acuerdo gubernativo 103-2009, y por ley constitucional el vicepresidente forma parte del consejo de ministros.

Ojeó sus páginas, cerró el libreto que tenía frente a ella, y volteó hacia Iván Velásquez:

A continuación, el comisionado va a referirse a los otros aspectos de la investigación.

Iván Velásquez tomó la palabra y empezó explicando la forma en que los transportistas usaron el subsidio, las cuentas donde ingresaron los fondos, las compras del equipo prepago que hicieron en Brasil y los números que no cuadraban.

Era un señor mayor de pelo cano y ralo en la frente. Sus anteojitos de catedrático coincidían con el gesto didáctico con el que se dirigía al público, y en la articulación cuidadosa de sus palabras, en su suave acento paisa, se percibía un afán por ser preciso con el lenguaje.

Por el análisis financiero, continuó Velásquez, se determinó que parte de los fondos desembolsados para el sistema prepago se movieron en diferentes cuentas, incluyendo una cuenta de Gustavo Alejos, el exsecretario privado de la presidencia de Colom.

¡Gustavo Alejos! Se trataba de un empresario y operador político que ya estaba en la cárcel por acusaciones en otros casos de corrupción. *Rendición de cuentas*, el libro que papá publicó poco después de renunciar al gobierno, describía el tipo de mecanismos con que empresarios y políticos cooptan y corrompen el Estado. Ahí detalló las presiones que recibió como ministro de finanzas de parte de Alejos y otros con el fin de avalar negocios cuestionables. Había significado un ejercicio de resistencia constante, pues Alejos tenía entonces, y tiene aún, mucho poder económico y político.

Además, dijo Velásquez, en los buses solo se instaló parte del equipo comprado en Brasil. El resto de ese equipo se guardó en bodegas y gran parte continúa en riesgo de quedar obsoleto.

El comisionado señaló la pantalla junto a él, donde se proyectaban fotos de una galera con hileras de maquinaria verde.

Empezó con un listado de las infracciones que se le atribuían al expresidente Colom, y por último dijo:

No evitó que el Ministro de Finanzas bajo su responsabilidad jerárquica gestionara lo necesario para ejecutar los pagos.

Apareció entonces una foto de papá en la pantalla, y ahí se enfocó la cámara. Era una foto de reo. No podía comprender la imagen frente a mí: a papá se le estaba presentando como a un criminal, incluso como a uno de los cabecillas.

El Dr. Fuentes Knight, como rector del ministerio de finanzas, decía ahora Velásquez, era responsable de que la política pública se ejecutara conforme a los intereses del Estado. Preparó y evaluó el acuerdo gubernativo, con una carpeta administrativa —y lo insistimos porque es una muestra elocuente de cómo se trató todo este proceso—, una carpeta de cuatro folios.

El comentario sobre los cuatro folios me golpeó. ¿Cómo era posible que ese dinero se hubiera entregado a partir de cuatro páginas, sin ningún plan? ¿Podía ser cierto? A la vez entendía que el temor y la preocupación distorsionaban mis percepciones por completo. Imposible que el cariño por papá no distorsionara mi mirada.

Realizó los trámites necesarios y gestionó lo indispensable para que se desembolsaran los pagos, continuó Velásquez, firmó el Acuerdo Gubernativo a sabiendas del engaño o el ardid orquestado: evitar sistemáticamente la intervención de actores o instituciones que podrían dar dictámenes u opiniones que frenaran o contradijeran el propósito de entregar los $35 millones a la AEAU.

Dijo algunas cosas más, pero un silencio espeso volvía a llenarlo todo. En algún momento me puse de pie. Un cansancio profundísimo había entumecido mis piernas y brazos.

¿Con engaño y ardid, papá? ¿Papá, de quién recibí un regaño durísimo a los once años, con un largo discurso, cuando descubrió que yo había plagiado un par de citas e inventado otras convenientes para un ensayo escolar sobre los dioses griegos?

«¡Eso es robo!», repitió una y otra vez, con una mirada de gran decepción, las cejas alzadas: «¡Eso que hiciste fue robar ideas!»

Esa vez pasamos las siguientes horas revisando libro tras libro de referencia sobre mitología griega, reescribiendo todo mientras le dábamos vueltas a la pregunta del ensayo, la misma que papá insistía en formularme de diversas maneras y que, a pesar de mis intentos, nunca alcancé a responder adecuadamente: ¿Pero *qué* representa Zeus?

Las acusaciones en la conferencia de prensa continuaron, ahora contra el resto de los ministros del gabinete, pero yo no entendía qué estaba sintiendo, qué me recorría por dentro como un largo tren de carga. Kate, que seguía atenta a la pantalla, me señaló algunas preguntas de los periodistas al final.

Verónica Orantes, de Noticiero Guatevisión:

¿Han detectado pagos a alguna cuenta de los exministros?

Thelma Aldana:

Tenemos en curso el análisis financiero, y cuando este concluya podremos establecer la ruta del dinero para determinar si llegó a cuentas de las personas señaladas en los hechos.

Michelle Mendoza, de CNN:

Dos preguntas: ¿Tienen ustedes conocimiento de qué forma se beneficiaría el gabinete de Colom al otorgar los $35 millones de dólares? Segunda: el exministro de finanzas Fuentes Knight mencionaba en tribunales hace unos momentos que hizo denuncias por movimientos extraños en Guatecompras sobre estos montos. ¿Existía colaboración de él o de otros funcionarios que estuvieran implicados en este caso?

Se refería a las denuncias que papá hizo poco después de que los transportistas recibieron el primer desembolso: dijo que no se haría el segundo desembolso hasta que publicaran en el portal en línea Guatecompras cómo habían gastado el dinero, una obligación para contratistas del Estado.

Aldana: en el caso del exministro de finanzas, vemos cómo viabilizó y agilizó lo necesario el Acuerdo Gubernativo 103-2009.

La Fiscal General no respondió a ninguna de las dos preguntas, pero nadie dijo ni preguntó nada más. No pude escuchar a los otros periodistas. Le envié un mensaje a mi hermano:

Yo:

Como lo presenta Aldana, no pinta bien, la culpa de todo del lado del gobierno parecería del Ministerio de Finanzas. Suena terrible esto.

Alberto:
Sí
Lo están presentando como que todo fue un gran plan

Yo:
Sí, y papá el orquestador

Entró una llamada de Harald, mi padrastro y amigo, un hombre amable y grande y de huesos vikingos. Fue la voz calmada y sensata que siempre ha sido.

Ánimo, dijo, tu papá saldrá bien de esto. Estoy con ustedes, como siempre. Aquí te paso a tu mamá.

Al escucharla al teléfono balbuceé algo, y en algún momento caminé al cuarto y me senté en el borde de la cama y ahí seguí hablando con ella, los dos desarmándonos poco a poco, hasta que rompimos en llanto. Paré de improviso porque la conmoción y el miedo y el recorrido vertiginoso de la especulación era tan fuerte que ninguna emoción se mantenía quieta, cambiaba de dirección con violencia inusitada.

Bueno, ya está, dijo mamá. Suficiente. Ya lloramos, pero de aquí en adelante nos mantenemos fuertes fuertes fuertes, ¿ok?

Yo también me fui recogiendo, los pedazos de nuestro presente y de nuestro pasado los iba recogiendo, y finalmente me rearmé.

Sí, mami, ya estuvo.

Mamá nunca se había mordido la lengua. Me acuerdo que al enterarse años antes de que había una investigación en curso sobre el sistema prepago, dijo que de papá se podían decir muchas cosas como esposo —mis padres se habían separado dos décadas antes en circunstancias dolorosas, sobre todo para mamá.

Pero si en algo conozco a tu papá, me dijo esa vez, es que él no se robó un centavo. Eso sí que no.

Shirley

Supongo que poco a poco fui enamorándome de tu abuelo. Teníamos mucho en común. A los dos nos encantaba leer, y a los dos nos gustaba la comida. No sé. Era algo.

Luego vino el verano en Montreal y alquilamos bicicletas y las usamos un montón —fuimos a diferentes playas en el área.

Gosh, fue hace tanto tiempo. Medio recuerdo... pedazos.

Y nos escapamos el siguiente febrero y fuimos a los Estados Unidos para casarnos, en Plattsburgh. Es una ciudad en el norte del estado de Nueva York.

Bueno, no nos podíamos casar en Canadá porque técnicamente él era católico y yo era protestante, y estábamos viviendo en Quebec, y Quebec era una provincia muy medieval, y legalmente no lo hubieran permitido. Todos tenían la foto del Papa en la sala. Ni él ni yo éramos religiosos, así que solo nos subimos —otra vez, a un carro prestado— y nos fuimos a Plattsburgh a casarnos.

Poco después nació tu papá, en 1952, y al año siguiente el Banco de Guatemala le dio una beca a tu abuelo para hacer su doctorado. Lo aceptaron en la London School of Economics y nos fuimos a Inglaterra con tu abuelo y tu papá, que era un bebé muy dulce.

Pero en 1954 ese dictador horrible, Castillo Armas, llegó al poder en Guatemala. Ese fue el final de la beca. Por suerte tu abuelo encontró trabajo en la BBC como locutor de radio para América Latina.

Sí, no le molestaba el trabajo, pero tenía que trabajar de noche porque estaba estudiando durante el día en la universidad, así que estaba bastante ocupado.

Poco después regresé a Canadá a visitar a mis padres, a principios del '55, pero tu abuelo se quedó porque tenía que terminar su tesis. Así que empaqué todo y me subí a un barco con tu papá, que era un niño de dos años, pero que tardó mucho en aprender a caminar. Y tengo una foto linda de él en el muelle antes de zarpar de Inglaterra, sobre una de esas cajas de madera del barco en que íbamos a cruzar el océano, y está ahí sentado con su abriguito de corduroy y gorra de visera porque no podía caminar.

Me puse muy mal en ese barco, lo cual casi nunca me pasaba. Y cuando al final del viaje llegamos a Pointe-Claire en Canadá, mi mamá me llevó a hacerme una prueba. *And sure enough!* Estaba embarazada de Ana Lucía. Habíamos quedado con tu abuelo en reunirnos en Guatemala cuando terminara su tesis. Así que después de unos meses en Pointe-Claire con mis padres, me fui a Guatemala por primera vez.

Llegué ahí supuestamente a esperar a que mi esposo apareciera. Me estaba quedando con mis suegros, con Alberto y con Marie. Era mi primera vez en Guatemala pero había tomado algunas clases de español en Montreal así que me sentía bastante cómoda con el lenguaje.

Ana Lucía tenía como seis meses cuando mi esposo finalmente llegó. Fue muy difícil. Él estaba tan diferente. Tenía el pelo largo, y probablemente me encontró fea, o no sé. Simplemente se portó frío.

Ahí tenía a dos niños hermosos, tu papá y Ana Lucía, pero sí, no fue muy cálido en ese tiempo. Empezó a trabajar en el Banco de Guatemala, creo, y poco después consiguió un puesto con las Naciones Unidas en Nueva York, así que hacia allá fuimos. Era un trabajo de nivel muy bajo, y me acuerdo que era Navidad y estábamos congelándonos y no teníamos dinero, porque pagábamos el alquiler y por supuesto teníamos a dos niños, así que tu abuelo prestó algo de dinero de Household Finance, que tenía una tasa de interés mensual terrible. Me acuerdo que nos costó mucho pagarlo de vuelta. *Oh, it was awful,* pero al mismo tiempo estábamos viviendo otra vez como una familia, y esos años y los siguientes fueron años muy buenos para nosotros. Fuimos felices juntos. Por suerte consiguió un trabajo en la CEPAL de México poco después, también con Naciones Unidas, así que nos fuimos a vivir al D.F.

Al par de años regresamos a Guatemala, a principios de los sesenta. Estuvimos felices ahí también, después de llegar. Tu abuelo entró a política poco después. Pero esa parte de la historia ya la conoces.

Casi veinte años antes, un arete desconocido había aparecido en el carro de papá. No puedo imaginar cómo lo vivió mamá, para quien nuestra pequeña familia nuclear lo era todo. Para mi hermano y para mí, los indicios eran otros: las llamadas furtivas de papá, las discusiones fuertes entre nuestros padres. Esos fueron los rastros que delinearon mi primera idea de Ana Cristina. Luego supe que ella se encargaba del área de comunicaciones en la misma oficina donde trabajaba papá.

Tiempo después del divorcio, cuando ya se habían casado, me sentí más abierto a tener una relación cordial con Ana Cristina. Mamá salía de la depresión y los estragos iban quedando atrás, al menos los más inmediatos. Ya había conocido a Harald, de noche y frente al Lago Atitlán, en una fiesta en casa de mi madrina. Poco a poco Harald llegó a formar parte de su vida y de la nuestra. El tiempo fue restituyendo la tranquilidad hogareña y mamá recuperó ciertas formas de la alegría y la serenidad. Incluso llegó a tener un trato afable con papá.

Pero mi relación con Ana Cristina nunca terminó de arrancar. Nuestro primer intercambio de correos se descarriló rápidamente. Me tomó por sorpresa el rencor en sus mensajes, y quedó claro que nos responsabilizaba a mi hermano y a mí de una distancia que creía injustificada. También entendí que yo sabía muy poco sobre la relación de papá con su esposa. La vi por última vez en una protesta anticorrupción en el Parque Central, cuando junto a Kate nos encontramos a papá en medio de una muchedumbre. En esa ocasión, al vernos, Ana Cristina se alejó de papá y nunca más tuvimos contacto.

Seguía atento a mi celular en el apartamento, conmocionado por la noticia de esa mañana, cuando entró la llamada de Ana Cristina. Era del mismo número desconocido que no había respondido.

Su voz temblaba, pero menos que la mía. Explicó que ahora tenían a mi papá en las carceletas de tribunales. Recordé las jaulas como de zoológico que había visto en la televisión, la letrina esquinada. Alcancé a preguntarle por el abogado y me pasó su nombre, aunque le costaba encontrar su número en su celular. Decidió buscarlo en el de papá y entonces comprendí que papá, por supuesto, ya no tenía su teléfono consigo.

Hablamos de la medida sustitutiva —la posibilidad de que papá saliera de la cárcel con fianza mientras duraba el proceso legal—, y Ana Cristina dijo que eso se decidiría en la primera declaración, en diez días. Mientras tanto permanecería en la cárcel.

No recuerdo bien qué otras cosas nos dijimos, pero en algún rincón, escondido entre el huracán de angustia que me sacudía todo por dentro, me pareció que Ana Cristina tenía una voz dulce.

Mi hermano y yo le enviamos mensajes a Ana Cristina para que los compartiera con papá. Recibí su respuesta:

Le di el mensaje y cariño de los dos. Estará en el Mariscal Zavala.

¡En el Mariscal Zavala!, se me ocurrió apenas entonces. ¡Ahí lo tienen!

Sabía que el Mariscal Zaval era una base militar convertida en prisión desde hacía tres o cuatro años. Los primeros en llegar ahí fueron militares acusados de masacres durante el conflicto armado, pero la población encarcelada había ido creciendo para incluir empresarios corruptos, narcotraficantes de peso, policías y políticos con vínculos oscuros. El expresidente Otto Pérez Molina ahora guardaba prisión ahí.

Ana Cristina terminó su mensaje con esto:

Está afectado pero está entero.

Entero. Esa palabra aparecería más veces. Los amigos de papá también la utilizarían esos próximos días, al hablar por teléfono o en mensajes de texto.

Está golpeado pero está entero, decían.

Lo fui a visitar y lo sentí entero, decían.

¿Qué significaba eso? Lo sabía y no lo sabía. Quería decir que seguía en pie, que su aparato psicológico no se había roto, que podía hablar. Pero no sabía qué significaba no estar entero. Estar en partes. Estar en pedazos. Ya no ser lo que se era, sino algo nuevo. Así que esa palabra también quedaría tallada en mi mente.

Gracias a mi amigo Arnoldo ya tenía alguna idea de cómo funcionaba el Mariscal Zavala. Su trabajo previo como periodista lo llevó a varias cárceles de Guatemala, donde entrevistó a personajes extravagantes y muchas veces siniestros. Había visitado el área conocida como *VIP* en el Mariscal Zavala, donde se encontraba Pérez Molina, apodado «El general», entre otros prisioneros.

Esa noche, Arnoldo me explicó que había tres sectores: el de mujeres, el sector general, y el VIP, este último comparativamente cómodo, y ese era el lugar donde seguramente habían llevado a mi papá.

Porque dudo que hayan llevado al gabinete al sector general, dijo, ahí solo hay champitas entre tramos de tierra y más incertidumbre que en el VIP.

Intenté imaginar cómo sería para los ministros del gobierno de Colom, varios de corte socialdemócrata, entrar en el sector VIP del Mariscal Zavala. Supuse que el General los estaría esperando de brazos cruzados en su territorio; casi pude ver la sonrisa apretada con que recibía a antiguos contrincantes políticos al otro lado del espectro ideológico. Era el caso de papá pero también de Colom, cuyo tío y exalcalde capitalino —Manuel Colom Argueta, el carismático político progresista— fue asesinado en 1979 por el régimen militar. Lo balearon pocos meses después de que asesinaran a mi abuelo.

Y pensé en otro militar preso en el sector VIP del Mariscal Zavala: el hermano ya octagenario del difunto general Romeo Lucas, quien gobernó Guatemala de 1978 a 1982 y desató un furibundo terrorismo de Estado en contra de la población. Aunque el asesinato de mi abuelo nunca se investigó ni aclaró, era bien sabido que Romeo Lucas dio la orden. Y ahora resultaba que su hermano, el Jefe del Estado Mayor en ese mismo gobierno, acusado de graves crímenes contra civiles, estaría en la misma cárcel que papá.

Papá tenía 66 años —los acababa de cumplir el día antes de que lo arrestaran— y tuve que admitirme que no era el tipo de persona que se manejaría bien en una cárcel guatemalteca, menos en una donde estuvieran aquellos vinculados al asesinato de su propio padre. ¿Pero cuántas personas, cuáles personas, se manejarían bien en un lugar así?

Esa noche, al salir a caminar a las calles de Providence sentí a la ciudad desconocida, ajena. Nos habíamos mudado hacía tres años, luego de que Kate completara su maestría en Nueva York. En ese tiempo yo terminaba mi tesis de doctorado y también daba clases enseñándoles a niños de cuatro y cinco años a leer.

Éramos muchos los escritores latinoamericanos buscando cobijo en la academia estadounidense —chilenos, bolivianos, cubanos, colombianos, impostores contrabandeados a doctorados de crítica literaria. Auspiciados por becas que nos parecían insólitas, tomábamos clases, enseñábamos español y en tiempos libres escribíamos. Algunos jugábamos Fifa hasta altas horas de la noche.

Fue Kate quien descubrió un puesto recién abierto en la universidad donde ahora doy clases, a 45 minutos de Providence; la descripción del trabajo hacía parecer que escribir ficción era una ventaja, no algo para ocultar en el CV entre artículos académicos. Nada sabía yo de Providence ni que la segunda comunidad migrante más grande de la ciudad fuera la guatemalteca. Incluso el alcalde era hijo de guatemaltecos llegados a Estados Unidos en los años setenta, una época en que muchos salieron huyendo del país.

Los tentáculos del conflicto armado se extendían por el estado de Rhode Island de otras maneras, como mostraba un artículo publicado poco después de mi llegada a la ciudad. Alrededor del mismo tiempo en que el alcalde guatemalteco tomaba posesión de la municipalidad, una mujer esperaba en la fila de una farmacia Walgreens en Providence. De pronto reconoció al hombre atrás suyo; la cara y el sombrero negro la llevaron de golpe a 1982, cuando tenía cinco años y vivía en el departamento guatemalteco de Quiché. El hombre a sus espaldas era Juan Alecio Samayoa Cabrera, responsable de la desaparición y asesinato de su padre y su tío.

Sin tiempo para pensárselo, lo confrontó al salir del Walgreens:

«Es que usted es bien famoso», le dijo al hombre. «¿Se acuerda de Manuel Tzoc Ixcotoy y Diego Tzoc Ixcotoy?»

El hombre del sombrero negro empezó a temblar, su rostro se descompuso. A la mujer se le hizo un nudo en la garganta.

Dos años después del asesinato de su padre, su madre había muerto de cáncer. Huérfana, le tocó pasar hambre y miedo hasta que logró huir y llegar a Providence. Construyó algo similar a una vida nueva donde no vería más a hombres así.

Resultó que Samayoa había llegado a esa misma ciudad en los años noventa. Como muchos migrantes, buscó el lugar donde ya vivían miembros de su comunidad originaria. Solo que en Guatemala se le acusaba de haber comandado un grupo de 500 hombres como comisionado militar de las Patrullas de Autodefensa Civil —unidades paramilitares auspiciadas por el régimen del dictador Efraín Ríos Montt a principios de los ochentas. Samayoa era señalado de incendiar viviendas, torturar, violar, enterrar vivas a personas. Muchos guatemaltecos en Providence son del Quiché, así que varios pudieron identificarlo como el hombre que había sembrado el terror en las montañas de su tierra natal. El mismo sombrero negro lo acompañaba desde entonces.

Samayoa fue arrestado en Providence y deportado a Guatemala para enfrentar la justicia. La mujer que lo había reconocido declaró que «Para mí, como hija, pues se abre una nueva esperanza, porque por fin voy a saber dónde está mi papá, rescatar sus huesos y darles una cristiana sepultura». En el juicio, llevado a cabo en un juzgado del Quiché, se declaró falta de mérito a favor de Samayoa. El excomisionado militar recobró su libertad.

Papá me pudo visitar en Providence solo una vez, poco después de que yo consiguiera trabajo en la universidad. Esa noche, luego de cenar y compartir una botella de vino, fuimos a un bar a unas cuantas cuadras del apartamento. Ahí pedimos un whisky y nos sentamos frente a un ventanal que daba a la calle. Ya un poco borrachos hablamos sobre *El olvido que seremos*, el libro del escritor colombiano Héctor Abad Faciolince. Trata sobre la relación del narrador con su padre, un hombre sensible y de conciencia social que fue asesinado por paramilitares en Medellín.

Papá me contó que estaría presentando el libro junto a Faciolince en Guatemala pocas semanas después en la librería Sophos. Se trataba de reunir en ese evento a dos hijos de padres asesinados por la derecha latinoamericana más violenta. En el bar en Providence le dije a papá cuánto me sorprendieron las lágrimas recurrentes del narrador en el libro de Faciolince, así como la capacidad de algunos personajes masculinos de ser abiertamente vulnerables.

Ya con un segundo whisky en mano hablamos del pasado. Papá recordó a su padre y lo que le tocó vivir a su mamá —mi abuelita Shirley— luego del asesinato. En algún momento, suavizado por el alcohol y quizás la edad, sus ojos se humedecieron y dijo algo como «Ala puerca» y se llevó el índice y el pulgar al puente de la nariz, y luego de dejarlos ahí un rato sacudió la cabeza y seguimos hablando de algo más.

Ana Lucía

La cabeza de mi papá siempre me pareció un mapamundi. Cuando íbamos en el carro yo lo veía desde el asiento de atrás, y él tenía una cabeza bien grande, con mucho pelo, y era alto. Bueno, ya sabés que de apodo le decían «El Bisonte». No le gustaba (*risas*). Él siempre nos hablaba de historia y geografía, y por supuesto nos hacía preguntas y era bien fregado para preguntar.

¡¿Qué están aprendiendo en esos colegios?!, nos fregaba cuando no sabíamos la respuesta.

Igual a tu papá, era duro mi papá, súper riguroso. Ahora me da risa, porque es tan parecido el patrón, ¡cómo se pasan esas cosas de generación en generación!

La pura verdad es que mi papá era una persona fascinante, era tan interesante todo lo que hablaba, lo que contaba. Además de niño vivió en Marruecos, porque mi abuelo, que era dentista de Quetzaltenango y estaba casado con mi abuela Marie, de origen francés, había ido ahí con la familia por trabajo. Ya que empezó la segunda guerra mundial se tuvieron que ir de vuelta a Guatemala.

En Marruecos mi abuelo puso su consultorio de dentista. Así que luego mi papá contaba historias de Casablanca y de su vida de niño durante ese tiempo. A mí me encantaban. Tenía un magnetismo bien especial. No hablaba alto, ni acaparaba la conversación, pero cuando hablaba todo el mundo lo escuchaba.

No sé si te conté que en nuestra casa en Guatemala teníamos un globo terráqueo, de esos inflables, y a mi mamá no le gustaba porque con mi hermano y mi papá nos poníamos a jugar «adónde nos íbamos a morir» (*risas*). Le dábamos vueltas al globo terráqueo y después poníamos el dedo y donde cayera era el lugar donde «nos íbamos a morir».

Yo creo que mi papá lo hacía para que aprendiéramos geografía. Los tres jugábamos, aunque mi mamá no participaba y decía que era macabro. Pero para nosotros era mucho más emocionante así. Si nos hubiera dicho: «Pongan el dedo y donde caiga vamos a viajar», por ejemplo, no nos hubiera interesado mucho, ¡pero dónde nos íbamos a morir!

Y él contaba historias sobre los lugares donde caía su dedo. No era que a mí me interesaran tanto los lugares en sí, lo que me encantaba era oír sus historias. Porque tu abuelo tenía una memoria de elefante. No se le olvidaba nada. No se lo heredé, pero era increíble oírlo hablar de geografía, de lugares lejanos, de vidas distintas.

No sé a qué hora logré dormirme pero tuve pesadillas violentas de las cuales recuerdo una: una comadreja recorría de ida y vuelta el techo y yo intentaba bajarla con un palo de escoba, pegándole al techo una y otra vez, y cuando al fin salí de la casa corriendo para escapar de ese lugar, entrando al carro, escuché que algo se movía en el asiento de atrás; al voltear, una comadreja enorme se lanzó contra mi cara. Me levanté con un grito, desperté a Kate.

Agradecí cuando me dijo que quería acompañarme a la universidad. Ella estaría empezando su doctorado en psicología en los siguientes meses y por ahora podía trabajar a distancia. Su presencia me hizo sentir mejor en el trayecto hacia Worcester; costaba creer que solo había pasado un día desde el arresto. Afuera había frío y sol y un cielo azul y pensé en papá despertando donde fuera que estuviera. Se me ocurrió que probablemente ni había dormido, y de todas formas no podía imaginármelo. ¿Cómo imaginar la cárcel Mariscal Zavala?

Llegamos al campus temprano. Kate se fue a la biblioteca y yo caminé del estacionamiento hacia el «casco» principal, ya que al igual que otras universidades de Nueva Inglaterra, esta tiene cierto aire feudal —un castillo académico de ladrillo rojo y áreas verdes sobre una colina, la ciudad de Worcester a sus faldas.

Al ver alrededor de mi oficina me di cuenta de que no había regado mis plantas desde hacía algún tiempo. La calathea se miraba tristona, con las puntas secas, y las peperomias sobre el alféizar de la ventana parecían ejotes sobrecocidos. La ilustración de una trucha que Kate me regaló, una acuarela para celebrar la publicación de mi colección de cuentos, se encontraba en la estantería, entre los libros de literatura latinoamericana que más acostumbraba compartir con mis estudiantes.

La lectura fue parte de nuestra familia desde que recuerdo. Muchos libros sobre desarrollo, economía, filosofía e historia, pero también novelas y cuentos y poesía. Mi infancia sigue marcada por los universos de Emilio Salgari, Pippi Longstocking, la mitología griega y los Hardy Boys. Cuando teníamos que mudarnos a otro país las cajas de libros se iban apilando en la casa y volvían a aparecer como por arte de magia en el nuevo hogar. Mis padres eran cuidadosos con el dinero, pero mantuvieron una política inquebrantable a lo largo de nuestra niñez: para libros siempre había fondos. Aun así, la literatura nunca se concibió como un oficio o profesión. Papá parecía inclinarse por la idea, más o menos tácita, de que mi hermano y yo seguiríamos la línea familiar y estudiaríamos economía.

Nos enviaron a colegios bilingües y exigieron siempre las notas más altas —solo con becas completas podríamos estudiar en alguna universidad extranjera. Mi abuelita Shirley también nos había enseñado, con disciplina de instituto británico, las reglas de pronunciación en inglés. Recuerdo un vaivén particularmente interminable: «Too, too, not two!» decía ella. «Too», decía o pensaba que decía yo. «Not two, TOO!», exclamaba ella. Cuando llegué a Philadelphia para la licenciatura —en el calor de agosto portaba orgulloso una enorme chaqueta de cuero que mi abuelita me había regalado, sudando a chorros mientras arrastraba una guitarra que apenas sabía tocar— me matriculé en clases de economía. Asistía sin mucho entusiasmo, porque nada se comparaba a los cursos de literatura y escritura creativa. Ahí llegaba al aula con puntualidad suiza, emocionado por lecturas y conversaciones que seguían intrigándome mucho tiempo después.

Luego de graduarme, indeciso y preocupado por un futuro que no veía claro, envié solicitudes a programas de doctorado en literatura. No sabía bien qué implicaba un doctorado pero ofrecían becas. Fui aceptado en Cornell, donde el escritor Edmundo Paz Soldán llevaba un taller informal de cuento en su casa. Cada dos semanas nos reuníamos con otros a leer y criticar nuestros textos y tomar cerveza o vino o lo que cada quien llevara. En retrospectiva, fue lo que más disfruté de mi tiempo en Ithaca.

Mis padres apoyaron mi decisión de estudiar literatura, sorprendidos y quizás aliviados de ver que me tomaba un oficio con el rigor que siempre pregonaron. Yo no había perdido el deseo infantil de recibir la aprobación de papá, a pesar de —o quizás debido a— su parquedad a la hora de ofrecerla. Recuerdo su reacción luego de leer mi libro de cuentos, publicado poco después de terminar el doctorado. «Sí, bonito», dijo. «¿Algo más?», pregunté a la expectativa. Consideró su respuesta, encogiéndose de hombros: «Pues eso, me gustó.» Lo miré, él me miró, y ahí quedó todo.

Esperé sentado en mi oficina, frío, hasta que llegó la hora de reunirme con Dan, el decano. Me recibió con expresión consternada y preguntó si quería cerrar la puerta. En la pared tras él colgaban postales y fotos de España, donde había vivido, y un afiche que mapeaba la anatomía de una vaca, identificando cada parte comestible. Tomé asiento frente a su escritorio.

Le conté que habían arrestado a mi papá en Guatemala, que fue ministro de finanzas en un gobierno hacía años, y que había sido acusado de corrupción por un documento que firmó en el 2009. Pero además era presidente de Oxfam, por lo que la noticia de su captura se estaba reproduciendo mucho en medios internacionales.

Pero mi papá es una buena persona, dije con la voz atragantada, es alguien de integridad y por eso ha sido un golpe muy duro.

A la vez que uno de mis oídos escuchaba la convicción de esas palabras, el otro comprendía cuan absurdas debían sonar, cómo las oiría yo si estuviera al otro lado de ese escritorio.

Dan asintió un par de veces, dijo que lo sentía mucho, que en realidad había imaginado algo así luego de ver una foto en El País sobre los últimos sucesos en Guatemala.

Se les nota el parecido, dijo intentando sonreír, y luego agregó, regresando a su semblante previo: Aquí estamos para lo que necesites, sea lo que sea. Si necesitas ir a Guatemala, nos organizamos con otros profesores para dar tus clases, no te tienes que preocupar por nada.

Cuando nos despedimos se levantó de su silla y se acercó para darme una palmada en el brazo, un gesto un poco torpe al que yo respondí de forma torpe también, con una palmadita de vuelta, y al caminar de regreso a mi oficina agradecí su apoyo en silencio y sentí ese nudo en la garganta que con tanta frecuencia se había estado haciendo presente.

Fue al final de la clase de español, al despedirme de los estudiantes, que volvió la avalancha de preocupaciones y congoja. En esos primeros días empecé a comprender algo que mi tía Ana Lucía había dicho, ya que ella también se encontraba en pleno semestre con sus cursos de biología en la universidad:

Es solo en breves instantes a media clase que logro no pensar en todo esto.

Esa noche, manejando con Kate de regreso a Providence, llamé a Ana Cristina. Intenté imaginar cómo estarían viviéndolo todo sus dos hijos; eran de un matrimonio previo, más jóvenes que yo, uno de ellos aún en casa con ella y papá. Le pregunté si había podido ver a papá en la cárcel. Ana Cristina respondió que sí. El paisaje frío y seco de la carretera en Rhode Island se iba quedando atrás —parches de nieve sucia entre árboles grises y deshojados.

Al final no entró al sector VIP, dijo.

¿No?, pregunté alarmado, casi olvidando que conducía.

No, le asignaron un cuarto con el exministro de salud en el sector general.

¿Pero ahí no está en peligro?, pregunté.

Pues ahí lo recibió Julio Suárez y le ha ayudado mucho en estos primeros momentos.

Recordé apenas quién era Julio Suárez, un economista arrestado hacía un par de años con la junta directiva del Instituto Guatemalteco de Seguro Social. La junta firmó un documento que decían daba lugar a un contrato corrupto. Sé que tanto mamá como papá lo consideraban un buen funcionario antes de eso, y que ambos se preguntaron en su momento qué habría hecho para terminar en la cárcel.

¿Pero entonces mi papá está bien?, le pregunté a Ana Cristina.

Pues está más o menos, respondió, a él y al otro ministro los pusieron en un cuarto de visita conyugal, así que en los días de visitas tienen que salir del cuarto a las ocho de la mañana y solo pueden regresar hasta las cuatro. Para darles espacio a las parejas.

No friegue.

Sí, tienen que sacar todo y caminan con sus cositas por la cárcel, porque tampoco tienen un lugar donde sentarse. Pero en general parece que las personas son buena gente.

Imaginé a papá despertando en la mañana, agarrando su colcha y algún libro que ya le habrían llevado, tal vez una mochila con su ropa, antes de salir a deambular por la cárcel. ¿Cómo sería su regreso al cuarto conyugal en la tarde, al final de esas horas? Pensé en su forma metódica de quitar las sábanas usadas para volver a poner las suyas.

Ana Lucía

La que me contó de los mapas de mi papá fue mi abuelita Marie. Me dijo que cuando vivían en Marruecos y mi papá iba a la primaria en Casablanca, se inventaba mundos y países con muchísimo detalle y los dibujaba en unos cuadernos.

Poco después de que lo mataran, fui a la casa de la familia para sacar las cosas que quedaban y ayudar con la mudanza. Entré al estudio de mi papá, que me encantaba porque siempre tenía un montón de libros y cosas interesantes, y al abrir una gaveta me encontré con esos cuadernos de primaria de los años treinta. Me quedé horas sentada ahí viéndolos. Era como entrar a la cabeza de mi papá a sus ocho o nueve años, pero a una cabeza distinta a cualquier otra, ¡sin duda muy distinta a la mía!

En cada página había mapas bien dibujados y coloreados de esos mundos inventados, con sus ciudades y regiones ficticias. Pero además los mapas iban cambiando página a página, evolucionando con el paso del tiempo. Cada ilustración tenía una especie de movimiento por las distintas batallas que transformaban el territorio, con una presión creciente del crayón o la pluma sobre el papel, al punto de que algunas páginas tenían hoyos o manchas de tinta por la intensidad del conflicto. Increíble ver que los nombres de los lugares también cambiaban y venían de distintas familias lingüísticas: portugués, francés, inglés, otros que sonaban escandinavos o mayas.

Mi papá contaba distintas historias a través de los mapas. Cada civilización tenía también sellos conmemorativos bien dibujaditos con sus grandes hitos del pasado. Los sellos mostraban detalles de la flora y fauna locales, arquitectura emblemática, inventos importantes. Algunos sellos eran retratos de los dirigentes con sus expresiones particulares; uno con grandes bigotes, otro con un parche de ojo, cada uno distinto. No sé, tal vez ya estaba en esas invenciones uno de los orígenes del pensamiento utópico de mi papá.

Como eran de su época en Marruecos, mucho estaba escrito en francés. Y hay una carta, por ejemplo, enviada por el representante diplomático de un país inventado al conquistador que los está conquistando, donde le dice que es una crueldad su forma de avasallar a sus ciudadanos. Mi papá era un patojo, así que es fascinante y a la vez chistoso imaginarlo escribiéndola, sus primeros pasos en el campo de las relaciones exteriores.

Yo sabía que a él le encantaba la geografía, pero no me había imaginado esos mundos inventados. Él siempre dijo que la geografía no se trataba de lugares y nombres, sino sobre todo de historia humana.

Al día siguiente llamé a Alberto en Atlanta. Acababa de recoger a sus hijos en el jardín de niños y los llevaba de regreso a casa. Mi hermano está loco por ellos y eso me hace quererlo más a él. También es un economista e investigador riguroso, pero en la familia bromeamos a medias que su verdadera vocación es ser papá.

Empezamos a hablar del caso y a especular sobre las imputaciones. Dije que había buscado los delitos de los que acusaban a papá en el Código Penal. Compartí un documento con la definición de fraude y peculado:

Artículo 450. Fraude. El funcionario o empleado público que, interviniendo por razón de su cargo en alguna comisión de suministros, contratos, ajustes, o liquidaciones de efectos de haberes públicos, se concertare con los interesados o especuladores, o usare de cualquier otro artificio para defraudar al estado, será sancionado con prisión de uno a cuatro años.

Artículo 445. Peculado. El funcionario o empleado público que sustrajere o consintiere que otro sustraiga dinero o efectos públicos que tenga a su cargo por razón de sus funciones, será sancionado con prisión de tres a diez años y multa de quinientos a cinco mil quetzales.

Hice la suma, le dije a mi hermano, si lo encontraran culpable podría pasar catorce años en la cárcel.

Alberto guardó silencio un rato:

Sí, yo sé, dijo.

Pero parece que los dos delitos implican intencionalidad, seguí, el deseo de sustraer plata o dejar que otros se la roben. Y no hubo ninguna evidencia de eso en la conferencia de prensa.

Yo sé.

¡Catorce años! ¡Tendría ochenta cuando salga de la cárcel, si es que alcanza a salir!

Sí, dijo Alberto.

No agregó mucho más, solo lo imaginé asintiendo con breves movimientos de cabeza al otro lado de la línea.

Hay que ver, dijo al final, hay que ver cómo avanza todo.

Ana Lucía me escribió para decirme que había comprado un boleto de avión para Guatemala la semana siguiente. Estaría ahí seis días. Tendría que perderse clases (¡me van a echar de mi trabajo!, dijo), pero quería acompañar a papá en la primera audiencia.

Pasé parte de la tarde viendo lo que se decía en las noticias, los artículos de opinión sobre este nuevo paso en contra de la corrupción. Cada texto me golpeaba fuerte; las pequeñas muestras de solidaridad, o aquellos que pedían la evidencia antes de juzgar, producían en mí un agradecimiento inusitado. En Twitter la derecha guatemalteca se cebaba contra Oxfam y también contra el movimiento Semilla, que papá había fundado junto a otros. Me encontré con el regocijo de aquellos que siempre habían tildado al movimiento de comunista o terrorista.

Desde el inicio, Semilla se presentó como una agrupación política de visión progresista, algo que se echaba en falta en Guatemala. Los proyectos y las propuestas de izquierda en la capital habían sido aniquilados en la guerra civil, o bien debilitados y cooptados durante el periodo de posguerra. Semilla reunía, en un sentido amplio, a gente interesada en un país más justo e igualitario. Yo conocía a pocos de sus miembros, pero sentía un cauteloso optimismo por el futuro del movimiento.

Semilla se enorgullecía de ser transparente en su actuar y en sus fuentes de financiamiento, diferenciándose así de partidos tradicionales. Ahora, el arresto de uno de sus fundadores y dirigentes —¡por posibles actos de corrupción!— significaba un golpe durísimo.

«Hoy murió el *paracuandismo*», decían algunos en Twitter, porque la derecha ya no podría decir *¿para cuándo* le toca a la izquierda?

El *paracuandismo* había acaparado la discusión de los últimos tiempos sobre la CICIG. Los políticos y empresarios arrestados hasta este momento, desde que la ola anticorrupción empezó en el 2015, eran en su mayoría de derechas. Estos mismos sectores habían estado exigiendo que se arrestara a los pocos políticos de izquierda, criticando lo que consideraban las preferencias ideológicas de la CICIG.

Lo cierto es que papá había generado anticuerpos en el país con sus posturas de izquierda, y también porque escondía su timidez tras una máscara de formalidad que a veces pasaba por arrogancia. En Guatemala, la simple mención de una reforma fiscal generaba reacciones encendidas, especialmente en el G-8, como se le conoce a las ocho familias que controlan gran parte de la economía y el poder político en el país. La élite empresarial y sus instituciones —algunas universidades, tanques de pensamiento, periódicos principales— dominaban el discurso sobre la economía y el desarrollo, por lo que la pequeña clase media también solía alinearse en contra de un sistema fiscal progresivo. Y con tanta corrupción, era comprensible e incluso razonable desconfiar del Estado.

Pero para papá, la reforma fiscal era una de las pocas maneras de dar recursos al Estado para que cumpliera con sus funciones más básicas. Uno de cada dos niños en Guatemala tiene desnutrición crónica, una de cada cinco personas no sabe leer ni escribir. Mientras tanto, el pequeño grupo de familias que ha concentrado la tenencia de la tierra y el capital maneja el país a su antojo.

Ahora, muchos celebraban la captura de Colom y el gabinete. Pedían que metieran a papá a la cárcel por el resto de su vida, o que directamente lo pusieran frente al paredón.

Ya era casi de noche cuando recibí un mensaje de Alberto:

Pinche Martín. Se peló.

Martín era un periodista con quien nos habíamos acercado unos cuantos años antes, el mismo que me escribió justo después del arresto. Dirigía Nómada, un sitio de noticias independiente con línea progresista, sobre todo comparado a otros medios tradicionales cercanos al poder. Kate y yo entablamos una amistad con él y su esposa, compartiendo cenas en su casa y jugando futío hasta altas horas de la noche, o arrimados alrededor de la mesita de nuestro pequeño apartamento en Nueva York cuando pasaron de visita una vez.

Mire Nómada, dijo Alberto en su mensaje.

Entré al sitio y me encontré el título del artículo que Martín acababa de publicar en primera plana:

Fuentes Knight fue un egoísta y me da vergüenza

Las manos se me helaron de golpe. Empecé a leer:

Es extraño este momento. Por una parte estoy feliz de que se juzgue a los corruptos de la izquierda socialdemócrata para demostrar que la lucha contra la corrupción y la impunidad no es ideológica como decía la propaganda, pero por otra parte me duele ver a tantos amigos tristes porque se les derrumbó un ídolo, un prócer de la democracia, Juan Alberto Fuentes Knight.

Se describía la carrera de papá, su trabajo en distintas organizaciones.

Pero bueno, lo que no le contó Fuentes Knight a los ciudadanos, y lo que los progresistas decidieron (decidimos) ignorar, ver hacia otro lado, fueron los proyectos corruptos, corruptísimos, que si no fueron fraguados por él, sí se convirtieron en productos institucionales, técnicos, legales, con su cerebro y firma.

En la sala-comedor, vi que Kate tenía su computadora abierta y también leía, y de un momento a otro se dobló sobre sí misma, sosteniéndose el vientre.

A mí, como periodista, feminista, empresario progre que soy, me toca más mi corazón hacer cosas 'por los pobres' que hacer cosas 'por la gobernabilidad'. Pero muchos políticos y los empresarios-políticos creen que esas 'misiones' pro-pobres o pro-gobernabilidad justifican cualquier cosa.

Vi la foto de papá en el artículo, caminando esposado y casi acarreado hacia delante por dos policías de cascos y vestimenta negra. Era similar a una foto anterior en Prensa Libre pero en esta la expresión de papá decía más, con arrugas profundas en la frente y consternación en esa boca cerrada. Atrás el cielo era de un gris oscuro y eléctrico. En el artículo, Martín decía que papá sabía desde hacía meses que lo estaban investigando y de que existía una posibilidad de que lo capturaran.

¿Por qué entonces no renunció desde hace tiempo a las presidencias del Icefi y Oxfam y al comité que estaba formando Semilla para no hacerles tanto daño en el caso de que lo capturaran?

Por egoísta.

Pero los egoístas son responsables de sus decisiones y del pasado del país. Del presente y del futuro son responsables los herederos.

Se me ocurrió fugazmente que incluso un texto de opinión, porque así se presentaba, debía fundamentarse en hechos, en datos mínimamente verificados. Papá había informado a las tres organizaciones mencionadas sobre la investigación en curso, como explicaba el comunicado de Oxfam, y cada una decidió que no había fundamentos para que renunciara. Pero Martín solo replicó lo dicho en la conferencia de prensa. Al condenar a papá en ese momento —hacerlo desde el progresismo— lograba capitalizar los réditos de su aparente imparcialidad. Menos de veinticuatro horas después del arresto, Martín llegó a su conclusión —a una sentencia dictada desde la altura moral desde la cual escribía.

Ana Lucía

Mi papá y mi mamá —tu abuelita Shirley— leían todo el tiempo, se iban a hacer la siesta y cada uno se llevaba su libro. Y en la noche con el libro otra vez después de la cena. Y en la playa con el libro, siempre algún libro.

Tu papá era igual, me acuerdo que le encantaban Julio Verne y Salgari, de los dos se leyó todo, pero mucho más también, leía como loco, tanates de libros. La única que no leía era yo (*risas*). Cada vez que podía me iba a dar vueltas a la calle, a jugar. Era la «no erudita» de la familia.

Lo otro que le gustaba a tu abuelo era la poesía, y eso a mí también. Nicolás Guillén, Pablo Neruda, yo te conté que en algún momento me trajo de un viaje un vinilo donde Neruda recita el poema ese de los calcetines. Es bellísimo el poema, creo que se llama «Oda a los calcetines», todo el poema es sobre los calcetines que le regaló Mara Mori, la esposa de un artista amigo de él. El poema dice algo como «eran dos calcetines suaves como liebres», y que «en ellos metí mis pies como en dos estuches».

A mi papá le encantaba ese poema también.

Cuando estaba en cuarto grado en el colegio hubo un concurso de poesía donde se recitaba, y mi papá, que a mí me decía Lucha, me dijo «Mire Lucha, métase a ese concurso a recitar un poema», y recité el poema ese de Nicolás Guillén donde dice «dos niños, ramas de un mismo árbol de miseria, están en un portal, bajo la noche calurosa». Ese poema le encantaba. ¡Y fíjate que gané el concurso!

Una hora después de ver el artículo de Martín, recibí un correo de Sergio Ramírez, el escritor nicaragüense que conocí en Managua en el 2014 durante el festival literario *Centroamérica Cuenta*. Sergio y mi abuelo, Alberto Fuentes Mohr, tuvieron amistad y compartieron momentos duros y algunos de júbilo, imagino, en esas décadas oscuras de la historia centroamericana.

Mi abuelo era un centroamericanista por convicción; trabajó por la integración y unión de los países del istmo. Para él, una verdadera democracia solo podía existir si cada persona tenía acceso a la educación, a la comida, a la salud. Eran ideas básicas pero revolucionarias en el contexto guatemalteco de la época. En los setenta, apoyó mucho al movimiento internacional contra la dictadura de Somoza, tanto en Guatemala como en el extranjero. Sergio Ramírez era parte de esa lucha y eventualmente llegaría a ser el primer vicepresidente del gobierno revolucionario en Nicaragua.

En su mensaje, Sergio dijo que se había enterado de lo ocurrido y que él y su esposa Tulita me enviaban todo su cariño.

Sentí un nudo en el pecho mientras le escribía para expresarle mi agradecimiento. Unos minutos después entró un nuevo mensaje suyo:

Confía en el espíritu protector de tu abuelo, él te dará fuerza.
Un abrazo,
SR

El nudo se fue soltando poco a poco adentro mío y tuve que salir del apartamento, bajar las escaleras y caminar por las calles de Providence. Desandé el nudo a puros pasos, guiado por las palabras de Sergio, confiando en que el espíritu protector de mi abuelo nos daría fuerza.

Luego de preparar la cena junto a Kate, aguardé sentado en la mesa y pensé en el apoyo de los verdaderos amigos, y en la importancia de que mi tía Ana Lucía fuera a Guatemala para acompañar a papá en un momento como este. De golpe entendí que yo también debía estar ahí con ellos.

La idea era tan sencilla, pero tan claramente correcta, que al inicio quedé casi deslumbrado. Busqué un boleto de avión de inmediato y compré uno que salía al par de días. Me invadió el feliz consuelo de pensar que muy pronto podría estar con ellos, acuerpándonos entre todos, y a la vez me asaltó el nerviosismo de intuir lo que se venía.

En cada momento, quizás cada diez minutos, Kate me decía o enviaba algún mensaje de cariño o apoyo. Los leía al salir a hacer cualquier cosa —al trabajo, a escribir en la biblioteca, a fumar un cigarro en la calle frente al edificio— y su repetición me hacía bien. Agradecí su familiaridad, la convicción con que las decía.

Sentado frente a ella en el comedor esa noche, me encontré con su mirada cálida, los ojos que tanto me llamaron la atención cuando nos conocimos casi diez años antes, en Oaxaca.

Yo acababa de llegar a la ciudad mexicana para pasar un mes, aprovechando las vacaciones de verano del doctorado. Quería devorar todos los moles y beber todos los mezcales y conseguir todos los libros de Almadía y de literatura mexicana contemporánea que pudiera encontrar. Pero un día antes de tomar el bus desde Guatemala fui a jugar futbol en un parqueo de cemento donde intenté llegar a un balón alto, resbalé y caí con el peso del cuerpo sobre mi codo. El dolor de la fractura fue intenso y me operaron esa misma noche. Cuando llegué a Oaxaca a la siguiente semana lo hice con vendas alrededor del brazo operado y la mano muy hinchada —parecía falsa, de hule, por lo que algunos de mis amigos ya la habían bautizado como «el guante»— un guante de látex inflado a soplo.

Así estaba yo en el café Brújula en el centro de Oaxaca, con «el guante» apoltronado sobre la mesa, cuando dos gringas entraron al local. Una de ellas era particularmente hermosa y yo, que casi nunca tenía la suerte de coincidir con mujeres hermosas en el asiento del avión, o del bus, sentí un ligero y delicioso mareo cuando llegaron a sentarse en la mesa a la par mía.

Me quedé aparentando que trabajaba en mi computadora mientras escuchaba la conversación en inglés. Traté de no respirar ni moverme mucho porque sentía que un olor a medicina —a antibiótico, a analgésicos— emanaba de mis poros al menor movimiento. Entonces oí que una de ellas mencionaba una palabra improbable en español: *cerote*.

En Guatemala, un país permeado por el lenguaje escatológico, se le llama «cerote» a cualquier tipo, amigo o desconocido. Y un cerote es, literalmente, un pedazo de mierda. Así somos los guatemaltecos: nos referimos a conocidos y ajenos como cerotes. Escuchar a esta joven alta, guapa y de gestos precisos decir «cerote» me llenó de súbita alegría, pues vislumbré en esa palabra una posible entrada a la conversación. Al final resultó que ella había dicho otra cosa y que yo, en mi sordera entusiasta, había oído lo que quería oír. Pero gracias a ese cerote empezamos a hablar.

En algún momento su amiga se levantó y ahí nos quedamos los dos, nuestras tazas ya vacías, y recuerdo que la plática seguía tomando giros inesperados, nos reíamos abiertamente, sin tapujos, sorprendidos por la sintonía descubierta en ese rincón de Oaxaca. Ella diría después que desde el instante en que empezamos a hablar supo que yo sería su amigo, que empezó a sentirse más comprendida a partir de entonces. Yo ante todo quería acostarme con ella, aunque su humor y su inteligencia también me habían intrigado en el café Brújula.

Cuando se despidió me dijo que ese día era su cumpleaños, y que en la noche irían a celebrar a un bar.

¿Quieres venir?

Seguro, le dije, casual, amistoso. Como si no me estuviera muriendo de ganas de verla otra vez.

Al llegar al local me sorprendió e intimidó la mesa larga, ocupada por amigos recientes y otros conocidos de Kate. Ella había elegido una esquina e intenté sentarme cerca. A pesar de ser reservada, no era tímida: complementaba las historias de otros con comentarios que nos sacaban la risa. También recuerdo la mirada cómplice con que me vio después de que uno de los presentes —un joven y entusiasta canadiense—, declarara que estaría trabajando pronto en una empresa petrolera, pues quería cambiar el sistema *desde adentro*.

Semanas después, cuando ya pasábamos horas sentados en el balcón de mi cuarto frente a la Avenida Benito Juárez, aprendí sobre sus estadías recientes en Argentina, India y Australia —había hecho un estudio comparativo sobre museos de niños— o de su trabajo de periodismo en Benín. Me divertía escuchando sus observaciones sobre detalles o interacciones aparentemente banales; tenía un gran talento para detectar el absurdo cotidiano. La única comida que yo mantenía en el cuarto era una caja de Choco Krispies, y nos recuerdo retorciéndonos de la risa en la cama con el bowl de cereal desbordado, los *krispies* regados sobre la frazada.

Kate me enseñó a reírme de mí mismo, y así nos reíamos más los dos —ella era un antídoto ante la solemnidad impostada. Empecé a entender mejor su sonrisa discreta, esa que denotaba una suave ironía. Y a pesar de ser segura de sí misma, con el tiempo fue quedando claro que era sumamente sensible. Luego comprendí que esa sensibilidad extrema —un rasgo que la proveía de singular empatía— era una fuente de dolor y a la vez el reducto de una gran fortaleza. Y yo sentía que esa fortaleza me englobaba a mí también, sobre todo en los momentos más difíciles.

Ya había recogido la mesa y revisaba las noticias sentado en el sofá cuando recibí un mensaje de Ana Cristina. Me costó entender de qué se trataba hasta que ojeé las imágenes adjuntas.

¡Carta de papá!

Ana Cristina nos enviaba fotos de las páginas que papá nos había escrito desde la cárcel. Todo cambió al sentirlo presente en esas palabras. La luz tenue del apartamento se volvió más amable, el sofá repentinamente acogedor. Leí en voz alta para

Kate, colmado de felicidad, descifrando la letra en la pantalla del celular. Reí mientras leía; a veces se me iba el aire por la emoción de encontrarme otra vez con él. Estaba escrita a tinta negra. En la esquina superior derecha había marcado fecha y lugar:

Mariscal Zavala, 16 de febrero 2018

Queridos Rodrigo, Ana Lucía y Alberto

Les envío primero una carta común a todos. Gracias por sus mensajes, que levantan el espíritu. Terrible fue la conferencia de prensa, donde me dieron una imagen de complotista, casi del que armó todo esto.

Los escenarios son varios, todavía confusos, aunque lo [ilegible] *sería que nos den una medida sustitutiva, que significa que podemos estar libres aunque siempre sujetos a juicio.*

Por otra parte, el lugar donde estoy es muy interesante. Estoy con compañeros del gabinete, y nos mantenemos juntos. Comparto un cuarto con el que fue ministro de Salud, Celso. 70 años, muy buena persona. Creo que es mejor que estar en los cuartos con literas, realmente hacinados aunque con la desventaja de que nosotros tenemos que salir durante el día, porque nuestro cuarto se utiliza como «dormitorio conyugal» durante el día (8 am - 4 pm). La ventaja es que tiene baño.

Cuando llegamos nos trataron bien. Tuve la suerte de que el que me vio primero fue Julio Suárez, presidente del Banco de Guatemala, y con quien ya nos conocíamos bastante bien. (Él ha estado aquí casi 3 años). Me explicó cómo funcionan las cosas, que son un tanto complejas. Hay cierta solidaridad, o espíritu de cuerpo, aunque parece que yo genero cierta resistencia entre algunos, pero sin que signifique ningún peligro. Ya me sermoneó otro detenido acerca de lo mal que se aplica la justicia aquí. Y la verdad es que sí ha habido muchos excesos. Hay varios casos que se han estado llevando en los tribunales por 4 o 6 años.

Pero vuelvo a lo que es este lugar. Es una especie de campamento de refugiados, sin que puedan salir para nada. Aquí la demanda crea su oferta. Casi cualquier servicio se puede comprar.

Hay unas 250 personas aquí, en su mayoría profesionales, pero también con un grupo de soldados y policías, y técnicos. Cuando establecieron el lugar como centro de detención hace unos 4 años, no había casi nada: sólo unos caserones o galeras con literas y un chorro de agua. Los primeros 60 que llegaron comenzaron a construir todo, desde conexiones eléctricas hasta un salón medio comunal, y [ilegible] acceso a agua (pipetas).

Poco a poco se fueron estableciendo pequeñas «champas» o construcciones precarias con su propio baño y cuarto, y a veces con salita. Ahora es algo cercano a un barrio medio marginal, que combina casitas de muñecas con casitas mucho más modestas. El libre mercado predomina y condujo a que el «desarrollo urbano» haya sido medio caótico, y ahora ya no existe espacio disponible para nuevas casitas. El único espacio común es un área que corresponde a un campo de fútbol, donde se hace ejercicio y juega volley ball y fut. El salón comunal comprende unas 20 mesas con sus respectivas sillas, pero todas tienen dueño. Almas caritativas nos las han prestado por distintos periodos y para recibir visitas.

Hay pequeños comedores de pueblo, y un par de lugares donde venden artículos de limpieza y otros artículos «para el hogar». Con una tarjeta que se compra aquí tenemos acceso a dos teléfonos públicos para llamadas locales, grabadas, por supuesto. Hay indicios de mercados informales, con gente con celulares (aunque es prohibido y sospecho que algunos tienen licor, pero parece manejarse con prudencia).

En fin, hay todo un mundo aquí, con multitud de casos, unos de corrupción pero no todos, y con algunos empresarios (los que tienen casitas de muñecas, exceptuando a los más recientes). No está tan mal. Lo malo es el golpe al nombre, y veremos lo que pasa en tribunales, con acusaciones realmente exageradas y un proceso muy lento. Pero me mantengo bien. Hay poco espacio para estar solo, y poco espacio, en general. Ya veremos.

Gracias por sus notas. Les escribiré más adelante, contándoles cómo transcurre todo esto. Mientras tanto reciban

Un gran abrazo
Juan Alberto

Al terminar de leer me costó aguantar las lágrimas. Qué gustazo escuchar la voz de papá. Abrazado con Kate la leímos de nuevo, riéndonos por el tono sociológico que parecía guiarla. Decidimos que esa mirada mostraba cierto ánimo y espíritu de supervivencia. La distancia respecto a lo que describía también revelaba su sesgo de economista, de abstracción, y me alegró ver que había encontrado una manera de intentar entender el lugar donde ahora estaba.

También me dio gusto que hubiera marcado el lugar y la fecha de la carta. Ese es el humor de papá y también el nuestro, el de la familia inmediata; un humor involuntario que daba cuenta de manera oblicua, quizás inconsciente, de la situación estrafalaria en la que nos encontrábamos.

Ana Lucía

Mi papá era duro con tu papá, con Juan Alberto. No abusivo ni nada así, pero quería que mi hermano fuera más extrovertido, porque era muy tímido. Lo que pasa es que eran iguales ellos dos, muy parecidos, y creo que a mi papá le frustraba que no fuera más... no sé. Yo no sé qué esperaba.

Me imagino que tenía que ver con el temor de un padre, la idea de que «se vayan a aprovechar del patojo de uno». Además mi hermano estaba en una clase donde todos eran mayores que él, como dos años más que él, y él era muy callado. Me acuerdo que cuando vos y tu hermano eran patojos y vivían en Chile, en el colegio los quisieron adelantar, y tu papá se opuso, porque a él ya le había tocado vivir algo así.

Pero es cierto que mi papá era estricto con él.

Por otra parte, se llevaba a tu papá a todos lados. Yo siempre quería ir con él y a mí no me llevaba (*risas*). Mis abuelos tenían una finca que se llamaba La Piña y ahí no había donde dormir, se dormía en el suelo pues, no era fácil o cómoda la llegada, y ahí iban ellos pero yo no.

Tu papá me va a matar que yo te cuente esto, pero mi papá le decía Little Lord Fauntleroy, así lo fregaba, por el personaje del libro. Lo molestaba por ser tan cauteloso, tan tímido. Mi papá le decía a mi hermano que él también había tenido que sobrepasar su timidez, porque de hecho mi papá era introvertido cuando era joven, pero que había hecho un gran esfuerzo y que eso había que trabajarlo. A mí no me lo dijo, porque ahí no había necesidad (*risas*).

La pura verdad es que éramos como dos polos opuestos con mi hermano, en términos de temperamento. Y tu papá era bien portado, aunque con su picardía, por supuesto, pero un buen patojo.

Lo que sí es que nunca mentíamos, nunca les mentimos a nuestros papás. Incluso a mí me extrañaba ver que mis amigas les mentían a sus papás, para salir de la casa o cualquier cosa. No sé por qué éramos así.

En el camino a la universidad la mañana siguiente le marqué a Aury para contarle que estaría llegando pronto a Guatemala. Aury es la empleada doméstica que ha trabajado en nuestra casa por más de veinte años. Luego del divorcio, ella fue un apoyo clave para que mamá saliera de la depresión. A su propia manera, Aury sacó a toda la familia del pantano en el que estábamos sumidos.

Al teléfono, la congoja en la voz de Aury me hizo sentir menos solo. Mencionó que su familia en San Martín Jilotepeque estaba muy pendiente de mi papá, rezando por él. Dijo que su tía había empezado una cadena de oración con otras personas de su comunidad. Que si Dios quería mostraría la verdad al final, que ella estaba segura que saldríamos de esta.

Aury le contó una vez a Kate, con quien tiene una relación cercana, que cuando conoció a mi papá no supo qué pensar de él. Juan Alberto no hablaba mucho y era reservado, pero pronto vio que era una buena persona, una persona distinta. No eran palabras menores para Aury, que cuenta con un barómetro moral agudo a la hora de leer a la gente. De hecho, un par de mis amigos del pasado no pasaron la prueba, pues Aury percibió la distancia con que la trataron al visitar la casa —recuerdo mi propia sorpresa al presenciarlo, un síntoma más del racismo y clasismo guatemalteco.

Kate y Aury compartían el gusto por la cocina, y fue así que empezaron a conocerse de forma más cercana, durante largas tardes de conversaciones y recetas compartidas. A Aury le encantaba experimentar y Kate admiró su imaginación a la hora de inventar platillos —sopa y paté de trucha, camarones con salsa de piña, o platos más tradicionales y complejos como el subanik, el jocón, el pepián.

Kate había crecido en un hogar vegetariano donde la comida estaba desvinculada del placer. Se comía para salir del paso, y no fue hasta que cursó un semestre universitario en Francia que eso empezó a cambiar. En París trabajó como niñera de una familia acaudalada, y como los padres volvían tarde, le correspondió a Kate aprender a prepararle la cena a la niña. Los ingredientes disponibles eran un tesoro: hermosos vegetales de temporada, quesos de primera, cortes suculentos directamente del carnicero, todo envuelto cuidadosamente en papel rosado de cera, como si se tratara de regalos. Kate se dedicó a arruinarlos uno tras otro, quemando cosas que la niña mascaba con resignación piadosa. Acudió entonces a libros de cocina infantil, perfeccionó técnicas básicas. Más adelante estudió y trabajó en Senegal, y ahí terminó contando con un repertorio de recetas que yo, dichoso, disfruté al conocernos. A su vez, ella agradeció las sobremesas distendidas en mi familia, una costumbre que pronto fue central en nuestra vida compartida.

El intercambio de recetas fue solo el punto de partida para la relación entre Aury y Kate. En la cocina, Kate aprendió sobre las hermanas de Aury en San Martín Jilotepeque y los sobrinos que Aury adoraba y que ella también llegaría a conocer y apreciar. Y Aury, a su vez, fue la primera persona con quien Kate confió sus luchas contra la depresión, periodos en que todo se ensombrecía y su vida parecía drenarse de sentido y alegría. Se apoyaron de distintas formas; yo las observaba con una mezcla de asombro y gratitud.

Hace unos años, Kate sugirió que invitáramos a Aury y Harald y mi mamá a cenar a un restaurante bueno aunque caro que reinterpreta comida tradicional guatemalteca. Kate y yo habíamos comido ahí alguna vez y disfrutamos de los platillos y la conversación con un mesero amigable. Pero ya sentados con nuestros menús en mano, la mesera ignoró a Aury por completo, saltándosela incluso a la hora de tomar los pedidos, mirando a Harald como si le correspondiera a él decidir por ella. Una señora fufurufa y empolvada, sentada a unas cuantas mesas, no dejó de observar a Aury durante toda la noche, boquiabierta, con una expresión que oscilaba entre el desconcierto y el reproche.

Aury no dijo nada, a pesar de ser la persona más perceptiva en la familia, o precisamente por ello. Luego me contó que en realidad se sentía así al salir a cualquier restaurante con mi mamá o con Harald, conmigo o con Kate, independientemente de la elegancia del lugar. Ella era indígena, dijo viéndome a los ojos, y así se portaba la gente —sentir esa incomodidad no era nada nuevo.

Esa noche, en el restaurante, trajeron a la mesa un perulero flameado con soplete, y fuimos pasando el vegetal alrededor para compartir.

¿Qué pensás?, le pregunté a Aury.

Sí, sabe rico, respondió asintiendo.

No sale mal flameado, ¿verdad?

Aury me miró con esos ojos despiertos, pícaros.

Sí, dijo, sabe diferente la verdura así chamuscada. ¡Voy a empezar a quemar cosas!

Soltó esa risita maliciosa y discreta al mismo tiempo, la misma que contagia de felicidad a la gente a su alrededor.

Al par de días escuché desde el pasillo la conversación telefónica entre Kate y una amiga. Se sentía mal, escuché decir a Kate, se lamentaba de haber puesto a Aury en una posición tan incómoda. ¿Cómo no se imaginó que lo ocurrido en esa cena podría pasar? Nadie dijo lo obvio: que *yo* debería haberlo sabido.

Ya sentado en mi oficina en la universidad, recibí un correo con un nuevo artículo sobre el caso Transurbano. Estaba escrito por Hugo Beteta, el director de la CEPAL, Naciones Unidas, en México. Encontrarme con ese mensaje me preocupó. Recordé de inmediato el artículo publicado por Martín, y supe que al ser funcionario de las Naciones Unidas, Hugo pertenecía a la misma organización que la CICIG. Por lo tanto era mucho más difícil para él escribir algo en apoyo de papá. Fui leyendo hasta llegar al párrafo donde Hugo describía su sorpresa al ver cómo se había dado el arresto:

La forma en que Juan Alberto y otros fueron conducidos por el Ministerio de Gobernación a comparecer ante la justicia me hizo revivir momentos oscuros de la represión (...) Juan Alberto, después de todo, ya había prestado varias declaraciones voluntarias al MP, informaba escrupulosamente de sus salidas del país y no representaba una amenaza pública. La imagen indeleble de personas de gran trayectoria como el Dr. Luis Ferraté, el expresidente Álvaro Colom y del propio Juan Alberto entre otros, rodeados de un círculo amenazante de hombres vestidos de negro portando fusiles de asalto sin un juez a la vista me obligó a preguntarme: ¿hace esto parte de la justicia que tanto hemos anhelado?

Tuve que apretar la mandíbula fuerte mientras leía. Me levanté rápidamente para cerrar la puerta de la oficina, porque todo lo que iba diciendo Hugo sobre papá —su rigor y honestidad, reconocidos por colegas— aclaró la neblina de los últimos días y me dejó ver a papá como lo recordaba.

El artículo terminaba con una reflexión sobre los efectos del «paracuandismo» en la búsqueda de la justicia:

A quienes se regocijan porque el caso Transurbano finalmente alcance a «personas de izquierda», los invito a reflexionar si esa mirada que distingue entre «izquierda y derecha» y que persigue un perverso balance de cálculos políticos se corresponde con nuestras aspiraciones de justicia. ¿Buscamos un sistema de justicia imparcial o uno que esté permeado del maniqueísmo que ha dominado nuestra sociedad como un legado indeleble del enfrentamiento armado interno?

Ana Lucía

Creo que la influencia de mi abuela tuvo mucho que ver con mi papá, porque Marie era una persona excepcional, tan generosa. Mi papá la adoraba y tenían una conexión muy especial.

Él siempre estaba pendiente de su mamá. Cuando yo era niña visitaba a Marie seguido en Quetzaltenango. La carretera era larga y con curvas subiendo al altiplano y yo estaba feliz cuando llegábamos y mi abuelita esperándonos. Vivían en una casa de estilo colonial, no muy adecuada para el frío de altura ni para el viento que siempre había. Todos los cuartos daban a un corredor frente a un patio, y ahí había unos rosales, una higuera y también un árbol de manzanilla. Me acuerdo que Marie hacía un dulce de manzanilla con panela que me encantaba, pura azúcar.

Yo la idolatraba, en todo sentido, porque era súper paciente, cariñosa, muy inteligente —y eso de niña yo no lo sabía pero ya pensándolo más de adulta me doy cuenta. La inteligencia no solo intelectual sino emocional que tenía. Y un aura especial, porque ella siempre pensaba en los demás. Era una persona sin una gota de egoísmo, a diferencia de mi abuelo (*risas*).

Todavía me acuerdo de mi sensación de levantarme en la mañana; yo debo de haber sido bien pequeña porque Marie me cubría con un poncho que le había hecho su mamá. Nos íbamos al mercado y me contaba cosas en el camino. Y toda la gente la saludaba y ella siempre hablaba con cada persona y conocía sus historias, sus alegrías y sus penas, digamos, y la gente le tenía mucha confianza. Tenía un don con los niños, y en el camino se le iban acercando. Hay personas que tiene eso, ¿no? Atraen a los niños. Creo que es porque son cálidas sin ser exuberantes. Y la sinceridad de ella, los niños la sentían, yo la sentía.

Ella contaba buenas historias y me acuerdo pasar horas con ella mientras cosía. Cosía a mano, ¿no? Zurcía calcetines y varias otras cosas. Tenía un montón de cajas de botones. Para mí era la gloria jugar con los botones, era como un tesoro. Hasta la fecha yo veo botones y me emociono.

Mi abuelita también escribía, le publicaron algunos artículos en El Imparcial. Ya sabés que en la familia mi abuelo era el escritor, y tenía sus colecciones de cuentos, pero la verdad es que yo me aburrí cuando los leí (*risas*). Tal vez está mal decir eso, pero ni modo. Yo siempre pensé que la talentosa era más bien mi abuelita, aunque esa no sea parte de la versión oficial de la familia. Como en muchos casos, en esa generación hay unas mujeres que son increíbles y nadie lo sabe, ¿no?

Y es una lástima que mi papá murió tan joven, porque sé que él hubiera tenido mucho que decir sobre su mamá. Digamos, si tú le hubieras podido hablar ahora... Me acuerdo que ella también hablaba mucho de mi papá, y sobre la memoria de mi papá. Decía que cuando mi papá tenía como un año, ella tenía un vestido con unas florecitas estampadas que guardó y nunca más se puso. Cuando mi papá tenía como dieciséis años le preguntó por ese vestido y describió al detalle cómo eran las florecitas y el diseño.

Mi abuelita contaba muchas anécdotas así, de mi papá de niño acordándose de cosas que a ella la dejaban perpleja. Había una admiración mutua entre madre e hijo. Ella merece un lugar central en la historia de la familia, pero sobre todo en cuanto a la sensibilidad de mi papá. Porque yo creo que de ahí venía tanta solidaridad, su conciencia social.

Me acuerdo una vez que estaba yo en el cuarto con mi abuelita y vi que estaba llorando quedito, y entonces le pregunté «¿Qué le pasa?», y me respondió «Es que el doctor me dijo que estoy un poquito enferma». Para mí de patoja eso no significaba mucho, o significaba que se iba a arreglar, porque así pasaba de niña.

Pero al salir del cuarto vi la cara de mi papá y estaba descompuesto. Me quedó el recuerdo bien vivo. Más adelante me explicaron que el doctor la había diagnosticado con cáncer, y mi papá pensaba que se iba a morir. Al final resultó que había sido un diagnóstico erróneo. Y bueno, también resultó que le tocó que su hijo muriera antes que ella.

Pero de la cara de mi papá no me olvido.

Manejaba a la universidad al día siguiente cuando mamá me habló con una voz atropellada. Me dijo que en CNN habían entrevistado a Rafael Espada, el exvicepresidente de Colom. Resultó que era Espada quien había ido al Ministerio Público a presentar una denuncia sobre el caso Transurbano, y esa declaración era el nuevo indicio que llevó a que abrieran el caso.

En el programa, explicó mamá, Espada intentó responsabilizar a Colom y a papá del caso, diciendo que él se opuso al acuerdo gubernativo, y que por eso no firmó.

Pero mamá me dijo que el periodista Fernando Del Rincón lo dejó mal parado: le preguntó por qué se había tardado casi diez años en denunciar estas anomalías si desde el 2009 todo le había parecido tan sospechoso. Además, el vicepresidente sí había firmado un acuerdo gubernativo previo, en el 2008, trasladándole subsidios a la misma asociación de transportistas. Espada trastabilló, sin poder dar buenos argumentos.

Se puso rojo como un tomate, dijo mamá. No pudo explicar por qué no votó en contra, cosa que podría haber hecho en el momento, o por qué no denunció nada de forma pública.

Le mencioné a mamá lo que había visto en la prensa recientemente: la esposa de Espada se acababa de postular como candidata para ser la siguiente Fiscal General del Ministerio Público —ese puesto con tanto poder en la coyuntura actual. Las palabras del exvicepresidente posiblemente respondían a ese objetivo, así como a su pretensión de lavarse las manos.

Van apareciendo los intereses, dijo mamá, y nos quedamos un rato en silencio, asimilando sus palabras.

Estaba por llegar al campus cuando me entró el mensaje de Kate. Decía que iba camino a Boston, al laboratorio de psicología donde trabajaba.

Pedí La guerra y la paz, me escribió, *dime si necesitas algo más.*

Se lo agradecí; era el libro que quería llevarle a papá cuando lo visitara en la cárcel. Recordaba bien la conversación que habíamos tenido sobre la novela de Tolstoi en mi último viaje a Guatemala, sentados en una mesita en la terraza de un bar. Ahí me enteré de que él había leído *La guerra y la paz* muy joven, y que lo había sacudido.

No me acuerdo mucho ahora, me dijo, pero me impresionó cuánto se emborrachaban esos rusos.

Mencionó algo más que no alcancé a entender entre el barullo de la música:

¿Dice que por eso le bajó al trago?, le pregunté, incrédulo.

No, se rio él, tampoco exageremos. Lo que pasa es que me ponía nervioso mientras leía, cada vez que los personajes empezaban a tomar me preocupaba, por las barbaridades que iban a hacer.

Le recordé la escena en que Pierre y sus amigos aristócratas se emborrachan a fondo en un apartamento de San Petersburgo y se ponen a jugar con un cachorro de oso que tienen encadenado, llevándolo por la sala de un lado a otro, como a un perro. Y luego esa noche, caminando junto al río Moika, paseando al oso, se encuentran a un policía y por fregar —por borrachos, por chingones y por aristócratas impunes— amarran al animal con el policía, espalda con espalda, y los avientan al río.

También hablamos sobre el alcohol como lubricante social, y le dije que a los dieciséis o diecisiete me era difícil acercarme a alguna chava que me gustara sin esa ayuda extra. Papá me contó entonces sobre la vez que sus padres lo enviaron a vivir a Canadá a esa edad, en parte por la conexión familiar de su mamá y en parte porque las cosas estaban muy peligrosas en Guatemala.

De hecho fue en esos años, dijo papá, con la llegada de Arana en el '70, cuando a tu abuelo lo capturó la Judicial y casi lo desaparecen.

Se refería a la policía secreta, conocida como la Judicial desde los años de la represión. La Judicial —una palabra que sugería la asociación perenne entre justicia y violencia en Guatemala.

Así que allá se encontraba papá a sus dieciséis años, en un colegio de hombres en los Eastern Townships, del sureste de Quebec, y estaba nervioso porque unas semanas después tendrían una fiesta con las estudiantes de un colegio de mujeres. Era costumbre que en esos encuentros todos entraban al salón de baile en parejas, en una especie de desfile inaugural para facilitar un primer contacto, dijo papá, y en el bar me mostró con cada dedo índice sobre la mesa el camino paralelo de los dos jóvenes imaginarios entrando a la fiesta.

Contó que él se pasó esos días previos pensando en qué le diría a la pareja que le iba a tocar en la caminata, preocupado, barajando y descartando opciones, buscando las mejores palabras, hasta que al fin llegó la noche tan esperada, tan temida.

Nos juntaron rápido en la entrada, explicó papá, y de repente estaba yo al lado de la estudiante que me tocaba y ya íbamos caminando por el salón, y en un dos por tres se había terminado.

¿No le dijo nada?

No pues, dijo, ¡no dio tiempo!

Me reí, divertido al ver su desconcierto aún vigente, aunque también imaginándolo en ese momento, repentinamente solo y desilusionado, observando a su anónima pareja canadiense alejarse hacia su grupo de amigas.

Papá terminó quedándose en Canadá para estudiar la licenciatura en economía —también en McGill, como lo había hecho su padre— y ahí empezó a absorber las ideas Keynesianas que marcarían su acercamiento a la profesión.

Me pregunté ahora, ingresando en el carro al parqueo, si era una buena idea llevarle *La guerra y la paz*, con sus mil y tantas páginas. Se trataba de una edición pequeña pero gruesa, pesada como una Biblia, y quizás sería una molestia tener que cargarla por el Mariscal Zavala cada vez que le tocara salir del cuarto conyugal.

En la clase de esa tarde nos tocó hablar por videoconferencia con un escritor chileno cuyo cuento habíamos leído para la sesión anterior. El escritor nos saludó desde la pantalla proyectada, sentado en una oficinita que, nos dijo, se encontraba en el techo de su apartamento. Estaba viviendo en la ciudad de México y en el piso abajo de esa buhardilla se encontraban su esposa y su hijo recién nacido.

La conversación fue buena y el escritor iba respondiendo de manera generosa. Una de mis estudiantes insistía en hablar del narrador del cuento como si se tratara del escritor mismo, y otro par preguntó qué cosas eran verdad en el texto y qué cosas eran inventadas. En el momento me desconcertó ese interés —el deseo de evaporar la literatura para que quedara solo la sustancia dura de lo que consideraban la realidad. Pero más adelante, pensándolo mejor, simpaticé con esa hambre de verdad —las ganas de poder asir algo concreto entre las manos— y me pregunté si no era yo el necio, el profe terco que pregonaba una distinción entre texto y vida solo porque así me la habían pregonado a mí.

Ana Lucía

Cuando mi mamá llegó a Guatemala por primera vez estaba sola, embarazada de mí y con mi hermano patojito. Y si no hubiera sido por Marie, no sé qué hubiera hecho mi mamá. Imaginate, una canadiense embarazada perdida en Guatemala.

Tenían una relación muy cercana, mucha química. Siempre me ha parecido a la química que hay entre mi mamá y tu mamá. Marie fue muy solidaria, con lo mal que se portó mi papá como esposo. A pesar de que Marie adoraba a mi papá, siempre estuvo del lado de mi mamá en esa situación.

Recuerdo una vez —y esto me da como dolor de estómago incluso recordarlo— que estábamos en la finca de mi abuelo con él y mi abuelita y mis papás, y yo era patojita y llegó un telegrama para mi papá. Mi mamá se puso bien mal con la llegada del telegrama. Yo no sabía de qué se trataba porque los adultos trataron de taparlo o esconderlo, pero una de niña lo ve de todas formas, ¿verdad? Y después ya mayor, atando cabos, imaginé que era un telegrama de una de las amantes que tenía mi papá, o algo así. Y me acuerdo que mi abuelita Marie se sentó con mi mamá y estaban tomando un té de manzanilla. Ese es el recuerdo más antiguo que tengo relacionado a ese tema: Marie acompañando a mi mamá, apoyándola en silencio mientras tomaban té de manzanilla.

Ya era de noche cuando Kate y yo fuimos a Providence Place Mall a comprar unas camisas para papá. Ana Cristina había mencionado que necesitaría algunas prendas en la cárcel.

Había algo particularmente deprimente en ver el centro comercial vacío. Encontré una polo de tamaño mediano, pues eso había pedido Ana Cristina, pero al probarla en el vestidor y salir otra vez Kate se me quedó viendo con cierto brillo escéptico en la mirada. Intenté estirar los brazos con dificultad, me vi el cuerpo y le dije que mi papá necesitaría una grande:

Es que tendría que embutirse en esta.

Una afrenta más a su dignidad, dijo Kate, y pudimos reírnos.

Al salir al enorme parqueo me di cuenta de que no sabía dónde estaba el carro. Di vuelta tras vuelta en distintos pisos, cada vez más ansioso hasta encontrarlo. Pero en la salida tuve que frenar en seco: un hombre cruzaba la calle con sus dos hijos pequeños tomados de la mano. Experimenté un retorno fugaz a esa otra realidad envidiable, aquella en la que una familia transitaba por la más grata normalidad.

Kate preparó la cena, una de sus especialidades: pasta con trucha ahumada, limón y eneldo. Sacó una botella de vino de la refrigeradora y me sirvió un vaso. Cenamos, hice esfuerzos por tragar la comida, y al pensar en papá, en dónde estaría, supe que no podría aguantar las lágrimas. Kate se arrodilló junto a mi silla y me abrazó.

El abuelo del lado materno de Kate había muerto en diciembre del año anterior, a los noventa y un años. Llegué a conocerlo y era alguien discreto y tierno, un lector voraz y de gran corazón. Su muerte fue dura para Kate y con él se nos fue el último de nuestros cuatro abuelos masculinos, aunque yo nunca llegué a conocer a los míos.

Así que en la mesa, ya más tranquilos, alzamos nuestras copas y brindamos por ellos. Les pedimos que por favor nos ayudaran con su sabiduría y su amor.

Al terminar de cenar bajé por la maleta al sótano del edificio. Ahí había un frío húmedo y una única bombilla débil. Busqué la maleta entre las penumbras. Luego de encontrarla miré el pasillo angosto que llevaba hacia un segundo cuarto al fondo. No llegaba la luz y se encontraba en completa oscuridad. Algo me hizo avanzar en esa dirección, la maleta vacía en mano.

Ya frente a la negrura del cuarto desconocido, me invadió la repentina certeza de que ahí vería a uno de mis abuelos. No tuve dudas. Estaba seguro de que aparecería, solo era cosa de tiempo.

Va a aparecer, alguno de ellos vendrá, entendí, y di otro paso más para sumergirme en la oscuridad, al interior de ese cuarto helado y húmedo. Tomé un paso más en la negrura absoluta porque sentí que ahí, si esperaba lo suficiente, se haría presente uno de ellos, aparecería mi abuelo en cualquier momento. Pero nadie apareció.

A la mañana siguiente caminamos con Kate desde el apartamento a la parada del bus que me llevaría al aeropuerto. En la maletita sobre ruedas había metido algunas fotos y libros para papá junto a mi traje y zapatos formales. Siempre uso Sambas para cualquier ocasión pero ahora, por primera vez, correspondía llevar zapatos negros a Guatemala.

Kate había ofrecido acompañarme, pero decidimos que dadas las circunstancias —las audiencias y todo lo que tocaría navegar— sería mejor ir solo. Ella aprovecharía para viajar a Chicago y pasar esos días con su familia. Sus padres estaban bien enterados sobre la situación y me transmitieron su apoyo. La familia de Kate llevaba un par de generaciones dedicada a la defensa de derechos laborales, y entendían que tener una visión como la de papá implicaba consecuencias inesperadas.

En el aeropuerto Logan pasé el control de seguridad y fui a comer un sándwich. Esperaba en fila cuando me entró al celular un correo de Irmalicia Velázquez Nimatuj, una intelectual y líder k'iché. Acababa de publicar en El Periódico un artículo de apoyo a papá titulado «Para Juan Alberto Fuentes Knight». Irmalicia conocía a papá desde hacía más de quince años, luego de haber trabajado juntos en PNUD, y en su artículo describía a la persona y el profesional.

En un contexto tan agresivo en contra de aquellos señalados en casos de corrupción, publicar algo así era una muestra de generosidad y valentía. También lo había sido una visita reciente de ella junto a su hija para ver a papá en la cárcel. Yo le envié un mensaje expresándole mi aprecio, a pesar de no conocerla, y en el correo contestaba que no había nada qué agradecer:

Déjeme compartirle que cuando yo era niña su abuelo fue asesinado, yo era pequeña. Y recuerdo que mi padre y otras familias k' iche' sintieron que se había perdido una esperanza para el país. Y que ese acto a plena luz del día y con profunda impunidad solo era el presagio de una tormenta que arrasaría y nos fragmentaría. Y en efecto así fue.

Nunca imaginé que yo tendría la oportunidad de conocer y trabajar con el hijo de Fuentes Mohr. Y darme cuenta por un lado de su profunda capacidad técnica y por el otro lado, que aunque no lo dijera también seguía el camino y el sueño de su padre que fue truncado. Y era el de aportar a la construcción de una Guatemala distinta.

Como se da cuenta la historia nos ha hecho converger en este espinoso camino por dejar a nuestros hijos e hijas otro territorio.

Créame que por todo lo anterior lamento este tiempo que vive Juan Alberto. Pero déjeme decirle que en el mundo Maya el tiempo tiene múltiples funciones. Este puede ser un proceso que termine abriendo otras puertas para su papá y para todo el país.

Me encontraba sentado en una de las mesas del área de comida, conmovido por su correo. Y aunque me era difícil, si no imposible, contemplar visiones del tiempo alternativas ahora que la vida de papá parecía tan encaminada en una única dirección, sus palabras me produjeron un profundo bienestar.

Luego de sentarme junto a la puerta de embarque, con la pista afuera y algunos aviones alistándose para despegar, me encontré que alguien en Twitter exigía que fusilaran a papá. Recordé entonces cuánta satisfacción me daba ver los rostros compungidos de gente acusada de corrupción, personas a quienes yo consideraba culpables tan solo por estar señaladas. Aunque yo no conociera los casos bien, o dudara de algunos detalles disponibles, siempre regresaba a la idea tan común en Guatemala de que *algo* habría hecho el señalado: *Seguro andaba metido en babosadas.*

¿Acaso la angustia de esas personas me beneficiaba de alguna manera? ¿Cuál era ese espíritu de linchamiento que me empujaba a contemplar su destrucción junto a otros, a participar con mi entusiasmo?

Anunciaron que era hora de abordar el vuelo. Vi a una señora mayor, de apariencia guatemalteca, acercándose con una gran maleta roja casi de su tamaño. Me miró, correspondí su saludo, y me ofreció de vuelta una gran sonrisa tan genuina y bondadosa que me descolocó.

Recordé que ese país que había estado odiando profundamente esos últimos días era también un lugar con gente muy bella.

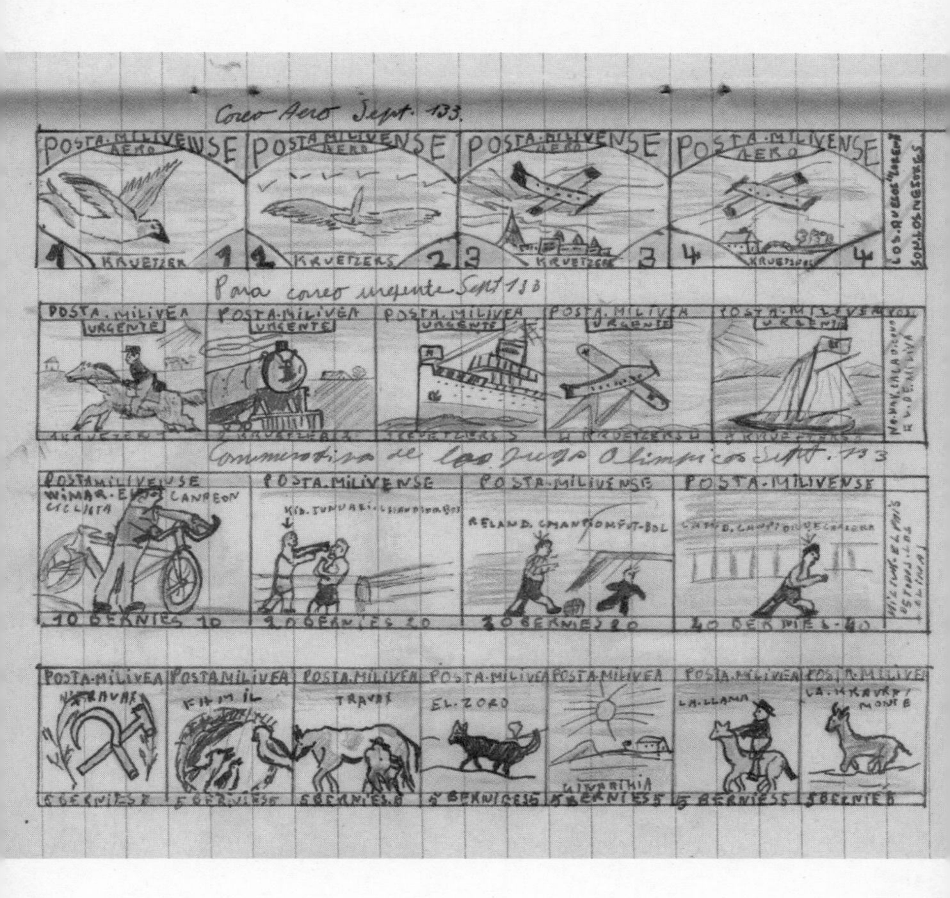

Coreo Aero Sept. 133.
POSTA·MILIVENSE
AERO
KRUETZER
1
2
KRUETZERS
3
4
Para coreo urgente Sept 133
POSTA·MILIVEA
URGENTE
Commerativa de los Juegos Olimpicos Sept. 133
POSTA·MILIVENSE
CICLISTA
10 BERNIES 10
POSTA·MILIVEA
EL·ZORO
LA·LLAMA
5 BERNIES 5

II
Guatemala

Dormí todo el vuelo a Guatemala. Cuando desperté era de noche y estábamos cerca de aterrizar en el aeropuerto La Aurora. La topografía rugosa apenas se vislumbraba por la ventanilla. Pronto fueron apareciendo los barrios aledaños a la ciudad, con sus luces amarillas dando forma a barrancos y colinas. Al aterrizar, mientras el avión maniobraba entre la niebla, sentí un ambiente pesado que me inundó por dentro y se mezcló de manera turbia con el cansancio.

Cuando vivíamos en Costa Rica a mediados de los ochenta, nuestra familia empezó a visitar Guatemala cada uno o dos años. Íbamos sobre todo al altiplano —a Quetzaltenango, donde aún vivían mis bisabuelos, o a la ciudad colonial de Antigua y el Lago Atitlán. Si había tiempo visitábamos sitios arqueológicos al norte del país, con caminatas entre la selva, llenas de asombro y sudor, que desembocaban ante templos y plazoletas mayas.

En las carreteras era común encontrarnos con retenes militares que nos hacían el alto. No olvido las fugaces expresiones de alarma que mis padres se apresuraban a ocultar. Los soldados se acercaban con sus armas largas a pedir papeles y en la noche iluminaban el interior del carro con linternas que iban pasando de rostro en rostro. Siempre había unos segundos de silencio tenso al retomar el camino. A partir del '86 los presidentes ya no eran generales, pero el ejército aún tenía poder y la violencia continuaba de nuevas y viejas maneras.

La Ciudad de Guatemala era un lugar de paso en esos viajes. Ahí nos quedábamos unas cuantas noches en el apartamento de mi abuelita Margarita, la madre de mamá, quien se dedicaba a agasajarnos con frutas dulcísimas que iba comprar al Mercado

Central —mangos, papayas, zapotes, chicos—, además de preparar tamales y todo tipo de platillos que insistía en servirnos hasta que ya no podíamos más, momento en que se indignaba ante nuestra ingratitud.

Durante esos pocos días papá y mamá salían a reunirse con amigos que llevaban años sin ver, mientras mi hermano y yo bajábamos a un patio de cemento rodeado por muros altos. Corríamos entre columpios y juegos metálicos oxidados; tirábamos una pelota a una canasta de basquetbol que se encorvaba más con cada año; si llovía fuerte terminábamos pateando la pelota entre charcos contra la pared. A veces nos sorprendían nubes negras que desataban un granizo violento —las pedradas blancas rebotaban contra el suelo, saltando como si estuvieran vivas.

Para mí, la ciudad era tan solo un conjunto de interiores de casas, uno que otro restaurante, todo hilado tenuemente por calles que veía desde la ventana del Daihatsu Charade de mi abuelita. Luego fui conociéndola como el lugar duro y mordiente que es, el mismo que nunca deja de maravillarme. Con sus 25 zonas distribuidas en forma de espiral, «como en París», la capital había ido creciendo a trompicones por el valle de la Ermita, trepando caóticamente las montañas aledañas. La Zona 1 incluye al Centro Histórico con sus calles en cuadrícula y edificios art deco, pero sin planeación urbana, todo empezó a desordenarse a partir de ahí. Nadie sabe muy bien cuántas zonas hay en realidad; por algún motivo la Zona 20 no existe, y a la Zona 19 se le llama «la isla» porque flota alejada del resto. El aeropuerto está ubicado entre modernos edificios céntricos; cada tanto, los capitalinos debemos hacer un alto en la conversación para dejar que algún avión de tamaño formidable pase sobre nuestras cabezas. Siempre me ha divertido ver a Harald voltear hacia arriba: «Ese es Delta; aterriza a las 7:20».

En la capital también hay belleza, aunque mucha esté escondida tras rejas, cercas y muros, estos últimos coronados por el verde esmeralda de los chayes o, si alcanza, por alambre de navajas tipo *razor*. La garita es la joya de esta corona de púas, y se encuentra presente en toda la ciudad. La palabra misma proviene de *guérite*; se refería a las torrecitas de vigilancia incrustadas en los muros de fortificaciones medievales en Francia. No es casual el vínculo de nuestras garitas con ese mundo feudal. Se trata de la primera frontera, el punto de acceso, que separa a la calle pública del espacio privado de las colonias. Los desarrollos inmobiliarios han ido privatizando por decreto las calles que antes eran de todos, segregando el espacio urbano a favor de los que puedan pagarlo. Existen colonias de todo tipo, tamaño y estrato socioeconómico, pero cuentan siempre con una garita.

Desde una ventanilla o apertura —como en las troneras de las *guérites* originales— un guardia privado armado controla el área exterior. Si el carro es lujoso, un saludo impersonal es suficiente para alzar la talanquera. Los dueños de las casas entran siempre en carro; a pie les toca a los jardineros y empleadas domésticas, vasallos cuyo acceso a la colonia es siempre provisional.

Las empleadas suelen venir de fuera de la ciudad y viajan largas horas en bus para llegar al trabajo. Se les llama simplemente «muchacha», como si servir fuera su estado natural y la infancia su condición perenne. Muchas empiezan a trabajar desde niñas y la mayoría son indígenas; pocas reciben el salario mínimo. Si un empleador llega a pagarlo, no es extraño que se sienta virtuoso. Los domingos por la tarde, las empleadas van llegando a la colonia en un goteo constante desde la parada de bus más cercana. Podrán volver a salir de esas casas hasta una semana después, para viajar por horas hasta sus comunidades y, en caso de tener suerte, pasar una noche bajo el techo de sus propias familias.

En el camino a casa desde el aeropuerto, luego de atravesar el bulevar Los Próceres, llegamos a la garita de la colonia. La talanquera se abrió de inmediato y Harald nos condujo por la cuesta empinada hasta la casa. Mientras bajaba mis cosas del carro, mamá me contó que mi tía Ana Lucía había aterrizado en la tarde pero ya estaba durmiendo.

Podrás verla mañana, dijo Harald, y una vez más me recorrieron los nervios de saber que en pocas horas estaríamos llegando al juzgado y viendo ahí a papá.

Aury nos recibió en la puerta y la calidez de su abrazo me hizo bien. La casa se miraba tan acogedora como siempre, con las plantas en la entrada y las colas de quetzal que cuelgan del techo. Cuando mis padres la construyeron en 1999, la consigna era que siempre, desde cualquier rincón, se pudiera ver verde. Las plantas, la grama y los árboles atrás: todo impregnaba de vida a ese lugar. Aún así, me acompañó la sensación de encontrarme en un lugar familiar pero ahora distinto, y por lo tanto ligeramente siniestro.

Cené en la mesita del pantry, sentado junto a Aury y mamá y Harald. Comimos una sopa de trucha con elote que me cayó bien. Harald me sirvió un whisky y me contó de una investigación importante de la CICIG: se hablaba de un caso fuerte de financiamiento electoral ilícito contra el partido de Jimmy Morales, el presidente actual. Antes de llegar al poder, Jimmy Morales había sido un comediante y actor, célebre por haber interpretado a un personaje llamado «Black Pitaya» —Morales se pintaba la cara de negro, los labios blancos, y con una peluca y supuesto acento afrocaribeño contaba chistes lamentables. Fue electo presidente en el 2016 sin propuestas de gobierno, pero con un eslogan acorde al momento político: «Ni corrupto ni ladrón». Muchos sugerían que incluso esa humilde ambición le había quedado grande.

Resulta que los grandes empresarios del país están bajo investigación, dijo Harald, por darle dinero bajo la mesa al partido de Jimmy Morales durante la campaña.

En otras palabras, habían comprado en secreto al candidato que ahora era presidente. Harald dijo que se venía un caso muy fuerte y que podría traerse abajo a algunos de los dueños del país.

Me pregunté qué tanto podía lograr el MP y la CICIG contra gente así de poderosa. Harald sugirió, casi de pasada, que la CICIG y el MP habían hecho cosas buenas. Un enojo inesperado me subió de las tripas.

No digo que no hayan hecho cosas buenas, respondí, por supuesto que han hecho cosas buenas.

El enfado había inundado mi voz y me arrepentí de inmediato.

Perdón, dije al par de segundos, estoy un poco inquieto.

No te preocupés, respondió ojeándome, es normal. ¿Querés otro trago?

La primera vez que mamá nos habló a mi hermano y a mí de Harald, estaba tan nerviosa que a media frase se levantó del *food court* donde comíamos junto a mi madrina y se alejó casi corriendo.

Es que imaginate lo raro que era eso para mí, se explicó después.

Mi hermano y yo la miramos irse sin entender nada, y entonces mi madrina nos explicó que Harald, un amigo de ella y hombre de negocios de origen escandinavo, era una excelente persona y alguien con quien mi mamá había empezado a salir. Mamá llevaba unos cuantos años separada de papá y nunca le habíamos conocido otra pareja.

Al inicio me desconcertó la formalidad con que Harald se presentó ante mi hermano y ante mí; mis propios prejuicios sobre el conservador mundo de negocios del que venía me pusieron en guardia. Pero tomó poco para empezar a conocer su calidez y lealtad. Harald había crecido en Retalhuleu, «la capital del mundo», en un área rural que explicaba en parte su modo campechano, así como su predisposición para hablar con gente de todo tipo con genuino entusiasmo. Aunque era de origen extranjero —sus padres habían migrado en un barco desde Noruega para trabajar en esa región tropical— fueron mis viajes junto a Harald los que me revelaron facetas y realidades de Guatemala que desconocía. En Monterrico pasamos tardes enteras tomando cervezas junto a lugareños con los que tenía amistad, escuchando sus historias mientras todos colgábamos de hamacas; más recientemente, la jungla en la Sierra de las Minas, donde él había construido un criadero de truchas, se convirtió en una especie de segundo hogar para los dos, un universo al que Harald me había invitado sin más razón que para compartir conmigo y con la gente del lugar. El proyecto sintonizaba bien con las raíces escandinavas de Harald y su experiencia de vida en temas agrícolas. Mamá también se involucró de lleno luego de jubilarse de la universidad donde trabajaba, y desde entonces todos en casa nos beneficiábamos de una dieta constante de trucha.

Ahora Harald bromea a menudo con que es mi «musa», porque su vida y sus historias fueron claves a la hora de escribir mi libro de cuentos. Aún espera sus regalías, me dice soltando alguna risotada vikinga, y luego acerca su vaso para chocarlo con el mío. Y a lo largo de los años, también pude ver que las dificultades financieras, así como una serie de traiciones dolorosas, nunca amargaron a la persona generosa y optimista que aprendí a querer.

La constancia y el apoyo a prueba de fuego de Harald permitieron que mamá fuera soltando el rencor al que se había aferrado luego del divorcio. Mis padres empezaron a llevarse bien otra vez. «Gracias a dios que no soy una persona celosa, vos», dice Harald, y es cierto que su apertura y amabilidad con papá, así como su flexibilidad ante los accidentes de la vida, chapearon el camino de vuelta a una relación cordial entre mis padres. La comodidad de Harald en su propia piel me enseñó una forma diferente de ser un hombre, y sobre todo de ser un hombre en una relación. Vive más allá del machismo tan común de Guatemala, sin temor a mostrar emociones. Es romántico, y es sincero. Observé que su relación con mamá se iba transformando y ella brillaba cada vez más, asumiendo una voz fuerte y manejándose con una convicción que no le había visto antes. Al estar con él, dice ella, empezó a ser otra vez la persona que realmente era.

Mientras trataba de dormir, me pregunté cómo sería todo al día siguiente en el juzgado. Me invadió una vez más la sensación agria y desconcertante de encontrarme del lado de los «malos», de aquellos que hasta hace poco consideraba del «Pacto de corruptos» al ser acusados por la CICIG.

Intenté imaginar las cosas que se dirían sobre papá; la ansiedad era ahora permanente, una especie de corriente eléctrica de fondo. Consideré la evidencia que el Ministerio Público y la CICIG presentarían en su contra, los posibles documentos y testimonios. ¿Incluirían escuchas telefónicas? Las grabaciones de conversaciones comprometedoras eran estándar en los casos emblemáticos de corrupción contra políticos y empresarios; los acusados se escuchaban a sí mismos organizando operaciones ilícitas por teléfono en un lenguaje apenas velado. Aunque costara creerlo, era imposible no contemplar esa nueva y chocante posibilidad: conocer una versión de papá que ni siquiera podía imaginar.

Shirley

Marie nunca tuvo una hija, y creo que sintió que yo era una hija para ella. Me cuidó, porque yo estaba sola en Quetzaltenango y sintiéndome bastante enferma, embarazada de Ana Lucía.

No me gustaba Alberto, mi suegro. Era un mujeriego, y tenía otra mujer en Coatepeque, a algunos kilómetros de Quetzaltenango. No sé, no confiaba en él. Y Marie era tan maravillosa.

No sé por qué estos hombres eran así. Hay algo en la psique guatemalteca, tal vez, o en la psique latinoamericana, que simplemente hacía que estos hombres anduvieran buscando amantes. Nunca lo hablé con Marie. Ella solo lo evitaba. No había otra... ¿Qué más podía hacer uno, excepto ignorarlo? No, olvídate, no había forma de mencionarlo. ¿Para qué?

Mi suegro tenía esta amante, y también tenía una finca. Y me acuerdo que fuimos a la finca una vez, a la casita que tenían ahí, y la mujer había dejado sus zapatos en el baño. Vi los zapatos y sabía que él había llevado a la mujer a la finca. Pero eso no era algo de lo que hubiera hablado con Marie.

Marie tuvo una vida difícil con ese hombre. Nunca dijo nada al respecto, nunca la oí quejarse. Pero era una vida difícil.

Era bastante común en esos tiempos, estos hombres con otras mujeres y otras familias. Pero ya te imaginas cómo me sentí yo llegando a Guatemala y aprendiendo cómo funcionaba todo. Es decir, viniendo de Quebec, con mi papá y mamá muy ingleses. *Very staunch*, muy correctos. Mi papá iba a la iglesia cada domingo y era un anglicano incondicional, muy leal a mi mamá.

Yo era algo ingenua, bastante ingenua. Debería haber leído más literatura francesa para tratar de... medio entender de qué se trataba el mundo. En realidad, ¡debería haber leído más literatura latinoamericana!

Al salir del cuarto en la mañana me encontré a Ana Lucía cepillándose los dientes. Aunque coincidimos durante un par de años en Nueva York, las prisas de esa ciudad nos mantuvieron alejados; unas cuantas cuadras y el parque entre nuestros apartamentos fueron suficiente para distanciarnos. Ahora, volvíamos a vernos después de mucho tiempo.

Nos abrazamos frente al lavamanos y sus brazos fibrudos me apretaron con fuerza. Es alta y de piernas largas, con cabello y ojos oscuros que confieren una intensidad particular a su belleza. Pero se encontraba acelerada, y en su mirada noté el cansancio y la angustia que ella probablemente veía en la mía. Ana Lucía, que siempre ha tenido un espíritu joven, un espíritu de lucha y alegría, se miraba muy golpeada.

Bajamos al pantry a desayunar la papaya que comen en casa cada mañana (buena para el estómago, dice mamá), cuando sonó el timbre. Poco después escuchamos la voz de Otto, el mejor amigo de mamá desde que estudiaron juntos en la Universidad San Carlos. Generoso como siempre, se había animado a llevarnos a la audiencia.

Debe haber sido difícil para mamá: a pesar de querer ir con nosotros, de la misma forma en que quería ir a la cárcel a visitar a papá, sentía que no era su lugar. No hubiera querido encontrarse ahí con Ana Cristina, con quien nunca tuvo contacto más allá de un encuentro fortuito en un supermercado cercano a la casa poco después de la separación.

En la cocina, Otto se acercó a nosotros con semblante serio y pasos decididos. Su abrazo y su colonia me envolvieron de inmediato. Es un hombre de baja estatura y mirada concentrada, auditor por profesión. Quizás de ahí vienen su disciplina metódica y cierto aire marcial: el porte muy recto, pelo perfectamente peinado, una testarudez que lo hace seguir hacia delante, tomando al toro por los cuernos. Está acostumbrado por práctica y convicción a llevar la contraria, pero también es alguien que resuelve —eso y su enorme solidaridad son solo algunas de sus virtudes.

Fuerza, dijo mamá desde la puerta de la casa, y la vi quedarse ahí parada, quieta mientras nos alejábamos en el carro con Ana Lucía, Otto y su sobrino Jose, quien manejaba.

No tardamos demasiado en llegar al Centro Cívico, un complejo de edificios gubernamentales donde se concentra parte del poder del país. Se construyó en los años cincuenta basado en un plano de acrópolis maya. Ahí se encuentran el Palacio Municipal, el Banco de Guatemala y el Ministerio de Finanzas, todos con diseño modernista y un aire de grandeza y optimismo que la historia no parece haber correspondido. Los exteriores están decorados con murales de Carlos Mérida o González Goyri, verdaderos tesoros que ahora sirven para recostar la espalda o pegar los chicles que han perdido su sabor.

Nos bajamos del carro para acercarnos a la Torre de Tribunales, un edificio alto y macizo de cemento crudo cuya tosquedad siempre me había parecido amenazadora. La reja de entrada seguía bajo llave y esperamos junto a un puestecito de dulces y cigarros. Noté que al otro lado de la calle un carro se frenaba y Ana Cristina descendía del asiento de copiloto.

Estaba vestida de manera elegante, maquillada, y caminó hacia nosotros de la misma forma tentativa en que Ana Lucía y yo nos acercamos a ella. Al abrazarla la sentí frágil, o quizás fue su abrazo lo que sentí frágil —provisional, en todo caso, como las palabras con que intentamos darle forma a nuestra ansiedad.

No éramos los únicos esperando a que dejaran entrar a la Torre de Tribunales, pues había ido congregándose un nutrido grupo de personas frente al portón. Al rato apareció la hija de Ana de Molina, la exministra de educación arrestada junto al resto del gabinete. De las catorce personas acusadas por el caso, era la única mujer. La hija estaba tan nerviosa como nosotros, y a pesar de mostrar una desenvoltura casi alegre, cada referencia a su madre hacía que los ojos se le humedecieran. Mi tía mencionó lo duro que todo esto había sido para mi abuelita Shirley y entonces tuvo que voltearse, aparentar que buscaba algo a sus espaldas. Noté que se pasaba una mano por su rostro para reconstruir la máscara endeble que todos llevábamos puesta.

Eran cerca de las 8:00 cuando escuchamos un escándalo de patrullas acercándose desde la séptima avenida. Volteamos hacia el edificio de la Municipalidad y por ese lado venía un camión blindado, rodeado de policías en motos. Alguien dijo que traían al expresidente Colom y la gente estiró sus cuellos para intentar distinguir algo entre las rejillas del vehículo.

Vimos dos patrullas más y en el asiento trasero de una iba Ana de Molina, la exministra de educación. Se miraba muy pequeñita ahí adentro. Alcanzó a ver a su hija y trató de sonreírle desde la patrulla. Su hija la saludó con la mano. Evité mirarla, a pesar de que estaba junto a mí, porque no sabía si esta vez sus ojos aguantarían las lágrimas. Pero papá y el resto de ministros no aparecían, y entonces abrieron la reja para pasar a la plazoleta al aire libre que llevaba a la Torre.

Pronto estábamos corriendo gradas arriba, siguiendo a mi tía y Ana Cristina, porque acababan de anunciar la sala de la audiencia y no habría mucho espacio. Llegué ya sin aire al piso catorce y cuando di la vuelta al área junto a los elevadores me encontré de golpe con papá.

Su guardia estaba ajustándole las esposas y fue afortunado que nos topáramos así, porque nos abrazamos sin tiempo para la emoción. Llevaba traje oscuro y era complicado abrazarlo porque la cadena de metal colgaba entre nosotros y se enredaba un poco.

Hola papá, dije.

Hola Rodrigo, dijo a su vez, y al separarnos un momento sus ojos me parecieron cansados pero su expresión más animada, quizás por tenernos ahí, pues Ana Lucía ya se encontraba junto a nosotros.

Qué bueno verlo, dije.

A ustedes también, hombre.

¡Qué alegría más jodida, ver a papá engrilletado y poder abrazarlo!

Le preguntamos cómo estaba, qué necesitaba. Conmocionados, intentábamos hablar con normalidad. Cuando volteé al área frente a los elevadores distinguí al expresidente Colom —alto, un poco encorvado— y algunos de los otros exministros, todos esposados y de traje. Se sostenían las manos con algún pudor, cansados y tensos, rodeados de policías, abogados y periodistas con sus cámaras y flashes.

Papá se tuvo que alejar junto al resto de ministros y abogados, pues ya empezaban a entrar al juzgado. Pero alguien dijo que los parientes no cabíamos, y que el juez había decidido mover la audiencia a otro edificio. De un momento a otro la gente arrancó en estampida escaleras abajo para alcanzar un lugar en la nueva sala.

Salimos atropelladamente de la Torre de Tribunales, cruzando la plazoleta como pollos sin cabeza. Continuamos sin freno por la banqueta de la 9.ª Avenida entre los edificios chatos del centro. Mi tía nos rebasó por un costado, más rápida que el resto con su larga zancada, saltó a media calle y siguió corriendo sobre el asfalto mientras yo le decía que cuidado, que la iban a atropellar. Al final de la cuadra descubrimos con alivio que éramos de los primeros en llegar ante el portón negro del juzgado correspondiente.

Más tarde supimos que a Colom y a los exministros los habían hecho caminar en fila india por esa misma 9.ª Avenida, y que cada uno iba engrilletado y custodiado por un guardia con fusil atrás suyo. Nos contaron los que estaban ahí que la gente les gritaba cosas, y que al ser parte de esa procesión parecían irrevocablemente culpables.

Como Cersei en *Game of Thrones*, me dijo mi hermano luego, cuando la ponen a caminar entre la turba. Increíble para un proceso auspiciado por una comisión de Naciones Unidas.

Al menos no raparon a papá, le dije.

Igual ya anda medio calvo, respondió con una pequeña sonrisa. Bueno, los tres ya andamos medio calvos.

La audiencia se llevó a cabo en una enorme «megasala» rectangular. Grandes equipos de aire acondicionado en las paredes bombeaban aire helado. Todo ahí adentro era blanco y aséptico y quizás por eso había un ambiente de laboratorio. Mi sistema nervioso estaba cimbrado como un alambre de púas.

La prensa empezó a montar sus trípodes y cámaras en una esquina, ajustando micrófonos y reflectores. Ana Cristina nos señaló a un hombre de traje que venía acercándose a la rejilla que separaba al público del corral de acusados.

Ese es el licenciado Giovanni Castro, nos dijo, y mi tía y yo nos levantamos de un brinco para ir a saludar al abogado de papá. Nos dio la mano rápidamente, hablando con cierta formalidad y una voz profunda que, comentamos después con Ana Lucía, al menos proyectaba serenidad. Luego nos presentó a la colega que lo acompañaba, Estela, quien nos miró con grandes ojos que me parecieron casi asustados, preocupantes.

Explicó que en breve se leerían las imputaciones o señalamientos, y que esta primera etapa era para ver si se «ligaba a proceso» a los imputados: es decir, si había suficientes indicios para acusarlos formalmente y llevarlos a una siguiente «etapa intermedia».

Giovanni dijo que era prioritario determinar si a papá le darían medida sustitutiva para poder estar en casa por la duración del proceso legal. De otra forma tendría que esperar en prisión. Lo miramos, vacíos de palabras. Era una eventualidad impensable y a la vez repentinamente posible.

Volteó hacia la abogada a su lado, Estela, por si deseaba agregar algo, pero ella solo nos siguió viendo con ojos que me parecieron llenos de aprensión.

Ya hablaremos después, murmuró Giovanni con una leve inclinación de cabeza, y se alejó junto a Estela a las mesas de los defensores, donde otros abogados se preparaban.

Los defendidos entraron a la sala, cada uno escoltado por un guardia penitenciario que se sentó en la silla atrás suyo sosteniendo el fusil. Justo entonces ingresó el equipo de la fiscalía y la CICIG.

Mierda, pensé: el fiscal del Ministerio Público era Juan Francisco Sandoval. A pesar de tener treinta y tantos años, era un peso pesado y había llevado algunos de los casos más importantes en los procesos anticorrupción. En la mesa acusadora también se sentaron los fiscales de la CICIG, representados por un hombre de pelo blanco echado hacia atrás. Se llamaba Leopoldo Zeissig y había sido un fiscal valiente, involucrado en el caso por el asesinato del obispo Juan Gerardi. Sentí el desconsuelo de ver a personas que admiraba alineadas en contra de papá. Al mismo tiempo, entendía que eran rigurosos —eso daba cierta esperanza, pues podrían llegar a deducir las verdaderas responsabilidades en este caso.

El Juez ingresó por una entrada lateral. Era un hombre grande de traje oscuro, con presencia y movimientos parsimoniosos. Se hizo silencio en la sala y el Juez pidió que les quitaran las esposas a los imputados. Entre otras cosas, dijo lo siguiente:

Los acusados tienen todos sus derechos, excepto el de la libertad.

La brutalidad redundante de esa frase me golpeó. Encendí la aplicación de grabación en mi celular para tener un registro de todo lo dicho. Luego de tomar asistencia de los presentes, el Juez procedió a darle la palabra al fiscal Juan Francisco Sandoval. Este, sin levantarse, dio lectura a las imputaciones. Empezó por el exministro de gobernación y luego siguió con el resto. En cada caso repitió que para elaborar y firmar el Acuerdo Gubernativo —el documento legal con que se daba el subsidio al transporte— no se habían seguido todos los pasos establecidos por ley. El otro aspecto que el fiscal enfatizaba era que se habían sustraído 35 millones de dólares del erario público.

Frecuentó unas cuantas palabras y expresiones —«vinculante», «por lo tanto», «por lo mismo»—, que daban la apariencia de causalidad a sus acusaciones, pero me confundió que los argumentos no sugirieran un orden necesariamente lógico. Ana Lucía acercó su rostro para susurrarme que algunas ideas dichas por el fiscal parecían tautologías: «El acto es fraudulento porque se cometió fraude». Yo apenas podía oírla, esperando la imputación a papá y los indicios que usarían para sustentarla.

Pero el Juez interrumpió al fiscal y le dijo que si iban a ser los mismos cargos para todos los acusados, que así lo aclarara en lugar de repetirlos cada vez. Un murmullo de aprobación emergió del área de los parientes.

Sandoval asintió y dijo que entonces detallaría las imputaciones a Gustavo Alejos, el exsecretario privado de la presidencia. A Alejos se le acusaba de los mismos delitos que al resto del gabinete, explicó Sandoval, pero además en su caso había habido una triangulación de fondos. Hubo susurros entre los periodistas.

En otras palabras, continuó el fiscal señalando la presentación proyectada contra una pantalla, Alejos recibió personalmente recursos destinados al sistema prepago. Los nombres de distintos bancos, números de cuentas y movimientos financieros entre países fueron apareciendo.

La investigación financiera, aseguró Sandoval, mostró que parte de los fondos para el sistema prepago del Transurbano se habían ido a la cuenta de uno de los empresarios transportistas en un banco en Inglaterra. Desde ese banco se transfirió un monto a una *offshore* en Malta, y de ahí regresó a Guatemala hasta otra cuenta perteneciente a Gustavo Alejos. El fiscal terminó diciendo que por lo tanto a Alejos también se le imputaba lavado de dinero.

Me sacudió, porque era la primera vez que se mostraba que parte de los fondos habían llegado a cuentas personales. Se sugería una coordinación entre Alejos y uno de los empresarios transportistas, aunque por algún motivo ningún empresario había sido arrestado.

Era la primera vez que se mencionaba lavado de dinero, y solo entonces entendí que aquí se podían imputar cargos no contemplados en la conferencia de prensa. El cuerpo se me debilitó de golpe y sentí que me iba hundiendo en la silla. ¿Qué dirían sobre papá? ¿Qué evidencia presentarían en su contra?

Ana Lucía, con quien habíamos estado compartiendo comentarios susurrados, me miró aterrada.

Intenté seguir tomando notas, porque eso había estado haciendo sin freno en la agenda amarilla que llevaba: palabras sueltas, garabatos, artículos de la Constitución mencionados, cualquier cosa para hacer algo. Al terminar con Alejos, el fiscal dijo que ahora imputaría los cargos a Juan Alberto Fuentes Knight.

Papá estaba a pocos metros frente a nosotros, inclinado hacia delante en su silla. Intentaba escuchar a través de la sordera que me heredó a mí. Noté su saco más arrugado que los de otros ministros. Las manos de Ana Lucía se aferraban la una a la otra, sus nudillos blancos.

El fiscal Sandoval empezó mencionando varios puntos que repetían lo dicho sobre los otros exministros. Prosiguió a hablar del engaño con que papá había gestionado la firma del Acuerdo Gubernativo, aunque no explicó de qué forma se había realizado el susodicho engaño. Habló del acuerdo como la llave que había permitido la sustracción de los fondos y repitió expresiones como «grave abuso de confianza» y «artificio fraudulento». El único argumento parecía ser que ciertos pasos administrativos se habían obviado en el proceso.

Aun así, todavía no aparecía ninguna información que hiciera entender por qué pensaban eso: no se le acusaba de haber recibido dinero alguno, ni se le sugerían motivaciones para haber fraguado el supuesto fraude.

El fiscal hizo una pausa y entendí, mientras el público se removía en sus asientos, que ahora sí iba a describir la evidencia contra papá. Me estrujé las manos con fuerza, un gemido presionándome el pecho.

Finalmente..., dijo el fiscal Juan Francisco Sandoval, aguardando un instante más... pasamos a la imputación de Álvaro Colom.

Me quedé un momento en vilo, miré hacia el Juez. ¿Eso era todo? ¿Sería posible? Intenté respirar, mis extremidades recobrando de a pocos la sangre.

Me empezó a invadir una sensación nueva, extraña, y me costó comprender qué era. A diferencia de los otros casos emblemáticos de la fiscalía, no se habían presentado escuchas telefónicas ni transacciones bancarias ni indicio alguno que respaldara la acusación. Miré al fiscal, que ya hablaba del siguiente imputado. Ana Lucía volteó hacia mí con auténtica perplejidad, encogiéndose de hombros.

¿Pero cuál es la evidencia?, me susurró con fuerza contenida.

Yo sé, le dije, no entiendo.

¡No hay nada!

No dejó de mirarme con esos ojos grandes, estupefactos, y tuve que buscar refugio en mi agenda amarilla. Al otro lado de Ana Lucía, Ana Cristina negaba con la cabeza pero había adoptado una expresión vacía, alejada de este mundo, como los ojos de oro negro de los axolotl de Cortázar. Escribí en una página en blanco:

Ni mierda?!

La imputación al expresidente Colom fue similar, solo que en este caso también se le achacaba haber permitido que el ministerio de finanzas y el gabinete aprobaran el acuerdo gubernativo. Cuando Sandoval terminó, Colom se acomodó más recto en la silla, con esa dignidad que tienen los hombres flacos y altos que se mueven despacio. Negó con la cabeza una sola vez.

Intenté recapitular las palabras de los fiscales. ¿Cuál sería la motivación de papá para orquestar todo esto? ¿Dónde estaban los indicios sobre la supuesta coordinación? Si no recibieron dinero o algún beneficio y no se les acusaba de ello, ¿por qué tal ardid, tal engaño?

Las piezas, al menos como las había entendido hasta entonces, no parecían encajar. Del desconcierto fui pasando al desahogo. ¿Entonces lo dejarán libre? No quería emocionarme pero me encontraba más seguro en mi cuerpo, esforzándome por contener la esperanza.

Luego del fiscal del Ministerio Público fue el turno del fiscal de la CICIG. Escuché con atención su voz pausada, sensata, casi amable, pero cuando terminó entendí que había dicho básicamente lo mismo que su colega: la insistencia en la premura y supuesta ausencia de un plan operativo con que se firmó el Acuerdo Gubernativo.

Me era difícil reconciliar mi idea de papá con el único argumento que la fiscalía parecía tener —que ciertos pasos requeridos para la firma del acuerdo se habían obviado o hecho con prisa. Recordé una frase que papá nos repitió a mi hermano y a mí a lo largo de nuestra infancia: «Las cosas se hacen bien o no se hacen.» Acostumbraba decirla con un tono severo que a veces me hacía reír, quizá por la solemnidad que cargan las sentencias así. Pero era lo más cercano a una doctrina en nuestra casa, probablemente porque mi abuelo, a su vez, se la había repetido a papá en su niñez.

Por fin se dio un breve receso y aproveché para salir a la calle para llamar a Kate. Respiré profundo el humo de las camionetas que pasaban con su traqueteo de metal. Desde la banqueta, la actualicé sobre la sorpresa y la esperanza que sentía.

Ana Lucía

Sí, llamaban por teléfono a la casa para amenazar, varias veces lo hicieron desde que yo era joven. Por eso nunca contestábamos con mi hermano.

Juan Alberto y yo nos quedábamos ahí sentados, oyendo el teléfono sonar.

«Contesta tú», le decía yo.

«No, contesta tú», decía él.

Y ahí seguíamos sentados, callados. Algunas veces tu papá levantaba el auricular pero no decía nada. Esa era su estrategia, los desconcertaba.

Hasta la fecha, no me gusta contestar el teléfono. Era una fuente de gran tensión.

Es que era horrible si uno contestaba y era una amenaza. Hacían ruidos al otro lado del teléfono, porque generalmente no hablaban, o solo se escuchaban risas. Pero una vez contesté y sí dijeron:

«Ya los tenemos en la mira», y yo colgué de inmediato.

Incluso hubo una vez cuando yo tenía veintipocos años y estaba sola en la casa porque mis papás habían salido de viaje a Suiza. Alguien los llamó a Ginebra —no sé cómo lograron contactarlos— para decirles que me habían matado.

Así que estaba yo en la sala de nuestra casa tranquilamente cuando sonó el teléfono, y ahí sí contesté porque sabía que podían ser ellos. Justo era mi mamá, y yo por supuesto respondí fresca como una lechuga.

«¡Ana Lucía!», dijo temblando, casi llorando.

Eso fue como un año y medio antes de que mataran a mi papá.

Al regresar a la sala de audiencia en el receso vi que Ana Lucía se había acercado a la silla de ruedas del exministro de ambiente, el doctor Ferraté. Ferraté era un académico y renombrado ambientalista, también arrestado junto al gabinete. Mi tía se inclinó para darle un abrazo y luego se quedó de cuclillas para hablarle de frente. Ambos se miraban bastante animados —el mismo Ferraté parecía haber salido de su decaimiento y gesticulaba con cierto entusiasmo, sus ojos verdes y algo cansados, quizás más intensos por el contraste con la barba blanca. A sus ochenta y tantos años, seguía tan comprometido con la lucha por el medio ambiente como siempre. Papá me había dicho que en sus años en el gobierno, apreció que Ferraté lo respaldó en discusiones sobre la necesidad de una reforma fiscal progresiva, y papá solía apoyar a Ferraté cuando este se oponía a proyectos mineros o hidroeléctricos nocivos para el medio ambiente o las comunidades cercanas.

Luego me enteré de que cuando Ana Lucía estudió en la Universidad San Carlos en los setenta, Ferraté le había dado clases de biología. Ese es el tipo de persona que es Ana Lucía: un profesor que tuvo hace cuatro décadas la recordaba todavía con cariño. Me hizo pensar en la mamá de una amiga, compañera de clase de filosofía de mi tía:

¡Es que Ana Lucía le rebatía fuerte al profesor!, me dijo admirada. No era común ver a alguien como tu tía, porque ni los hombres se atrevían mucho con los profesores, pero Ana Lucía daba buenos argumentos y si algo no la convencía, lo decía sin pelos en la lengua.

Algún tiempo después de esa audiencia, conocí a Ferraté y me contó de su arresto. Los detalles me impresionaron. Explicó que un comando de doce agentes antinarcóticos se había saltado el portón de su casa de madrugada con armas desenfundadas.

Los perros de Ferraté se acercaron al oír los ruidos y entonces los agentes empezaron a pegarles a trancazo limpio, tan fuerte que Ferraté pensó que iban a matarlos.

Los sentaron a él y a su esposa y a la empleada doméstica en la sala mientras requisaban la casa; si tenían que ir al baño, debían hacerlo con la puerta abierta y un policía junto a ellos. Como Ferraté tiene diabetes y el azúcar se le disparó, las esposas apretadas le hacían mucho daño. Un policía se dio cuenta y se acercó. «¿Tiene dinero?», preguntó, y Ferraté lo miró extrañado. «No, ¿por qué?» «Si me da cincuenta pesos, le aflojo las esposas», respondió el policía.

Al reinicio de la audiencia, el abogado de Ana de Molina, la exministra de educación, pidió la palabra al Juez. Dijo que su defendida quería declarar.

¿Va a declarar? Nos volteamos a ver con Ana Lucía. Según entendíamos, todos los abogados habían acordado que sus defendidos no declararían sino hasta más adelante. De pronto me encontré lleno de nervios. ¿Sería posible que Ana de Molina intentara responsabilizar a los otros exministros, a papá? No parecía ese tipo de persona pero tampoco la conocía y todos estábamos en una situación vulnerable. Me di cuenta de que a los otros exministros, sentados frente a nosotros, también los había tomado por sorpresa.

El Juez aceptó la petición y pidió al resto de imputados salir de la sala. Todos se levantaron y los custodios los esposaron para sacarlos. Un guardia cerró la puerta y la pequeña Ana de Molina caminó con pasos suaves hasta la silla que le había indicado el Juez, justo ante él. Aguardé quieto mientras se acomodaba los lentes y se hacía silencio.

Explicó en voz suave que ya estaba jubilada cuando el expresidente la llamó para invitarla a formar parte de su gabinete en el 2008, y solo aceptó porque llevaba mucho tiempo trabajando el tema de la educación en el país. Nunca perteneció ni había pertenecido a la UNE —el partido del expresidente— al igual que la mayoría de ministros (al igual que papá, pensé yo).

El presidente quería funcionarios independientes, dijo, seleccionados por su capacidad y no por sus contactos políticos.

Habló de la necesidad urgente de un sistema tarjetero en los buses para eliminar los ataques contra pilotos por el efectivo que tenían en las unidades. Explicó que el Acuerdo Gubernativo en cuestión no tenía nada que ver con la compra de buses —como en algún momento había sugerido la fiscalía— sino exclusivamente con la adquisición de molinetes, sistemas tarjeteros, y todo lo necesario para un sistema prepago. En otras palabras, la parte acusadora se había confundido en un tema básico: lo que el gabinete había autorizado era un *subsidio* para implementar el sistema prepago, no un *proyecto de inversión* para comprar nuevos buses.

No entendí por qué se enfocaba tanto en esta diferencia. Pero entonces procedió a explicar que uno y otro tenían procesos legales distintos, y en este caso se habían seguido al pie de la letra los requisitos para la aprobación de un *subsidio*, contrario a lo que decía la fiscalía.

Respiré hondo mientras la exministra detallaba de forma sistemática esos pasos, y sentí a Ana Lucía completamente quieta, dándole su absoluta atención. Todo lo que la exministra iba explicando desmontaba el único argumento que la fiscalía había esgrimido: que se habían saltado los pasos estipulados por ley para firmar el acuerdo.

También dijo que le sorprendía que el exvicepresidente Rafael Espada hubiera hecho una denuncia ante el MP reciente por este caso, cuando nunca objetó el acuerdo en el 2009 ni señaló posibles anomalías.

De hecho, explicó Ana de Molina, el vicepresidente no firmó el acuerdo porque ni siquiera le correspondía firmarlo, ya que el presidente se encontraba en el país y es solo en su ausencia que hubiera sido necesario.

La cabeza de Ana de Molina era apenas visible en la silla frente al Juez, quien la escudriñaba desde la altura de su tribuna —la luz halógena parece molestarle y tal vez por eso entrecerraba los ojos cada tanto. Pero en la voz calmada de Ana de

Molina había autoridad, y sus argumentos resultaban sensatos y claros.

Al final, luego de decir que su trabajo en el gobierno había sido por vocación de servicio, que nunca en su vida había tocado un centavo que no fuera suyo, su voz se quebró. Aguardó un momento, respiró profundo. La megasala completa parecía en vilo, sumida en silencio, y Ana de Molina logró rearmarse y terminar su declaración.

El Juez preguntó si estaba dispuesta a responder preguntas de los fiscales, pues no había obligación en esta etapa, y Ana de Molina dijo que lo haría con gusto. Fue despachando cada interrogante con conocimiento y solvencia. Luego fue el turno del abogado de la Contraloría de Cuentas, también en la mesa de querellantes, quien titubeó unos segundos y al fin preguntó lo siguiente:

¿Usted podría darme la información para acceder al informe de auditoría del 2009 al que se refirió en su presentación?

Con mucho gusto, respondió Ana de Molina con voz amable, casi comprensiva. Si desea tengo copias del informe y puedo hacérselas llegar.

Un murmullo sofocado recorrió la sala; sorprendía que el mismo abogado acusador de la Contraloría no conociera del informe de auditoría de su propia institución, aquel en que se basaba parte de la acusación.

Los imputados reingresaron a la sala y poco después el Juez puso fin a la sesión del día, anunciando que continuaría con la audiencia el lunes, luego del fin de semana. Los exministros se levantaron de sus sillas y se congregaron alrededor de Ana de Molina. Ya se habían enterado sobre su declaración y la felicitaron, dándole la mano o directamente abrazándola. Yo volteé hacia su hija y le dije que tenía una gran mamá, que tenía que ser una mujer, la única de todos los imputados que decidió declarar, y de paso con tal contundencia. Con ojos llorosos me dijo que cabal, que eso estaba pensando ella. Agradecí que hubiera gente como la exministra acompañando a papá en ese paseo infernal.

Mientras todo esto sucedía, Otto, sentado en la fila atrás nuestro, había estado hablando por lo bajo con un joven de traje celeste y facciones delicadas que se presentó como abogado. Otto escuchaba agradecido su explicación de los procedimientos legales frente a ellos.

Después me enteré que ese mismo hombre había salido durante la audiencia y regresó a los pocos minutos con gran prisa y agitación. Le susurró a Otto que le habían puesto cepo a su carro y necesitaba Q100 para ajustar los Q500 de la multa, que en la próxima audiencia se los regresaría, que estaba urgido. Otto buscó en su billetera y le dio el monto, a lo que el hombre sugirió:

¿Y otros cincuenta no tendrá?

Otto le dijo que no. El hombre del traje celeste no regresó a ninguna de las audiencias, explicó Otto indignado. Lo pude imaginar echando vistazos a la puerta de la sala —el absurdo de haber sido estafado asentándose poco a poco en su cuerpo— mientras asistía a un juicio por actos de corrupción.

Junto a la megasala, en el galpón que daba a la calle, un policía anunció que pronto llegaba la *perrera*, el camión blindado donde transportan a los presos entre la cárcel y el juzgado. Al no tener de qué agarrarse e ir de pie y esposados, se iban meneando y chocando a cada vuelta o acelerón.

¿Necesitás algo?, preguntó Ana Lucía. ¿Algo para comer?

No gracias, respondió papá, estoy bien.

Abrieron el portón amplio del galpón y la luz enceguecedora de la tarde entró de lleno. Se empezaron a llevar a algunos de los presos, otros se despedían apresuradamente de sus parientes. Luego de abrazarnos, papá se alejó con su guardia, volteando a vernos sobre su hombro. Desde adentro del galpón alcanzamos a distinguir cómo lo subían a la perrera por la puerta de atrás.

En casa, Otto, Ana Lucía y yo nos fuimos acomodando en la sala. Harald nos sirvió su especialidad, un «Vikingo» —aquavit y vodka junto al ginger ale—, mientras explicábamos la forma en que se había dado la audiencia.

Mamá y Aury, recién llegadas a la sala, insistieron en que la persona que peor parada salió en los medios fue el exministro de gobernación, quien pareció ser el culpable de todo. Explicamos con Ana Lucía que eso solo se debía a que fue el primero y único al que le leyeron las imputaciones completas, porque el Juez pidió que no se repitieran para el resto.

Pero Aury y mamá no nos creían. Para ellas estaba claro que el ministro de gobernación era el principal señalado. Aury dijo que en la estación de Emisoras Unidas habían tenido el mismo análisis, e insistimos con mi tía en que era una equivocación de los locutores. Mamá y Aury se miraron entre sí con una expresión discretamente escéptica, comprensivas ante nuestra necedad. Me di cuenta de la enorme distancia que existía entre el proceso en el juzgado y el proceso en los medios, y cómo un detalle tan arbitrario como el orden de las imputaciones podía cambiar la percepción pública por completo.

También sorprendía que la declaración de Ana de Molina no fuera mencionada en ningún medio, a pesar de su importancia para el caso. Solo *Con Criterio*, un programa televisivo de análisis político, le dedicó unos minutos.

Mientras escuchaba a mi familia hablar, bebí el Vikingo e intenté apartar esa sensación sucia que llevaba por dentro: la idea de que que habíamos logrado algo, aun a sabiendas de que nada había cambiado. Esa especie de optimismo chocaba con la otra realidad ineludible: esa noche, papá dormía en la cárcel.

En algún momento Otto dijo que ya era tarde y empezó a levantarse del sofá. Mientras se despedía en la sala aproveché para ir al patio de enfrente y fumar un cigarro. Ya estaba oscuro y me quedé tomando mi trago hasta que Otto salió junto a Harald y mamá a la puerta de entrada. Oí que el carro arrancaba, alejándose cuesta abajo. Desde la calle me llegaron las voces de Harald y mamá, palabras en voz baja que no alcancé a distinguir. Entonces, de improviso, rompí en llanto. No supe de dónde salían las lágrimas. Me rebalsaron y tuve que bajar el vaso al suelo y acomodarlo a tientas para que no se rompiera. No me di cuenta del momento en que Harald se había acercado, pero me abrazó.

Va a pasar, dijo, va a pasar.

Ana Lucía

La posibilidad de que mataran a mi papá siempre estaba presente. Era tema en la familia. Yo crecí con eso, aunque no era que me lo estuvieran diciendo todo el tiempo. Pero las conversaciones en las cenas, por ejemplo, eran casi siempre sobre política.

«Ay Beto», le decía mi abuelita Marie, «no te estés metiendo en política. Es que es tan peligroso. Ay Beto, ¡estos militares te van a matar!»

Y él respondía:

«Nooo, mamá.»

«¡Ay Beto, tené cuidado!», decía ella.

Además había tenido tantas amenazas, tanta cosa. Yo sí me imaginaba la posibilidad... a veces tenía pesadillas sobre eso. Creo que además me estaba tratando de preparar para lo peor, creyendo que uno se podía preparar para algo así.

La pura verdad, me da la sensación de que cuando una persona está con el miedo de que lo van a matar, lo sabe pero no lo cree. Porque incluso poco después de que mataron a mi papá, yo tenía que ir a Guatemala y me dijeron que no fuera, porque iba a ser muy peligroso, que estaría amenazada.

Y antes de llegar a Guatemala esa vez yo tenía un gran miedo, pero un miedo espantoso, me estaba muriendo del miedo. Y una vez llegué lo que sentí fue «¿Ya para qué tener miedo?» Creo que eso le pasa a mucha gente. O vivís así con ese miedo espantoso, y en realidad no vivís, o te descuidás. Así fue como agarraron a muchos de los estudiantes y los mataron o desaparecieron.

Es que de otra forma es una vida espantosa. Al final de cuentas, si te van a matar te van a matar.

Lo que no logro entender, aunque de cierta forma lo comprendo, es por qué se quedan si saben con certeza que los van a matar, si existe la posibilidad de salir. Es casi inexplicable. Y uno se pregunta «¿Por qué?» Tal vez si uno le hubiera dicho algo... pero no. Nada hubiera cambiado.

Mientras desayunaba con Ana Lucía en el pantry vi que mamá preparaba unos *tuppers* para que le lleváramos a papá en la cárcel. Aury estaba haciendo frijoles volteados —recordó cuánto le gustaban a papá cuando vivía en casa— y mamá empezó a cortar rodajas de queso Gouda para las tortillas, así como mango y papaya.

No se puede ingresar un cuchillo al Mariscal Zavala, ¿verdad?

Nos miramos con Ana Lucía.

Creo que no, dije.

Entonces sí, dijo mamá, mejor corto la fruta también.

Harald, mientras tanto, se había dedicado a llenar un termo con el café para la visita. Ya sabíamos que en el Mariscal Zavala no se daba comida a los presos, y todo lo tenían que traer parientes o amigos de fuera. En el caso de papá, su primo Calalo resultó ser un apoyo enorme, enviándole almuerzo casi todos los días, y las visitas de mi tío abuelo Fernando también habían sido clave.

Mamá nos dio la hielera con la comida. En realidad se trataba de la enorme y robusta lonchera que yo solía llevar al colegio, el Colegio Americano de Guatemala. En esos años, mi hermano y yo íbamos en bicicleta con una lonchera tan grande que debía ladearme al pedalear para mantener el equilibrio. Combinaba bien con el casco rojo en forma de hongo que papá nos había comprado, similar al de los franceses en la primera guerra mundial. Al entrar al colegio maniobrábamos entre las Suburbanas polarizadas y lustrosas de muchos estudiantes mientras guardaespaldas o choferes los ayudaban a bajar de las alturas.

En su carro, Otto nos explicó que no podíamos ingresar celulares, pues él ya había ido a visitar a papá una vez. Nos bajamos junto al Bulevar Centro Médico Militar para acercarnos a un portón metálico en un paredón extenso. La cabeza de un soldado se asomó entre la rendija antes de dejarnos pasar.

Nos encontramos ante un claro amplio rodeado de bosque, con una gran bandera de Guatemala en el medio. A la izquierda había una construcción de block de una planta, cercada por malla metálica y alambre de púas, que aprendimos era la cárcel de mujeres. Le decían el Gallinero y me sorprendió que fuera tan pequeña. Un soldado nos revisó y seguimos por un camino de asfalto que se metía entre el bosque.

El trayecto era relativamente agradable, entre cipreses, pinos y matorrales. Como no había carros y se escuchaba el canto de los pájaros entre las ramas, todo tenía un aire sereno, casi contemplativo. Me hizo recordar un viaje con Kate a Polonia, y lo desconcertante que fue encontrarnos hermosos bosques de abedul en las afueras de Auschwitz. Pero ese desconcierto reflejaba la necia búsqueda de congruencia entre la vida interior y la naturaleza.

No éramos los únicos en avanzar por ese kilómetro a medio asfaltar. También había señoras mayores, familias, una madre joven que llevaba de la mano a sus dos niños pequeños. Varios arrastraban bolsas y maletitas sobre ruedas, y me pregunté cómo las habrían empacado, qué ropa y enseres llevaban ahí para sus conocidos. Los que hablaban entre sí lo hacían en voces bajas.

Avistamos la cárcel al final del camino: un recinto amplio a cielo abierto rodeado por malla metálica y alambre de púas. Adentro se distinguía un hacinamiento de champas, pequeñas carpas rectangulares y una que otra construcción endeble. Vi algunos presos parados junto a la reja mirando hacia fuera.

El guardia bajo un toldo recibió nuestras identificaciones, nos selló el dorso de la mano y atravesamos la portezuela de entrada. Otto le preguntó a uno de los presos junto a la malla si sabía dónde estaba Juan Alberto Fuentes.

Probablemente en las mesas de por allá, dijo señalando sin ver hacia el interior del recinto. Las que están bajo el galpón.

Seguimos por un sendero de tierra negra apelmazada, irregular, que debía sufrir estragos durante la época lluviosa. El camino se iba adentrando entre carpas y tienditas, cada una muy pegada a la próxima. Al interior de algunas vislumbré gente comiendo o conversando, moviéndose en las penumbras, y alguno nos miró de vuelta.

El galpón abierto reunía mesas largas con manteles plásticos. Casi todas estaban ocupadas por parientes y conocidos de presos que hablaban y comían en voces bajas, los rostros cercanos.

Ahí está, exclamó Ana Lucía, pues papá venía caminando hacia nosotros desde el lado opuesto con Ana Cristina.

Bienvenidos, nos dijo sin abandonar su expresión suave, casi apenada, antes de pedirnos que lo acompañáramos. Otto se despidió y emprendió la vuelta por su cuenta, mientras papá nos hacía pasar junto a las mesas.

Esta me la prestaron para visitas, dijo volteando al cabo de un rato, y señaló una de las champitas a la par del galpón. Las paredes, por así llamarlas, estaban hechas de persianas de bejuco. Luego de agacharse corrió la cortina de entrada y pasó al interior, oscuro y reducido.

Fue acomodando unos banquitos alrededor de la mesa de plástico. Apenas cabíamos y Ana Lucía, Ana Cristina y yo dispusimos los *tuppers* y los platos de papel, sacamos los cubiertos de plástico de la hielera para preparar el desayuno. Luego de servir el café nos sentamos, viéndonos en silencio. ¿Era este un desayuno de familia? El lugar, la desazón profunda que nos recorría, distaba mucho de algo familiar.

Ah, frijolitos, dijo papá, qué rico.

Había tomado la cabecera en una especie de mecedora. Era más baja que los banquitos y por lo tanto se encontraba hundido. Cada segundo de silencio nos achataba más en esta covacha de techo bajo. Ana Lucía describió después la dificultad de estar ahí junto a papá, de no llorar, su esfuerzo por mostrarse serena. Pudo ver en su hermano ese mismo esfuerzo por «ponerle buena cara» a la situación. Saber eso la puso tristísima, me dijo.

Papá nos fue describiendo las distintas áreas de la cárcel, y mencionó una especie de iglesia, o más bien templo evangélico, que se vislumbraba desde el galpón.

Es la construcción más sólida y mejor lograda aquí, dijo, y explicó que tenía paredes altas de concreto, bancas de madera bien hechas, incluso un equipo de sonido con bocinas grandes a la par del púlpito. A diferencia del resto del recinto, ahí había suficiente lugar para sentarse.

¿Y será que es un buen lugar para leer?, preguntó Ana Lucía, medio en broma y medio en serio.

Pensé en *La guerra y la paz* —con un simple forro sobre la carátula podría pasar por Biblia.

¿Leer ahí? Papá meció la cabeza de lado a lado, dubitativo. Sería bonito, dijo, pero no, creo que podría tomarse como una falta de respeto. Aunque sí, ese templo probablemente es el lugar más cómodo aquí. De hecho, continuó, cuando entramos con los ministros nos invitaron a un servicio evangélico.

Puchis, dije, ¿y cómo estuvo?

Bueno, yo no iba a aparentar ser creyente si no lo soy, así que en el camino me separé del grupo.

Quise decirle que este no era el mejor lugar para ser tan abierto con sus creencias, pero luego entendí que yo tampoco sabía nada. Quizás este era justamente el lugar para actuar con congruencia. A la vez, papá siempre había tenido esa característica: elegía la franqueza por sobre otras consideraciones. No era un rasgo ideal para alguien involucrado en política.

Tampoco fue grave, dijo papá, las personas que manejan el sector fueron bastante amables con nosotros, porque vieron que andábamos apretados. Nos prestaron esta champa y ahora nos la turnamos entre los exministros si vienen parientes o algún abogado.

Miré alrededor nuestro, aprovechando la luz de la bombilla que colgaba de un cable.

Ana Cristina ofreció una explicación:

Es que además aquí todo tiene dueño. El primer domingo que estuvimos de visita había tanta gente que ni encontrábamos dónde estar. Yo había traído un petate y solo así pudimos sentarnos en el suelo. Todos los del gabinete estaban parados en una esquina, igual que sus familias, hasta que unas almas generosas nos prestaron unas sillas.

Es cierto, dijo papá, yo creo que se dieron cuenta, y por eso quisieron echarnos una mano. Con todas las diferencias que sin duda hay aquí, también hay solidaridad.

Ala puerca, dijo Ana Lucía, qué mundo.

Un momento después se inclinó hacia papá para decirle algo. Mi tía quería conversar en privado sobre su situación económica, preguntarle si tenía fondos suficientes para el abogado, si había alguna fecha para hacer el primer desembolso. Y además es su hermana y no había podido hablarle en confianza, solos, desde que lo vimos en la audiencia. Así que papá amontonó su plato y sus cubiertos junto al resto y los dos salieron de la champa.

No supe de qué hablaron sino hasta después, en casa, cuando ella me explicó que papá tenía muy poco dinero ahorrado, que acababan de terminar de pagar la hipoteca de la casa donde vivían, pero que al menos contaba con la pensión de Naciones Unidas y ya había cancelado parte de lo del abogado. Ana Lucía podría ayudarle con algunos ahorros.

También me dijo que papá mostró preocupación de que lo trasladaran a alguna otra cárcel, como al Cuartel Matamoros o, peor aún, al Preventivo de la Zona 18. Ahí habían estado algunos presos que ahora se encontraban en el Mariscal Zavala, y describieron la pesadilla que les tocó vivir. Era algo que se sabía, pero cuyas consecuencias materiales nunca tuve que considerar: cárceles gobernadas por pandilleros y grupos de maleantes que extorsionaban y daban palizas a otros presos. Papá le dijo a Ana Lucía que ese traslado era algo que los presos en el Mariscal Zavala temían.

Me lo mencionó como de pasada, me dijo luego Ana Lucía, pero le pude ver la preocupación en la cara.

Cuando regresaron a la champita, aproveché para decirle a papá que su carta nos ayudó para saber que estaba bien y entender mejor cómo funcionaban las cosas en el Mariscal Zaval.

Me gustó la perspectiva sociológica, dije, y lo que escribió sobre la oferta y demanda.

El funcionamiento de la economía aquí adentro es interesante, respondió. Lo que pasa es que tenemos un mercado cautivo.

Me costó entender que era un chiste, hasta que se sonrió y empezamos a reír. Todos teníamos ganas de podernos reír.

Chiste malo, dijo papá, pero ni modo.

¿Quién se lo dijo?

Ah puchis, respondió, ¡es mío!

¿Original?

Sí pues, original, dijo orgulloso y a la vez algo indignado por mi pregunta.

Algunas personas pasaron saludando a papá desde el umbral de la champa, quedándose un par de minutos para hablar. Desde mi banquito eché un vistazo afuera y entonces vi una cara conocida. Me excusé y al salir entendí que, en efecto, la persona ahí parada junto a las mesas era J. No lo había visto en más de quince años, desde el colegio, y al oírme se volteó del grupo de personas con quienes hablaba.

¡Ala gran!, dijo acercándose para saludar. ¿Y vos qué hacés aquí?

Visitando, respondí. ¿Y vos?

Igual, ¿pero a quién visitás vos?

Volteé sobre mi hombro a la champita.

Vine a ver a mi viejo, dije.

Ah no hombre, ¿y por qué lo tienen?

Por el caso Transurbano.

No chingués. Yo vine a ver a mi hermano.

Aunque J estaba un año abajo mío en el Colegio Americano, su hermano —a quien habían arrestado hacía poco según la prensa— estuvo en mi grado.

Papá salió de la champita, despidiéndose de las personas ahí.

Este es mi viejo, Juan Alberto Fuentes, le dije a J.

Órale, no sabía que él era tu papá.

Supuse que al ser del Colegio Americano, él y su familia serían de derechas, como la gran mayoría ahí, y que su opinión de papá no sería la mejor. Pero tampoco lo tenía por seguro.

Con J estábamos en el equipo de water polo en el colegio, le explique a papá. Hasta fuimos con él y el equipo a Cuba para un torneo, él era el portero.

Hablamos sobre ese viaje, luego pasamos al caso que lo traía al Mariscal Zavala. Al cabo de un rato, J volteó hacia la mesa donde se encontraba su hermano. Se miraba muy concentrado, discutiendo temas serios con las personas a su alrededor.

Nos despedimos y le pedí que le mandara saludos. J respondió que lo haría.

Ya solos, papá mencionó algo del Colegio Americano y nos sonreímos con cierta amargura, con la conciencia del absurdo, pues aquí estábamos en el mismo barco que excompañeros de ese mundo, a pesar de creer que tanto me había alejado.

Luego recordé el momento en que supe que al hermano de J, mi compañero de clase, lo habían capturado. Fue poco antes de que arrestaran a papá. Vi su nombre por casualidad en un artículo de Prensa Libre, y en la foto salía esposado y esperando en las carceletas de tribunales. Pero lo más desagradable, pensé luego de desearle suerte afuera de la champita, fue recordar mi reacción cuando vi esa noticia del arresto:

Qué grueso, me dije en ese momento, difícil para él, pero qué bueno. Qué bueno que a empresarios y a gente de dinero también les esté cayendo, porque en ese sector hay muchos responsables del estado lamentable del país. Qué bueno que la lucha contra la corrupción los agarre a todos por igual.

Y a pesar de no tener idea de cuáles eran las acusaciones específicas en contra de él, ni mucho menos conocer la evidencia, y aunque los hermanos siempre fueron buenos tipos conmigo —solidarios en el equipo de water polo, amables y generosos cuando se daba la ocasión, aunque nuestra relación fuera distante— me entregué sin empacho a celebrar su captura. ¿Cómo obvié por completo el sufrimiento que debían estar pasando él y su familia? Si yo fui así, ¿cómo esperaba que la gente que no conocía a papá fuera distinta con él?

Me sorprendí cuando anunciaron en los altavoces que el horario de visitas había concluido. Sin teléfono y en ese lugar, el tiempo era un líquido de propiedades distintas. Supe que Ana Lucía no quería irse y dilataba la despedida. Abrazamos a papá, y al alejarnos tuve que hacer un esfuerzo para no voltear sobre mi hombro.

Dimos pasos lentos en el camino que nos llevaba entre los árboles del bosque hacia el portón. La luz cálida se filtraba entre las hojas, iluminando el polvo suspendido en el camino, y eso me hizo pensar de improviso en algunas tardes solitarias de mi niñez. Antes de llegar a la salida pasamos junto al sector de mujeres, el llamado Gallinero, y ahí vimos a Ana de Molina de pie junto a la malla. Tenía los deditos metidos entre el alambre y hablaba con alguien que estaba afuera, de espaldas a nosotros. Entendí que era su hija, la misma a quien habíamos visto frente a la Torre de Tribunales la mañana previa. Nos sonrieron al vernos.

Estaba claro que habían estado llorando. Tanto Ana Cristina como mi tía se acercaron y metieron sus deditos entre la reja para saludar a Ana de Molina. Desde atrás yo le hice el gesto de un abrazo y ella me lo devolvió. Mi tía le agradeció una vez más por la declaración tan poderosa en la audiencia, y luego nos despedimos. Al alejarnos volteé a verlas —se habían acercado y ahora tenían las cabezas casi tocándose, solo la malla de por medio. Rezaban juntas.

Ya afuera, una amiga de Ana Cristina pasó recogiéndola en el bulevar y nos despedimos. Mi tía y yo nos quedamos en la esquina hablando de nuestras sensaciones al ver a papá. Sobre lo duro que fue tener que irnos, dejándolo ahí adentro. Ana Lucía fantaseaba con formas de ayudarlo a escapar:

Quiero alquilar un helicóptero y pasar aquí encima y solo *plup*, dijo, y con su mano hizo como si lo pellizcara desde arriba, levantándolo para llevárselo lejos.

Le conté que cuando estábamos junto a la reja que rodea a la cárcel y mirábamos hacia fuera, le dije a papá que no parecía muy difícil escapar de ahí.

Pues como imaginarás se habla bastante de eso aquí adentro, me había respondido él. La verdad es que no sería difícil, agregó evaluando el área chapeada al otro lado, ahí nomás tenés el bosque, y apenas hay guardias. El problema es lo que viene después, ¿no?

Sí pues, dijo Ana Lucía, lo que viene después.

En la tarde fui con Ana Lucía al Centro Histórico a ver a mi amigo Stefan. Nos habíamos conocido en el Colegio Americano, donde descubrimos una sintonía inesperada, tal vez porque ni él ni yo encajábamos del todo, si bien él navegaba mejor esas aguas.

Mi tía y yo caminamos entre los edificios maltrechos pero hermosos de la Zona 1, evitando a los cambistas de la 12 Calle que ofrecían dólares en la banqueta, los fajos de billetes coleteando en sus manos. El lavado de dinero ocurría sobre todo en los bancos del país, pero también al aire libre y a dos cuadras del cuartel central de la policía. Mientras subíamos los cinco pisos en el elevador amarillo, pintado en su interior como taxi neoyorkino, me inundó una sensación imprecisa, algo que me costó comprender era alivio. Por fin podíamos bajar la guardia.

Stefan abrió la puerta y me recibió con un abrazo, también a Ana Lucía, a quien conocía por primera vez. Nos miró, comprensivo ante nuestra verborrea, entendiendo que todavía estábamos acelerados.

Ofreció tragos y se acercó a la cocina abierta. Agradecí el sonido generoso del mezcal al verterse en los vasitos oaxaqueños. Mientras tanto Ana Lucía miraba alrededor del apartamento, ubicándose. No era grande pero sí acogedor, con mucha luz y muchas plantas, un árbol de banano de hojas anchas junto al refrigerador. Distintas obras de arte contemporáneo de América Latina cohabitaban el espacio, formando una familia de personajes disímiles pero hermanados por un sentido de humor sin aspavientos. Entroncaban bien con la personalidad ligera y a la vez profunda de Stefan, que disfruta de la vida a fondo, alejado de la impostura y la solemnidad.

Puchis, qué bonito, dijo Ana Lucía.

Salimos a una terracita tras la puerta de vidrio, junto a un pequeño jardín de vegetación exuberante desde el cual se miraban varios edificios de la Zona 1. Ahí afuera seguimos tomando y hablando, emborrachándonos con Ana Lucía, soltándonos de a poco. Stefan rellenaba los vasitos, se dedicaba a escucharnos. Describimos el caso, los avances, compartiendo con mi amigo algunas de las cosas que nos habían sorprendido.

Es que fue bien loco ver a mi viejo en la cárcel, dije en algún momento, volteando hacia él.

De improviso, el dique que me había sostenido en esas horas previas se fue resquebrajando. Empezaron a pasar entre las grietas las sensaciones que había intentado mantener atadas. Me quedé a media frase, sin poder decir más. Stefan me abrazó. Dijo palabras que me hicieron bien, y al rato nos servía un trago más. Ahí afuera nos llegaban los sonidos de la calle. Hablamos, bebimos, respiramos el aire fresco de la noche.

Ana Lucía

Mi papá siempre se opuso a la lucha armada. Él no lo veía como una salida. Incluso porque yo era más radical de patoja, y le preguntaba qué otra salida había, si estaban matando a todo el mundo. Pero él decía que solo iba a terminar siendo una masacre, que no era una solución.

Y es cierto que después, con los asesinatos que llevaron a cabo el ejército y los escuadrones de la muerte, con toda la infiltración en los distintos movimientos, se murió muchísima gente, gente valiosa. Médicos, sindicalistas, gente que le hubiera sido tan importante a Guatemala, y del campo ni hablar. Tanta gente murió.

Mi papá lo miraba también desde el punto de vista filosófico, moral. Digamos, no creía en la posibilidad de... Yo creo que tenía esperanza de que se pudiera hacer algo por otros medios. Obviamente ¿verdad?, porque si no, no hubiera regresado a Guatemala después de salir al exilio por amenazas a su vida.

Yo creo que esa esperanza es lo que siempre mantuvo. Eso lo veía yo, era casi un mantra que tenía, que se podía cambiar al país, que iba a cambiar. Pero incluso él no esperaba que fuera en su tiempo.

Ustedes no van a ver cambios en Guatemala, nos decía, ni siquiera sus hijos. Sus nietos... tal vez.

Pero yo ya estoy viendo como que mis nietos tampoco.

Podemos pedir tacos, dijo papá al interior de la champa. Era domingo, día de visita en el Mariscal Zavala, y Ana Lucía, Ana Cristina y yo nos encontrábamos alrededor de la mesa de plástico.

Ah bueno, dijo mi tía, ¿dónde los venden?

Papá le explicó el camino y Ana Lucía regresó poco después, diciendo que de hecho los traían a domicilio.

Los prepara el doctor Oliva, explicó papá, es uno de los que tienen presos aquí por el caso del IGSS, agregó refiriéndose al Instituto Guatemalteco de Seguridad Social. Era decano de la facultad de medicina en la San Carlos, y por ley le tocaba estar en la junta del IGSS. Lo mismo que unas pobres enfermeras que arrestaron con todos los demás. Ahí se firmó el contrato que según la fiscalía repartió fondos de manera fraudulenta.

¿Será un caso similar al tuyo?, preguntó Ana Lucía.

Papá hizo un gesto ambivalente con la mano.

Pues su responsabilidad legal es haber firmado el contrato, dijo, y en ese caso tampoco hay ninguna prueba de que el doctor Oliva se haya quedado con un centavo. Pero los detalles y los procesos son bastante diferentes. Es un buen tipo y lleva tres años aquí, esperando un juicio que ni siquiera ha empezado.

Iba a agregar algo más cuando escuchamos que tocaban en el marco de la puerta.

¿Pidieron tacos?

El doctor Oliva se había asomado con su delantal blanco. Cargaba una bandeja grande, con platos de duroport y tacos de carnitas, así como pequeños recipientes plásticos con chirmol y salsa verde.

Muchas gracias, dijimos mientras iba poniendo todo en la mesa.

Buen provecho, Juan Alberto.

Los tacos eran muy sabrosos, sorprendentemente buenos, y papá explicó que el doctor Oliva los preparaba junto a su esposa, que ahora venía aquí todos los días de visita para ayudarle a cocinar.

Porque tienen un hijo que sufre de una enfermedad extraña bien fregada, dijo.

Nos contó que el doctor Oliva era pediatra pero había perdido su trabajo en la universidad con el arresto, así como su consultorio. Por eso trabajaba vendiendo sus tacos, porque de otra forma no podrían sobrevivir, ni mucho menos cuidar de su hijo.

Traté de recordar el rostro del doctor Oliva, intentar distinguir los rasgos particulares de una congoja como la suya. Pero lo único que logré evocar fue su delantal blanco, ese que ahora sustituía la bata de doctor.

Tampoco es que todos aquí sean tan buena gente con Juan Alberto, dijo entonces Ana Cristina.

Ella y papá cruzaron miradas.

Bueno..., dijo él.

Ana Cristina suspiró, acomodando el plato sobre la mesa, y nos miró a Ana Lucía y a mí.

Aquí había unos que lo andaban molestando, dijo viéndolo ahora a él.

Ah no, interrumpió Ana Lucía, su voz ronca con alarma, ¿por qué?

Papá se encogió de hombros.

No, no pasó nada. Cuando llegué se me acercaron unos que andaban fregando nada más.

¿Haciendo qué?, pregunté yo, también en guardia.

Eran medio *bullies*, respondió papá, con esas bromitas pesadas, bien guatemaltecas. «¿Te caemos mal?», «¿Por qué no nos hablás?», ese tipo de cosa. Nada abiertamente agresivo.

Puchis. ¿Quiénes eran?

Son unos hermanos, de apellido Mendoza.

¡¿Los Mendoza?!, dije.

¿Quiénes son ellos?, exclamó Ana Lucía.

Papá me miró con una sonrisa desanimada.

Bueno, son unos narcotraficantes.

Ay no.

Ana Lucía se llevó una mano a la frente. No dije lo poco que sabía, que los Mendoza eran los capos de la droga en el noreste del país, en los departamentos de Izabal y Petén. Que los habían arrestado hacía un par de años. Que eran exactamente el tipo de persona que uno no quisiera tener de enemigos, menos en una cárcel.

No estaban muy contentos cuando yo entré aquí, dijo papá, y agregó, como si contara algo divertido: parece que hubo un poco de resistencia.

No hombre, qué fregado, dijo Ana Lucía.

La verdad es que se arregló bastante, dijo papá. Yo me acerqué a hablarles, porque tampoco era que los viera mucho, excepto cuando tocaba la contabilidad de presos y nos reunían a todos. Lo importante es no intentar evitarlos sino ser amable, aunque sea un poco forzado. Cambiaron, no estoy muy seguro por qué, pero al final no fue a más.

Ala puchis, dijo mi tía.

No, ya se calmó todo, no se preocupen. Además, dijo sonriendo, con cierta resignación en la mirada, aquí la mayoría somos viejitos. Y entre viejitos nadie quiere pelearse.

Después de almorzar salimos a recorrer los senderos de tierra entre champas y tiendas. Desembocamos en una canchita de futbol que también servía a los presos para caminar o hacer ejercicios, y de ahí continuamos por un caminito angosto junto a la reja. De repente el ambiente del lugar cambió: las tiendas ahí estaban más cuidadas, las construcciones mejor hechas. Además había un ínfimo arriate con plantitas y algunas macetas, y unas colas de quetzal incluso colgaban del alambre de la reja.

A este pasillo le dicen La Cañada, dijo papá, porque está muy bonito todo.

Me reí pensando en la colonia pudiente de mansiones y embajadas. Papá explicó que a esa parte de la cárcel habían llegado algunos empresarios capturados que tenían recursos para un ambiente más agradable.

Terminábamos la vuelta cuando nos encontramos casi de frente con el viceministro de energía en el gobierno de Colom, arrestado junto al resto del gabinete. A los viceministros no les correspondía firmar Acuerdos Gubernativos a menos de que el ministro de su cartera no estuviera presente y, por casualidad, el ministro se había ausentado ese día. Ahora el vice estaba ahí, en la cárcel.

Hablaba con su esposa a medio sendero con expresión consternada y en voz baja. Al vernos intentaron sonreír. Yo no lo conocía pero me sorprendieron sus ojeras profundas; noté que su mirada insistía en irse por su cuenta. Ya que nos despedimos, Ana Lucía se acercó para decirme, con ceño fruncido y auténtica preocupación:

Ese hombre no está nada bien, se mira realmente deprimido.

Pensé en papá e imaginé que él debía estar así por dentro, pero su fachada era inaccesible y esa distancia entre su cara y lo que pudiera estar sintiendo —entre él y nosotros— era también insalvable.

Ana Lucía

Era la noche del 12 de noviembre de 1970. El gobierno de Méndez Montenegro ya había terminado y ahora el general Arana era presidente; la represión se había intensificado muchísimo. Ya sabés que a Arana lo apodaban «El Chacal de Oriente»; decían que el Motagua se tiñó de rojo de tanto cuerpo que flotaba por el río.

Yo tendría unos catorce años. Estaba en mi cama cuando oí golpes en la reja de la casa. Escuché a mi papá correr al patio trasero y vi que escalaba la pared y brincaba al techo. Me quedé como paralizada. A mi papá ya lo habían amenazado varias veces y teníamos miedo.

Durante lo que pareció una eternidad, pero que probablemente fueron unos cinco minutos, no oímos ni vimos nada. Pero resultó que afuera la Judicial tenía cercada la cuadra. Entonces escuchamos la voz de mi papá pidiéndonos que abriéramos la puerta del frente de la casa. Estaba en sus pijamas y cinco hombres con ametralladoras lo empujaron hacia dentro, uno con su arma contra su espalda. Recuerdo que llevaban medias cubriéndoles las caras. Mi papá les dijo que lo dejaran vestirse, así que tres de los hombres se fueron con él al cuarto. Yo estaba aterrada. Mientras todo esto pasaba mi mamá, Margarita —la empleada— y yo nos quedamos paradas contra la pared, con dos tipos apuntándonos con ametralladoras. Uno se pone en un estado raro, como de otro universo.

Salieron los tres hombres con mi papá ya vestido y los otros dos los siguieron a la calle. Yo me fui corriendo detrás de ellos. Ni lo pensé, solo quería ver el carro en que se estaban llevando a mi papá. Según yo para ver las placas. Y por supuesto no tenía placas. Eran dos carros, dos Chevrolets negros de la Judicial, y al meterlo adentro le vendaron los ojos. Ahí creí que lo iban a matar. Me acuerdo de la sensación espantosa, se me hundió todo. Y se fueron.

Regresé a la casa y le dije a mi mamá que el carro no tenía placas, que había que llamar a alguien. Primero llamó a los bomberos, porque por supuesto no iba a llamar a la policía que era parte de lo mismo, pero cuando les dijo a los bomberos que se habían llevado a mi papá no vinieron, porque también tenían miedo. Mi mamá trató de llamar a abogados o políticos amigos de mi papá y en eso oí que estaban tocando el timbre. Cuando salí a ver habían llegado dos camionetas llenas de soldados y un carro con unos tipos vestidos de civil. Y entonces dije, «Ay dios, estos nos van a matar, o más bien nos van a violar y luego nos van a matar». Y mi mamá decía que teníamos que dejarlos entrar porque si no nos iban a ametrallar, y yo le decía que no, que no los dejáramos entrar. Pusimos los sofás contra la puerta y empezaron a pegarle para botarla. Nos fuimos a meter al cuarto de Margarita porque estaba en la parte de atrás y era el único que también tenía acceso a su propio baño, así que pensamos que tendrían que botar la puerta del cuarto y la del baño también.

Por suerte llegaron los amigos de mi papá y desde afuera nos dijeron que dejáramos entrar a los soldados. Una vez dentro empezaron a sacar todas las gavetas y botar toda la ropa para disque encontrar cosas subversivas. Pero ya con los amigos de mi papá al menos era más difícil que nos mataran o que nos violaran, ¿no? Y luego de eso los militares se fueron y nos dejaron ahí. A partir de entonces empezó la búsqueda de mi papá.

Pensé que nunca iba a verlo otra vez. Un desaparecido más, de esos que eran buscados toda la vida por la gente que los quería, pero que dejaban de existir para el resto del mundo. Al igual que tantas otras personas, nunca fue acusado de nada ni presentado a los juzgados. Mi mamá y yo salimos desde temprano al día siguiente a las cárceles del país para buscarlo, pero no había ningún récord de su arresto. Como los otros, la idea era que nadie lo pudiera encontrar.

Me acuerdo que mi mamá llevaba una canasta con limas, porque mi papá sufría de agruras y eso le ayudaba, así que a cada cárcel que llegábamos trataba de darle la canasta a algún guardia para que se las entregara. Era nuestra forma de intentar saber si lo tenían ahí. Solo nos volteaban la cara o nos decían que en ese lugar no había nadie con ese nombre. Hasta que tuvimos suerte. Un guardia que nos tuvo compasión nos sugirió que probáramos en el Primer Cuerpo, en el Centro Histórico.

Al llegar les preguntamos a los guardias ahí si alguien le podrían llevar esa comida a mi papá; uno de ellos nos pidió que nos alejáramos unos pasos con él y nos dijo, «Yo se la doy», y así supimos que estaba en el Primer Cuerpo. Lo metieron en un calabozo en las tripas de la cárcel principal y después lo subieron a un lugar que se llamaba El Hospitalito en la misma cárcel. Ahí había dos estudiantes con él, muertos de miedo, pero a ellos se los llevaron luego en un bus y parece que los desaparecieron.

Mi papá tenía contactos en el exterior y tuvo la enorme suerte de que las presiones de gente en el país y en el extranjero lograron que lo soltaron a las dos semanas. Poco después salimos al exilio en Costa Rica. Durante algunos años mi papá trabajó en el ICAP en San José y siguió reuniéndose con otros exiliados, hasta que regresamos a Guatemala en el '74, cuando participó en las elecciones. Pero sé que mi papá tuvo mucho miedo mientras estuvo en ese calabozo. Realmente pensó que lo iban a matar. Lo que más le daba miedo era la tortura, creía que lo iban a torturar. Por esos días que estuvo en la cárcel salió con canas. Le salieron canas en los lados de la cabeza, fijate.

El lunes por la mañana Harald nos condujo a Ana Lucía y a mí a la Torre de Tribunales. En la Avenida Reforma miré por la ventana hacia la hilera de árboles señoriales que separaban ambas vías —eucaliptos, ficus, jacarandas. Paramos en el semáforo frente a la Guardia de Honor, una base militar con forma de castillo medieval y torres almenadas. Entonces Ana Lucía, que iba de copiloto, se inclinó hacia delante para ver la plaqueta en el camellón que conmemora el asesinato de mi abuelo.

Me acuerdo que vine a Guatemala cuando iban a poner esa plaqueta, dijo Ana Lucía, en el '80, un año después de su muerte.

Yo sabía que la habían puesto los amigos socialdemócratas de mi abuelo como un pequeño gesto de memoria y de protesta. Deben haber tenido miedo, haciendo algo así a principios de los ochenta —años duros de la represión— justo frente a la Guardia de Honor. Cuando le conté más adelante a Kate sobre la plaqueta, me preguntó por qué creía que el ejército dejó que la pusieran, o por qué la dictadura no la mandó a quitar. Imaginé que porque no importaba, de todas formas ya lo habían matado.

En ese tiempo yo vivía en Costa Rica y casi no vine, dijo Ana Lucía, porque me dijeron que la situación estaba muy peligrosa. Pero además tenía que sacar las cosas de la casa de mis papás, porque la familia salió al exilio y solo se llevó lo que pudo. Al final no lograron poner la plaqueta ese año sino hasta el siguiente, porque estaban matando a todo el mundo. Cabal en esos días vinieron las comitivas de campesinos del interior para denunciar las masacres del ejército.

Ah, dijo Harald, sus manos grandes sobre el timón, cuando fue la quema de la embajada de España.

Sí, respondió Ana Lucía, yo andaba con un gran miedo porque había ido con mi tío a recoger las cosas donde mis papás, y afuera vimos dos orejas de la Judicial ahí parados. No disimulaban, al contrario. Yo me estaba quedando donde amigos de mis papás esos días, y una tarde mi tío llamó por teléfono y me dijo: «No te puedo ir a traer porque algo pasa en la embajada de España, mirá la televisión.» Y entonces la prendí y vi en vivo la quema de la embajada y de toda esa gente. Los campesinos y estudiantes la habían tomado de forma pacífica para denunciar las masacres, y el mismo embajador español los apoyaba.

Máximo Cajal, dijo Harald.

Cabal, respondió Ana Lucía, y en la tele se veía a un montón de policías y matones de la Judicial que tenían la embajada cercada, ya con actitudes bien agresivas, y de un momento a otro empezaron a escalar las paredes para meterse a la fuerza, rompiendo las ventanas, y se escuchó un bombazo y al ratito empezaron a salir llamas del edificio, y la gente que estaba afuera gritaba desesperada. Varios ahí eran parientes de los que estaban dentro. «Se están quemando vivos», gritaba un hombre en la televisión, me acuerdo rebién, «Se están quemando vivos».

Horrible estuvo eso, dijo Harald.

Rigoberta Menchú lo cuenta en su libro, dijo Ana Lucía, porque ahí murió su papá, que era uno de los campesinos de la comitiva.

Yo conocía bien la historia. Sabía que el gobierno salió diciendo que los campesinos y los estudiantes eran terroristas, que se habían autoinmolado. Solo se salvó el embajador español escapando por una puerta de atrás, y un campesino que cayó bajo los cuerpos de los muertos y así se cubrió del fuego. Fue el único sobreviviente además del embajador, pero esa misma noche fueron a secuestrarlo a su habitación del hospital unos matones en pasamontañas. A la mañana siguiente su cadáver torturado apareció frente a la rectoría de la universidad San Carlos.

Me acuerdo de las cámaras entrando a la embajada y todo incinerado, dijo Ana Lucía. Los muertos parecían estatuas, como Pompeya. Una cosa espeluznante.

Habíamos llegado a la Torre de Tribunales y Harald estacionó el carro junto a la banqueta.

Bueno, dijo, llegamos.

Volteó a verme y me acercó la mano:

Mucha suerte, aquí estoy pendiente por cualquier cosa.

En la Torre de Tribunales me encontraba nervioso, cansado, con un temblor extraño en mis manos. Esperábamos el inicio de la audiencia y aproveché para bajar al baño en el sótano de la Torre, una especie de bartolina hedionda y sin ventanas. Al salir noté que algunas personas estaban congregadas alrededor de una señora; entendí que se trataba de la ex vicepresidenta Roxana Baldetti.

No la había visto nunca en persona. Llevaba casi tres años en la cárcel y debía estar en la Torre por uno de los muchos casos en los que estaba acusada. El desplome para ella había sido estrepitoso; desde la vicepresidencia, donde contó con poder y un prometedor futuro político, hasta la humilde fama de los tribunales, donde políticos caídos en desgracia tenían sus contados segundos de cámaras y luces.

Alrededor de Baldetti se habían reunido tres o cuatro periodistas que lanzaban preguntas, bromeando con ella, y la escuché soltar un comentario que produjo una risotada entre el pequeño público. Llevaba un vestido color crema, elegante y ajustado, y tacones altos que parecían elevarla sobre la gente a su alrededor; había un carisma muy vivo en ella, un aura que no la abandonaba.

Mientras subía las escaleras pensé en la animadversión que Baldetti generaba entre tantos guatemaltecos, especialmente capitalinos, por la corrupción flagrante en la que participó. Memorable era su tour de prensa en lancha por el contaminadísimo Lago de Amatitlán para promocionar el «Agua mágica», un producto revolucionario. Desde su embarcación, en el mismo lago que era desagüe de incontables industrias de la cuenca, la vicepresidenta aseguró que estaría invitando a los periodistas ahí presentes a comer mojarra fresca en cosa de meses. Una investigación determinó luego que la fórmula mágica era en realidad una solución de agua, cloro y sal, y que los primeros 22 millones de quetzales entregados a la empresa ejecutora fueron destinados a sobornos para las personas implicadas, entre ellas el hermano de Roxanna Baldetti.

Pero también recordé cuántas veces había escuchado a personas decir que «al pobre presidente Pérez Molina se lo baboseó la Baldetti», asegurando que ella era el verdadero poder tras el trono. Por Baldetti es que el General terminó en la cárcel, se oía con frecuencia. La tirria particular contra ella y la absolución de Pérez Molina respondía en parte al machismo con que se percibía a las mujeres con poder en el país. Para mayor inri, Baldetti había crecido en los barrios de la colonia Primero de Julio, trepando el empinado barranco social y político hasta llegar a la vicepresidencia. En su juventud fue reina de belleza y eso condujo a su primer trabajo en un gobierno como secretaria. La inteligencia y la malicia eran sus armas; el cuerpo su moneda en el bazar político de hombres. Esa era su tragedia y también el crimen que cierta sociedad guatemalteca no le perdonaría nunca: ser una arribista.

Ya adentro de la sala encontramos a Ana Cristina en el área de parientes. Nos sentamos junto a ella, en la primera fila, y encendí la aplicación de grabación en mi celular.

El Juez dio inicio a la audiencia y el fiscal Sandoval retomó la palabra. Repitió en gran medida los mismos argumentos de la audiencia previa, pero se notaba que la declaración de Ana de Molina lo había obligado a modificar el enfoque, a mostrarse más tentativo en algunas aseveraciones. Miró apenas al Juez desde la mesa acusadora mientras decía:

«Debe de quedar claro que en las imputaciones realizadas por la fiscalía, en ningún momento se ha hablado de la mayoría de las personas que fueron señaladas de que su actuación se debió a que obtuvieron algún beneficio económico ilícito.»

Era la primera vez que la fiscalía y la CICIG admitían abiertamente que los ministros no habían recibido dinero alguno por el presunto fraude, por su presunto engaño, ya que solo Gustavo Alejos había sido señalado de recibir fondos. Pero esto no sería publicado luego por ningún medio —en la esfera pública ya se le había presentado al gabinete como una estructura de funcionarios corruptos, ladrones.

El contraste con lo dicho en Twitter era apabullante, donde distintas voces exigían que papá recibiera cadena perpetua por haberse robado treinta y cinco millones de dólares. Entendí que el tren con la versión oficial ya había salido de la estación y avanzaba sin frenos.

Prosiguieron las presentaciones de algunos abogados de la defensa. Insistían en que los ministros crean las políticas públicas pero no son responsables de la ejecución de los fondos, que eso corresponde a los contratistas que reciben y gastan el dinero y a la Contraloría de Cuentas. La tensión en mi nuca fue descendiendo por la espalda —en algún momento salí de la sala hacia el galpón, luego a la calle, donde fumé un cigarro y llamé a mi hermano Alberto. Con él y con Kate habíamos estado en contacto constante, una triangulación de mensajes sin pausa. Kate, a su vez, seguía la audiencia por Prensa Libre en línea y por distintas cuentas de Twitter que actualizaban cada novedad.

Alberto y Kate se tienen un aprecio particular y comparten ciertos rasgos de temperamento. Cuando Kate lo conoció en casa de mamá, Alberto sostenía por casualidad unos tenis blancos perfectamente limpios en sus manos —eso y su seriedad absoluta, producto de su recato y quizás timidez, le dieron un aire de American Psycho, diría ella riendo más adelante. Pero no tardó en ver cuán dulce era mi hermano. Así como me protegía a mí, guardándose sus preocupaciones pero presto a actuar en el momento preciso, cuidaba también de Kate. Ambos bregan con ciertas formas de la ansiedad que los obliga a ser cautelosos ante la vida.

Fue en una fiesta en ese primer viaje de Kate a Guatemala que alguien la invitó a tomarse el gusano al final de una botella de mezcal. Kate, curiosa, se acercó para mirarlo cuando mi hermano la frenó: *Waitwaitwaitwait*!!! Volteamos a verlo, sorprendidos. *Be careful*, dijo con una mano preventiva, y con eso bajó la mirada. Y al igual que mamá, la lealtad de Alberto es a prueba de fuego; si uno tiene la suerte de ser parte de su pequeño círculo, contará con un apoyo silencioso y a la vez inclaudicable por el resto de la vida.

Más adelante me enteré de que a lo largo de esos días de audiencia, Kate había estado en contacto directo con mi hermano. Cada vez que le preguntaba cómo se encontraba él, mi hermano respondía que era yo quien le preocupaba, yo quien necesitaba todo el apoyo de ellos. Incluso a nuestra edad, con solo dos años de diferencia, Alberto no dejaba de ser el hermano mayor.

Al terminar la audiencia salimos al galpón junto a Ana Lucía y Ana Cristina. Papá apareció conducido por su guardia armado, las manos esposadas otra vez. Se miraba distraído y a pesar del traje formal caminaba con un aire ausente, casi de niño. Entendí algo evidente que no había comprendido hasta entonces: los acusados bajo arresto terminaban sometidos a un proceso de infantilización, de absoluta dependencia. Me impactó verlo en ese estado.

Mamá pasó por Ana Lucía y por mí para llevarnos a casa. Aferrada al volante del Volkswagen, nos preguntó cómo nos había ido, qué vimos ese día, qué dijeron los fiscales. Estaba nerviosa y me dio pena verla así, tensa por saber cómo podía ayudar, pero también reprimiendo esa misma curiosidad, manteniendo a raya el aprecio y la preocupación por papá, pues a pesar de todo «no le correspondía». Mi tía y mamá siempre se han estimado, también después del divorcio de mis padres, pero al vivir en lugares distintos por tantos años se habían distanciado.

La última vez que coincidieron en un mismo país fue en Costa Rica a principios de los ochenta, adonde varios miembros de mi familia tuvieron que huir luego del asesinato de mi abuelo. Mi hermano y yo nacimos ahí, así como las hijas de mi tía. Mamá y Ana Lucía nos criaron y fueron construyendo sus hogares con el apoyo de la abuelita Shirley, que también se mudó ahí para acompañarlas.

En ese tiempo San José era el destino de muchos exiliados de la represión en Guatemala. Por nuestra casa pasaron varios, y mamá siempre recordaba a un huésped que se quedó algunos días en la sala y a quien le costaba hablar, víctima de la conmoción, pues había sido capturado y torturado por la policía. De milagro logró escapar.

A mamá le impactó mucho que ese hombre insistía en bajarse los puños de la camisa para cubrirse las muñecas, porque de otra forma dejaba al descubierto las cicatrices de los grilletes durante su cautiverio. Parece que la tortura fue terrible. Y a él le daba pena mostrar las marcas.

Pero esos años en Costa Rica también fueron tiempos de convivencia, de ciertos tipos de alegría —la última vez en que tantos miembros de la familia estuvimos juntos en un mismo lugar.

En el Volkswagen, Ana Lucía contó lo ocurrido en la sala de audiencias y trató de darle sosiego a mamá, a pesar de estar agitada ella también. Desde el asiento de atrás las vi hablar. Era lindo verlo en esos días, durante las horas de angustia que pasamos: el cariño, el afecto reavivado, entre mi tía y mamá.

Ana Lucía

En la familia era famosa una conversación por teléfono que mi mamá y mi papá tuvieron cuando él ya estaba en política, pero se encontraba de viaje y ella en Guatemala. Empezaron a hablar en francés, porque ese era el idioma con el que se habían conocido en Montreal y entre ellos lo hablaban seguido. Y de pronto una voz los interrumpió:

Hablen en español, porque esto no lo entiendo.

¡Imaginate!

Se sabía que los teléfonos estaban intervenidos, pero también que las cartas eran abiertas y leídas por la policía. Cuando nos tuvimos que ir a Costa Rica exiliados, luego de que la Judicial capturó a mi papá en el setenta, seguimos en contacto con mis abuelos por carta.

Mi abuelo, que quería mantener a mi papá al tanto de los últimos sucesos políticos en Guatemala, escribía cartas a doble renglón; un renglón escrito en tinta, y el segundo escrito con jugo de limón. En el primer renglón escribía temas cotidianos, sobre lo que habían comido, alguna película que hubieran visto. Y en los renglones invisibles, escritos a limón, tocaba los temas delicados. En Costa Rica, mi papá abría la carta y la planchaba, y con eso se oxidaba el limón y hacía que aparecieran las palabras de la carta secreta.

Y también sabés que mi papá era muy cercano a su mamá, a Marie. Pero ella vivía en Xela y nosotros estábamos en Costa Rica, así que se escribían cartas. Y todas las cartas de Marie a mi papá empezaban con la siguiente línea:

Estimados señores de la censura, esto no es de su interés. Solo trata temas personales, no se preocupen.

Al día siguiente en el juzgado fue el turno del abogado de Gustavo Alejos, el exsecretario privado de la presidencia. A diferencia del gabinete, de él se presentaron indicios de transacciones a cuentas personales, parte del dinero del subsidio al transporte. También estaba acusado en otros casos y se sabía que manejaba dinero y poder. Aun así, conmovía ver que su padre, un señor muy mayor de traje impecable, lo llegaba a acompañar a cada audiencia. Había algo desconcertante en constatar, como si de algo sorprendente se tratara, que Gustavo Alejos también era hijo de alguien, y que su padre se preocupaba y seguramente sufría por él.

En la prensa y redes sociales se decía que la declaración de Alejos iba a ser una bomba. Se especulaba: ¿Mencionaría a Sandra Torres con el fin de responsabilizarla a ella?

Eso era algo que escuchábamos cada vez más: para el MP y la CICIG, el objetivo real de este caso era llegar a Sandra Torres, la exesposa de Colom y primera dama en su gobierno. Torres era un personaje poderoso y pintoresco en la política guatemalteca, alguien con una agenda ambiciosa. Se había divorciado de Colom en el 2011 para poder estar en las siguientes elecciones, pues la ley guatemalteca establecía que la familia inmediata de un presidente no podía participar. Para hacerlo, Torres esgrimió una frase tristemente célebre: «Me divorcio del presidente, pero me caso con el pueblo». El arreglo no convenció a la Corte de Constitucionalidad, que de todas formas prohibió su candidatura. Torres siguió intentándolo y consiguió participar en el 2015, cuando quedó en segundo lugar; ahora se vislumbraba como una candidata con posibilidades de ganar.

Sin embargo, la forma en que construyó un proyecto político alrededor de sí misma había sido muy cuestionada. En el gobierno de Colom se le consideraba una especie de poderosa primera ministra sin título oficial. El terror que infundía en sus subordinados era legendario. En *Rendición de cuentas*, papá escribió que «La Sandra Torres que conocí durante esta etapa coincide con la percepción general de ella como un 'tractor', que empujaba lo que ella creía que era necesario, muchas veces sin tener en cuenta las consecuencias inmediatas. Inteligente y también con sentido del humor, le interesaban los resultados rápidos, lo cual impulsaba con una combinación de capacidad gerencial y autoritarismo».

Se sabía que Sandra Torres había sido una de las impulsoras principales del sistema prepago para el Transurbano durante el gobierno de su esposo. En una portada famosa de Prensa Libre aparece sentada junto al expresidente Colom en un bus donde se acaba de instalar el sistema: es el 2010 y ambos muestran a la cámara, orgullosos, sus nuevas tarjetas prepago. Para entonces, papá ya había renunciado al gobierno. Pero el objetivo y sueño perenne de Torres era ganar las elecciones, y el sistema prepago en los buses urbanos era una forma efectiva de convencer al voto capitalino.

No era una mala estrategia electoral. Ese año la gente clamaba contra la violencia y las extorsiones incesantes en el transporte público. Como varios abogados mencionaron durante las audiencias, en el primer año de implementación del sistema prepago, para septiembre del 2010, los asesinatos de pilotos se redujeron a 0 en los 275 buses donde de hecho sí se había instalado el sistema.

Algunos decían que la implementación del sistema prepago en el Transurbano se vino abajo finalmente cuando no se le permitió a Sandra Torres participar en las siguientes elecciones —que Torres, quien había empujado la idea desde el inicio, ya no tuvo incentivo electoral para darle seguimiento.

Pero en la audiencia de ese día, el abogado de Alejos no dijo mucho al respecto de la exprimera dama, y la supuesta bomba nunca terminó de estallar. Solo se dedicó a cuestionar la información bancaria que la fiscalía había presentado, e intentó explicar el origen de los fondos en las cuentas de su defendido. Como ya venía siendo costumbre, los rumores que tanta inquietud nos producían terminaban desinflándose, o bien dando paso a nuevas fuentes de incertidumbre.

Un abogado de la defensa hablaba ahora de la constitución cuando escuché un ruido extraño a la par. Ana Lucía, sentada junto a mí, llevaba un tiempo escarbando en su bolsa y removía cosas adentro. Por el rabillo del ojo vi que sacaba su pasaporte canadiense embarrado en chocolate: un bombón se le había reventado adentro. Me volteó a ver con rostro de incredulidad, su pasaporte achocolatado colgando entre índice y pulgar. ¿Podés creerlo?, decían sus ojos, ¡solo esto faltaba! Se puso de pie y salió apurada al baño.

Al final de las presentaciones de las defensas, el Juez dijo que había decidido esperar para decidir si se «ligaba a proceso» a los imputados. Tocaba otro día de espera: íbamos aprendiendo rápidamente sobre ese tiempo relativo, elástico y muchas veces arbitrario que opera en el sistema de justicia.

Ana Lucía y yo fuimos los últimos en bajar las gradas, cuando los custodios ya se habían llevado a los prisioneros y los parientes se desperdigaban escaleras abajo. Era tarde y la Torre de Tribunales se encontraba vacía. Quizás por eso nos sorprendió un ruido y al voltear descubrimos que el Juez venía atrás nuestro. No había nadie más excepto él, mi tía y yo, bajando los catorce pisos que nos separaban de la planta baja.

Nos miramos de reojo con Ana Lucía y paramos de hablar. Me dieron unas ganas súbitas de frenar al Juez con un gesto, tomarlo del brazo, decirle:

Señor Juez, ¡por favor mire los argumentos! Mi papá es un hombre honesto y riguroso, ¡por favor mire bien los indicios!

Era absurdo y a la vez me tuve que aguantar. Solo nos apartamos para dejarlo pasar con su silencio hosco. Minutos después nos desahogamos, haciendo un listado de todo lo que le habríamos dicho de poder hablarle.

Del juzgado fuimos a la casa de Magalí, una amiga de juventud de mi tía. Tienen una relación que continúa fuerte a pesar de décadas de vida en países distintos. Yo llevo años leyendo con gusto los cuentos y novelas escritos por su hermano, Rodrigo, y en el camino pensé en las circunstancias que me llevaban ahora a conocerla a ella.

Nos recibió frente a la reja de bambú de su casa, en un condominio pequeño cercano al acueducto. Le dio un gran abrazo a mi tía y mientras entrábamos a un jardín grande y desenfadado nos dijo que qué bueno que habíamos venido, que teníamos todo su apoyo. Me cayó bien de inmediato —su modo alegre, franco, enérgico.

La casa era en realidad un ranchón amplio en medio del jardín, con techo de paja y un espacio abierto de iluminación tenue. Vista desde el verdor de afuera, podría haberse encontrado en el departamento selvático de Petén. Me pregunté si Magalí había estado involucrada en el diseño. Cuando fui a usar el baño vi que utilizaba agua reciclada y que todo en ese hogar respondía a un modelo sostenible. Yo había leído sus artículos de prensa sobre temas del medio ambiente y sabía de su activismo. Me llamó la atención de buena manera que viviera de forma congruente con sus ideas.

Nos sentamos en la sala, alrededor de una mesita baja, y a nuestros pies se acercaron un perro chiquito y trompudo que se escabulló, y luego otro grande y negro, cariñoso. Me hizo bien poner mi mano sobre su lomo.

Le contamos lo sucedido, lo visto en los tribunales. Ana Lucía ya había dicho que a Magalí podíamos «hablarle a calzón quitado», pues tenía absoluta confianza en ella, y eso hicimos. En algún momento Magalí nos miró y dijo:

Tengo un amigo conectado con personas que manejan mucha información. Le pregunté sobre este caso y él me dijo que Juan Alberto debería buscar un proceso abreviado.

¿Proceso abreviado?, preguntamos al unísono, sobresaltados.

Ya habíamos escuchado mencionar la opción de un proceso abreviado, una figura legal que correspondía a la aceptación de culpa para así reducir o eliminar la pena. Pero era la gente culpable la que buscaba un proceso abreviado, pensé.

Sí, dijo Magalí, eso fue lo que me dijo. Que considerando cómo está el contexto, lo mejor sería eso, para evitar todo el desgaste, porque las posibles penas de esos delitos son muy serias.

Uy no, dijo Ana Lucía volteando hacia mí, eso sí que no. Juan Alberto no hizo nada de lo que lo acusan, nunca aceptaría algo así.

Yo sé que no, respondió Magalí, percatándose del impacto involuntario de sus palabras: Solo les contaba lo que me dijeron, pero por supuesto sé cómo es Juan Alberto. En todo caso es una opción.

Hubo un momento de silencio mientras asimilábamos sus palabras.

Pero miren, dijo Magalí, ¿qué tal es su abogado?

Nos vimos otra vez con Ana Lucía, en parte porque no sabíamos y en parte sacudidos aún por la idea del proceso abreviado.

Es bueno, respondió mi tía, lo estamos empezando a conocer, pero tampoco sabemos mucho de abogados.

Yo les conseguí el contacto de uno que es buenísimo, muy capaz pero además buena persona, profesional ético. Viene muy recomendado. Yo les diría que le hablen lo antes posible, para pedirle una asesoría legal del caso.

Se acercó para entregarme una tarjeta con el nombre y número de teléfono, y al ver la cajetilla de cigarros que había estado girando en mi mano de forma nerviosa me dijo que no había problema con fumar ahí. El ranchón era abierto y me pidió un cigarro ella también. Seguimos hablando y fumando y en algún momento Magalí le dijo a Ana Lucía que si fuera necesario, ella nos podría ayudar con dinero, porque sabía lo costosos que podían ser estos procesos legales. Era un ofrecimiento realmente generoso. Ana Lucía le dijo que muchísimas gracias, volteando a verme con ligero rubor y genuino agradecimiento, porque era probable que lo fuéramos a necesitar.

Entonces la plática cambió de dirección y las dos amigas lograron conversar unos minutos sobre temas más amables.

Entendí por qué mi tía y Magalí eran tan cercanas. Se reían mucho juntas y en sus gestos fuertes, en sus palabras llenas de vida, descubrí una convicción y un desparpajo poco comunes.

Al irnos me sentí agradecido con Magalí, pero también ansioso. En el carro guardamos silencio hasta que mi tía volteó a verme con determinación:

¡Imaginate!, exclamó, su mandíbula tiesa y la piel casi halógena bajo las luces de la ciudad: ¡Aceptar una culpa que no tiene!

Ana Lucía

Ya habrás oído del hombre del traje rosado. Es medio legendario. Era alguien que iba a llegar a nuestra casa para hablar con mi papá de un tema político delicado. La situación en esos años estaba color de hormiga en Guatemala. No era que el hombre siempre llevara un traje rosado, al menos no lo creo. Pero cuando llegó a la casa vestía un traje rosado, ¡incluso llevaba corbata rosada! La cosa es que tenía un mensaje importantísimo que solo le podía decir en persona a mi papá, parece que estaba súper nervioso.

Llegó a la casa pero mi papá aún no estaba ahí, así que Margarita lo hizo pasar. Para entrar pasabas una reja rebosante de buganvilia, luego el garage y tras la entrada a la izquierda estaba la sala, separada del comedor por unos biombos.

La sala era tipo de los años sesenta, con esos sofás horribles. De hecho mi mamá había mandado a forrar el sofá y en el taller le mostraron un pedacito de tela que le pareció lindo, y ya que le entregaron el sofá resultó que era color mostaza, horrible, horrible. Fue ahí que se sentó el hombre del traje rosado mientras esperaba a mi papá.

A la par del sofá también había un puff de cuero, de Marruecos, y ese era el lugar donde le gustaba sentarse al gato, porque a mi papá le encantaban los gatos. Pero no sé si el gato estaba ahí con el hombre del traje rosado. Cuando mi papá al fin llegó y entró a la casa, Margarita se le acercó y le dijo:

Yo creo que algo le pasó al señor.

Así que mi papá pasó a la sala, ¡y el hombre del traje rosado se había muerto! Mientras esperaba a mi papá le dio un ataque al corazón o algo así, tal vez de los nervios por la información delicada que traía, y ahí estaba muerto en el sofá. Además se había orinado el pobre, así que tenía orinados sus pantalones rosados y también el sofá color mostaza.

Pues mi papá no sabía qué hacer, porque era fregadísimo que un desconocido se hubiera muerto en su casa, sobre todo en esa época. Pero por suerte mi abuelo estaba ahí cerca en la colonia, así que mi papá lo llamó y entre los dos decidieron sacar al hombre del traje rosado al carro y llevárselo al hospital.

Pero el hombre era bien gordo, pesaba, y les costó un montón subirlo. Lo montaron en el asiento de enfrente con el cinturón puesto, y mi papá se fue conduciendo mientras mi abuelo sostenía al muerto desde atrás. Ya que llegaron al hospital lo entregaron a los enfermeros que estaban atendiendo y rápido se fueron.

Nunca supimos cuál era el mensaje que el hombre tenía que darle a mi papá.

Ana Lucía y yo almorzamos pollo al pepián y salimos apresurados a la cita con el abogado recomendado por Magalí. Llegamos tarde al centro comercial La Pradera, corriendo por el parqueo subterráneo para subir al café, apenados por nuestra impuntualidad.

El abogado nos esperaba en una mesa del fondo. Vestía corbata y traje elegante, llevaba anteojitos de marco muy delgado. Se levantó para saludarnos y me dio la impresión de ser alguien solvente, de temperamento reservado. Pedimos café y en la espera explicó que había trabajado en casos junto a la CICIG y con organizaciones sociales. Pero también con el sector privado, dijo, por lo que había visto estos procesos desde distintos lados.

Resultó que conocía bastante bien los detalles del caso de papá. Le preguntamos por sus perspectivas y consideró su respuesta un momento, titubeando antes de vernos con cierta aflicción:

Es como dicen ustedes: es casi seguro que lo liguen a proceso. Es que el contexto actual determina mucho las decisiones del juez.

Nos dijo que jueces buenos, apegados a la ley, eran hostigados si emitían dictámenes contrarios a la CICIG. La prensa y la opinión pública los hacían pedazos, porque todos querían ver a los señalados de corrupción en la cárcel.

No me extrañaba, porque yo había pensado lo mismo. Si el río suena es porque piedras trae, me decía sin falta —*seguro andaba metido en babosadas.*

Así es el momento político, dijo el abogado.

Mi tía asentía con pesadumbre, confirmando lo que veníamos escuchando, y mencionó que nos habían contado que el juez en este caso quizás quería ser magistrado el próximo año, porque habría elecciones.

Nos respondió que era posible, que también había elecciones para las cortes de apelaciones. Y que para que un juez fuera elegido en estos tiempos era necesaria la venia de la CICIG.

Además, dijo, Thelma Aldana se comprometió a sacar diez grandes casos antes del final de su periodo como Fiscal General, que termina en un par de meses, y eso lo anunció públicamente. Pero es difícil imponer tiempos de ese tipo sobre procesos legales. Un caso depende de tiempos de investigación, no de declaraciones públicas.

Era cierto que las campañas de medios de la CICIG formaban parte importante de su estrategia. Para el caso Transurbano, habían circulado un video animado en Facebook en el que un narrador repetía idénticamente los puntos de la acusación, describiendo cómo los acusados usaron «una serie de artificios para defraudar al Estado» para lograr «su propósito criminal». La animación mostraba a un hombre, presumiblemente un funcionario público, huyendo de una oficina y dejando un gavetero abierto a sus espaldas. Con eso desterraba cualquier posibilidad de que los acusados no fueran culpables.

Otro problema, continuó el abogado, es que la CICIG no tiene la capacidad ni los recursos para meterse a tantos casos. Y a veces simplemente no tiene pruebas. No me sorprendería que los fiscales estén tratando de que Juan Alberto busque un proceso abreviado.

¡Pero si no ha hecho nada!, exclamó Ana Lucía.

El abogado se encogió de hombros, nos miró casi apenado.

Yo entiendo, dijo, yo entiendo. Solo que así es esto. Probablemente quieren llegar a otros.

Cuando dijimos «Sandra Torres» asintió una vez y continuó:

Si Juan Alberto se va por un proceso abreviado, con esa sentencia ya podrían dar el salto hacia la gente más arriba.

Las críticas de mi papá sobre Sandra Torres están en el libro que él escribió, le dije entonces al abogado, y en cualquier caso, todo lo llevó al MP muchos meses antes del arresto.

Reconocí algo similar a la benevolencia en su mirada. Deslizó que papá debería haberse guardado cualquier información que tuviera, porque eso también podría ser parte de una negociación. Pero ya era muy tarde. Debería haber jugado sus cartas mejor, y para eso tendría que haber sabido que ya estaba jugando. Se me ocurrió que papá en particular, y la familia en general, nunca había sido muy buena a la hora de identificar el juego.

Tal vez suena feo, dijo el abogado, pero esto funciona como un mercado. Si un acusado quiere dar información, se le rebaja la pena. Incluso si da dinero para reembolsar fondos malhabidos se puede rebajar la pena que piden el MP y la CICIG. En otros países hay reglas sobre el tipo de negociaciones que puede llevar una fiscalía, pero aquí no; todo se vale, es un mercado.

Una mesera pasó junto a nosotros y guardamos silencio por un momento.

El único sustento jurídico en muchas acusaciones es la declaración de un colaborador eficaz, dijo el abogado, y evitar la cárcel es una razón de peso para colaborar en contra de otros acusados.

Pero van a oponerse a la medida sustitutiva de mi hermano, interrumpió Ana Lucía, su ceño fruncido, ¿solo para ponerle más presión? ¿Para que ahí, metido en la cárcel, sin trabajo, fregado, tenga que aceptar cargos a pesar de ser inocente?

El abogado dijo que era posible. Se miraba contrito, como si él mismo, al trabajar en ese sistema, tuviera algo de responsabilidad.

Piénsenlo así, dijo acodándose sobre la mesa. Imaginen que en el Mariscal Zavala hay 100 presos, y de esos hay 90 culpables y 10 inocentes. Ahora bien, si se toman en cuenta los criterios de ley para determinar quiénes merecen prisión preventiva —es decir, se piensa que hay peligro de fuga o peligro de que se obstaculice la averiguación de la verdad— solo 50 deberían estar ahí, no 100. Me refiero a la prisión preventiva, independientemente de quién pueda ser culpable. La mitad que está ahí debería tener arresto domiciliario mientras se dilucida su situación jurídica. Así debería ser si esto realmente fueran decisiones apegadas a la ley, pero ahí están los 100. Como ustedes saben, los costos de esa realidad son grandes.

Después me enteré que de acuerdo a la Corte Interamericana de Derechos Humanos, el 50% de todas las personas encarceladas en Guatemala guardaban prisión preventiva, esperando juicio sin ninguna sentencia. Así podían pasar años, vidas enteras.

¿Y cuáles posibilidades será que tiene mi hermano de recibir la medida sustitutiva?, preguntó AL.

Nos dijo que ahora estábamos con un 50/50 de que el juez diera la medida sustitutiva. Los argumentos legales estaban a favor de papá, pero como había dicho ya, los jueces eran susceptibles a las presiones. Y si el MP y la CICIG pedían la prisión preventiva, las probabilidades se reducían a un 15/85.

¡15/85!

Me hizo pensar en algo que se decía de forma recurrente: que eran los jueces quienes decidían si un imputado debía ir a prisión preventiva. Que la CICIG y el MP no tenían nada que ver con esa decisión.

Le pregunté sobre Iván Velásquez.

Cuénteme, dijo.

¿Él estará bien enterado de cómo funciona todo esto, de estas irregularidades con las presiones a los acusados, la prisión preventiva?

Le dije que no lograba entender cómo alguien como él podría ser así, sobre todo con la percepción que yo tenía del comisionado.

Hay que entender el contexto de donde viene, respondió. Él trabajó mucho en Colombia, casos bien pesados, y ahí le tocó muy duro, casi tuvo que salir huyendo por enfrentarse a Uribe, a los paramilitares. Desde que vino a Guatemala sabía que si quería ganarle a ciertas mafias, debía usar algunas de las mismas herramientas que ellos usaban.

¡Pero eso es terrible!, exclamó Ana Lucía.

El abogado alzó las cejas y asintió con sus ojitos amables.

Entramos a la casa entumecidos por la preocupación. Fuimos directo a la sala, donde estaba mamá, y empezamos a contarle lo que habíamos escuchado, nuestras voces interponiéndose. Repetimos las palabras del abogado, cada uno más acelerado que el otro.

A mamá le fue cambiando la cara, negaba con la cabeza una y otra vez, se llevó una mano al pelo, empuñándolo.

Ay dios, exclamó, ¿qué hacemos?

La sensación de ingravidez y confusión, de miedo, nos siguió acelerando por un buen rato. Eventualmente fuimos a cenar al pantry. Tomamos un trago, intentando bajar las pulsaciones. Ana Lucía miraba por la ventana hacia las plantas afuera. En algún momento, haciendo un esfuerzo, dijo que era bonito estar aquí, con tanta vegetación. Mamá pareció despertar, tomó el hilo y recordó que el terreno en el que estábamos había sido de mi abuelo, el papá de papá, y que varios años después de su asesinato, mi abuelita Shirley se lo vendió a Juan Alberto. Shirley ya nunca regresó al país, pero nosotros sí. Pensé en preguntárselo a papá cuando tuviera oportunidad: ¿Siempre supo que volvería a Guatemala? ¿Por qué lo hizo? ¿No tenía miedo o resentimiento hacia este lugar?

Ana Lucía se refirió al limonero y otros árboles que alcanzábamos a ver desde el pantry. Luego nos contó que mi abuelo siempre quiso un jardín muy verde.

Le encantaban las plantas, los árboles, dijo, y además las conocía muy bien y podía recitar los nombres en latín de una gran variedad.

Entendí desde un ángulo distinto el interés de mi tía por la biología, así como el gusto con que daba clases. A pesar de su sensibilidad artística y cierta vocación política, se decantó por la vida académica. Pero eso también me alegraba, porque alguien como Ana Lucía, con sus posturas éticas, nunca habría sobrevivido al ámbito político guatemalteco de los setenta.

Los tragos, la conversación, la compañía nos habían hecho bien. Pero más tarde, frente al lavamanos, cuando terminábamos de cepillarnos los dientes, Ana Lucía volteó a verme, las arrugas de su cara repentinamente pronunciadas.

¿Cómo es que Iván Velásquez puede dormir por las noches?, me preguntó.

Era una duda auténtica, podía ver que lo había estado pensado y realmente no alcanzaba a entenderlo.

Yo sé, dije.

¡Pero no!, exclamó ella, enfática. Si es alguien bueno, como dicen, ¿cómo puede dormir sabiendo que está destruyendo la vida de gente inocente?

No sé, respondí, no sé si sabe y no le importa, o si ya se convenció solo. O tal vez cree que es un costo que hay que aceptar como parte de una lucha más amplia.

Ala puerca, exclamó Ana Lucía, ¡qué terrible!

Yo sé, respondí, y así nos quedamos los dos, cepillos en mano, sin saber qué más decir.

Ya en mi cuarto pensé en la agradable certidumbre que me había concedido en sus inicios la lucha anticorrupción. Si los señalados eran malos, asumí que los fiscales debían ser proporcionalmente buenos. Mi cerebro aceptó ese paradigma binario con entusiasmo. Pero ahora, la sólida simetría empezaba a resquebrajarse. La sensación de incomodidad se mezclaba por momentos con la vergüenza.

Aún reconocía en mí mismo una resistencia a criticar fallas en el trabajo de la CICIG, incluso después de notar ciertos errores o problemas con el trabajo de la comisión. Me decía que nada era perfecto, y aun menos en Guatemala; que la CICIG era la única alternativa para lograr cambios puntuales; que era parte de una causa más grande y noble que no debía ser debilitada; que el otro lado era el verdaderamente poderoso y peligroso; que la CICIG se defendía como pudiera de esos sectores, y por lo tanto necesitaba todo el apoyo posible.

Desde el inicio yo había contribuido a esa glorificación ciega, ensalzando a los líderes que tanto llegamos a admirar. El breve perfil que Kate y yo escribimos sobre Iván Velásquez para Al Jazeera incluía elogios y también una frase con la que el comisionado colombiano respondía a ciertas críticas: «Siempre, en lugar de defender su inocencia, las personas afectadas por investigaciones cuestionan al investigador.» Su explicación sonaba razonable y verosímil. Nunca consideré que también desestimaba cualquier crítica, fuera justa o no.

Los cuestionamientos a los principales actores de la lucha anticorrupción venían de la derecha más recalcitrante, y por lo tanto era fácil descartarlos. Pero también era cierto que unos cuantos artículos críticos más balanceados habían sido publicados en medios independientes que yo respetaba. Así había leído, por ejemplo, que la misma CICIG incluyó a Thelma Aldana en una lista negra en el 2009 por ser una candidata «no idónea» para la Corte Suprema que terminó presidiendo. El reporte público de la CICIG de ese año describía sus vínculos cercanos con poderes oscuros y titiriteros del sistema de justicia. Algunos artículos de investigación revelaban que Gustavo «el Gato» Herrera, un influyente operador político con historial delictivo, había apadrinado desde hacía años a Aldana, facilitando el ascenso de la ahora fiscal general. En varios otros, el cuestionado Roberto López Villatoro, conocido como el «Rey del Tenis», aparecía como un aliado protagónico en la carrera de Aldana, clave a la hora de navegar las corruptas comisiones de postulación que la terminaron llevando a la fiscalía.

Pero a partir de las manifestaciones masivas del 2015, las prioridades cambiaron. La CICIG pareció olvidarse de su propio reporte y de la lista negra en la que había incluido a Aldana. En la encrucijada de «buenos» contra «malos», la prensa también se sintió en la obligación de ofrecer un frente sin fisuras. Y yo, por mi lado, me encontré dando un apoyo incondicional, abarcador, ausente del más mínimo matiz.

Ana Lucía

Luego de que la Judicial casi desaparece a mi papá, quedó claro que no podíamos quedarnos en Guatemala y la familia salió huyendo a Costa Rica. Mi papá se mantuvo en contacto con otros exiliados en San José —me acuerdo de las reuniones en la casa donde siempre se hablaba de política y varios terminaban bolos y nostálgicos. Ahí y en otras reuniones vi a personas que hablaban y hablaban y mi papá solo escuchaba, y de alguna forma siempre terminaba convenciendo a la gente al final. Tenía esa capacidad. Pero mi papá también seguía muy al tanto de la situación en Guatemala. Imagino que luego de tres años en San José, ya en el '73, sus amigos y aliados le dijeron que podía regresar, así que empacamos nuestras cosas y volvimos a Guatemala.

Yo estaba feliz, ¡ni modo! A los diecisiete acababa de terminar la secundaria y estaba emocionada de ir a la Universidad San Carlos. Ahí fue donde me involucré más con grupos estudiantiles, tal vez un poco radicales (*risas*). Me acuerdo que a mi papá no le gustaba, o más bien se preocupaba por el peligro.

Las clases empezaron en la San Carlos y también empezó la campaña política para las elecciones presidenciales del '74. Se formó una coalición amplia de centro-izquierda, el llamado Frente Nacional de Oposición. Ahí se reunieron sectores populares, organizaciones civiles y partidos progresistas, algunos más de centro como la Democracia Cristiana, pero también varios de izquierda, como el partido de Colom Argueta y los socialdemócratas con los que estaba tu abuelo. Había mucha esperanza y en el interior del país se notaba un verdadero entusiasmo; yo acompañé a mi papá en algunas de esas giras y en los pueblos se sentía algo distinto en el ambiente.

A la vez había temor porque Arana era el presidente y los militares no querían soltar el poder, ¿verdad? En el Frente tenían claro que el ejército nunca dejaría que un civil llegara a la presidencia. Todos los candidatos en esa elección fueron militares por esa razón, y en el Frente se decidió buscar un candidato que viniera del sector menos reaccionario del ejército. Así se decidió que Ríos Montt sería el candidato a presidente, y mi papá candidato a vicepresidente.

Ahora sabemos bien en qué se convirtió Ríos Montt años después. Su dictadura en el '82 fue brutal y llevó al genocidio de la población ixil. Pero en las elecciones del '74, cuando el Frente lo eligió como candidato, se le percibía como un militar independiente, de ideas reformistas. Tanto así que durante esa campaña Ríos Montt fue el primer militar al que le permitieron ingresar a un mitin político en la San Carlos, y de hecho fue vitoreado por los estudiantes sancarlistas.

No podían imaginarse lo que sería Ríos Montt más adelante. Traicionó al Frente y a los pocos años se unió a una iglesia neopentecostal, se volvió pastor evangélico y terminó de dictador. Pero me acuerdo que incluso en el '74, antes de que pasara todo eso, mi papá y Meme Colom y otros dirigentes ya estaban preocupados por la veta autoritaria que le veían.

Las elecciones fueron el 3 de marzo. Por seguridad, mis papás se fueron a una dirección desconocida y me mandaron a la casa de unos amigos, donde terminé escondida por cinco días. Ese domingo me senté con esos amigos y sus hijos en la sala de la casa para escuchar los resultados en la radio. El locutor iba leyendo los votos entrantes de cada municipio, y pronto empezó a quedar claro que el Frente Nacional de Oposición iba arrasando. Estábamos emocionadísimos, recuerdo que aplaudíamos con cada actualización. Y en eso, ¡pum!, se cortó la transmisión.

Y empieza la música de elevador. No explicaban nada. Y nosotros cambiando de estación, buscando algo. Al fin logramos sintonizar la BBC en onda corta y así nos enteramos que el gobierno había cerrado los centros de conteo en la Ciudad de Guatemala y toda la información había sido bloqueada. ¡Imaginate! Sintonizando la BBC para conocer los resultados electorales en Guatemala. Nos quedamos despiertos hasta medianoche, esperando que alguien explicara algo, pero nada.

Un portavoz del gobierno salió al día siguiente diciendo que el partido oficial había ganado las elecciones pero sin llegar al 50%, por lo que la decisión recaería en el Congreso, que por supuesto estaba controlado por Arana y el partido en el gobierno. Era una barbaridad y todos sabíamos que había habido fraude. El Frente Nacional de Oposición llamó a una huelga general y convocaron una manifestación masiva para esa misma tarde. Y ahí fue cuando Ríos Montt se mostró como lo que realmente era, un oportunista y un cobarde: en lugar de pelear, como mi papá y el resto de la gente, llegó a un acuerdo secreto con Arana, que le ofreció ser agregado militar en España. Esa fue su recompensa por venderse. Al rato salió en un vuelo a Madrid y mi papá nunca más volvió a tener contacto con él.

La manifestación de rechazo había sido convocada en el Centro Histórico. Era marzo, el mes más caliente y seco en la ciudad de Guatemala. A las tres de la tarde, una tormenta de granizo impresionante se desató de la nada y cubrió las calles del centro con hielo y obligó a la gente a cubrirse. Pero también llegó la policía a reprimir y tirar gas lacrimógeno.

Luego de esa manifestación el gobierno decretó toque de queda y empezaron las amenazas de muerte a los líderes del Frente. Muchos salieron huyendo, a otros los mataron, y otra vez teníamos que salir del país. Como mi papá había trabajado en Naciones Unidas, logró conseguir una consultoría en Ginebra.

Mi papá tenía distintos apodos cariñosos que usaba conmigo: «Lucha» era uno, «Panda» otro. Y esa vez me dijo «Panda, tenemos que hablar». En esa conversación me avisó que tendríamos que salir del país por tres meses. Yo estaba tristísima, porque acababa de empezar mis clases de biología en la San Carlos y no me quería ir. No sabía que esos tres meses se iban a convertir en tres años.

Ana Lucía se había levantado cada día a las 4 de la mañana. No podía dormir, estaba demasiado angustiada. Ya me había dicho varias veces que en cualquier momento, a cualquier hora del día o de la noche, la sobrecogía la preocupación de saber que su hermano se encontraba en la cárcel. Yo la escuchaba caminar afuera de mi cuarto con pasos suaves, lavarse los dientes, abrir y cerrar puertas discretamente para no despertarme.

La vida de Ana Lucía estaba marcada por momentos duros: la detención de su papá por parte de la Judicial en el '70, su posterior asesinato en el '79, relaciones largas con hombres narcisistas, y la larga y dolorosa enfermedad de mi prima Lorena, su segunda hija. Me sorprendía que mi tía siguiera teniendo tal vitalidad, alegría y humor, así como un amor irrenunciable por la vida y por la gente auténtica.

Durante el camino a la audiencia hablamos sobre la oscilación constante de los últimos días. Por fugaces momentos la ciudad recuperaba su aire familiar, las calles volvían a ser agradables con su brisa cálida. Instantes después, un remolino vertiginoso nos arrastraba de vuelta al mundo que era ahora el nuestro.

Cómo va cambiando la perspectiva, ¿verdad?, dijo Ana Lucía.

Estábamos parados en un semáforo en rojo y volteé a verla.

A veces pienso que el estado más sano para vivir en Guatemala es la paranoia, dijo. Tenemos que mantenernos paranoicos, considerar todos los escenarios posibles, especialmente los peores.

Estoy de acuerdo, respondí mientras pasábamos frente a la Piscina Olímpica de la Zona 4, donde mi hermano y yo entrenamos durante varios años con el equipo nacional de natación, hundiendo las horas en esa agua helada, participando en el ir-y-venir sin sentido que es la natación competitiva.

Me sorprende que nuestra familia sea tan ingenua, le dije, después de todo lo que nos ha pasado.

Ana Lucía solo se sonrió.

Somos muy buenotes, respondió viendo por la ventana, buenotes y tontotes.

La tensión en el juzgado era palpable, entre tanta gente y con los periodistas pululando por el recinto. El Juez decidiría en pocas horas si el caso debía seguir a la siguiente fase y, vitalmente, si mantenían a los acusados en prisión preventiva o podían esperar el juicio en casa.

Los abogados y fiscales se preparaban en sus mesas y los parientes susurrábamos en voces bajas, moviéndonos apenas, intentando restarle filo a nuestros gestos cargados. Saludamos a Ana Cristina, que ya estaba ahí, y nos sentamos junto a ella en la tercera o cuarta fila. No quedaba casi espacio. Atrás nuestro, el esposo y la hija de Ana de Molina trataban de disimular el rictus de preocupación en sus rostros.

Cruzamos miradas con papá cuando entró a la sala junto a los otros imputados. Nos acercamos, la barandilla metálica de por medio, y dijimos que estábamos con él, que pasara lo que pasara saldríamos adelante. Solo asintió, y luego de un momento regresó a sentarse en su lugar. Parecía incluso más ausente que en otros días.

Ya era casi hora pero el Juez no llegaba. Me pregunté si todavía se encontraba en su despacho revisando los miles de documentos sobre el caso, recorriéndolos a la carrera para calcular la insólita aritmética que determinaría el resto de la vida de los imputados.

Envié un texto al chat con Alberto y Kate para contarles que ya estaba en el juzgado. Alberto había decidido cancelar su clase ese día. No sabía si podía aguantar, me dijo, expresivo como pocas veces.

Giovanni Castro entró a la sala con su colega, la abogada Estela, y nos miró con gesto circunspecto en su camino a la mesa de las defensas. Le hizo una seña a mi tía y Ana Lucía tuvo que usar sus largas zancadas de mosquito para saltar las filas de asientos frente a nosotros y llegar hasta él. Se quedaron un rato hablando, las cabezas muy juntas. Ella asentía, aunque cada vez menos. Giovanni dijo algo más, conciso y enfático, y Ana Lucía me miró. La decepción en su rostro invadió todo mi cuerpo. Al rato se alejó para compartir el mensaje con papá.

Los vi desde mi fila: Ana Lucía hablando cerca de él, y papá asintiendo de vez en cuando. En algún momento se quedó quieto, y entonces mi tía puso una mano sobre su hombro y luego de despedirse regresó con nosotros.

Ay dios, dijo al tomar asiento.

La palidez se había apoderado otra vez de su cara.

¿Qué pasó?

Se van a oponer a la medida sustitutiva, van a pedir que lo dejen en prisión preventiva.

Ah no, dijo Ana Cristina.

Sí, dijo Ana Lucía. Algún otro abogado dijo que a Juan Alberto querían crucificarlo.

Apretó los labios, sacudiendo la cabeza un par de veces con fuerza.

15/85, pensé, recordando la posibilidad de que a papá le dieran medida sustitutiva si la CICIG o el MP se oponían. ¡15/85!

¿Pero por qué?, preguntó Ana Cristina, descompuesta ella también.

Mi tía no respondió, parecía desorientada.

Frente a nosotros ya se movía un enjambre de periodistas que bloqueaban nuestra vista del Juez. Hablaban y bromeaban entre sí, enviando mensajes de texto, algunos revisando el sonido de sus micrófonos o la luz disponible para las cámaras.

Volteé sobre mi hombro y vi a papá sentado allá atrás, al fondo. Estaba inclinado sobre sus rodillas, miraba al frente. Era imposible descifrar lo que estaba pensando.

Qué terrible, dijo Ana Cristina, ay no.

¿Qué dijo mi papá?, le pregunté a Ana Lucía.

Pues le cambió la cara. Creo que todavía tenía alguna esperanza.

Yo también tenía esperanzas, pensé, yo tampoco me había resignado, por mucho que me dijera lo contrario. Imposible engañar a la esperanza.

La audiencia dio inicio y un silencio espeso se asentó en la sala. Solo se escuchaba el clickeo recurrente de las cámaras, alguien que tosía, una silla crujiendo bajo el peso del cuerpo.

El Juez empezó dando una síntesis de las imputaciones realizadas por la fiscalía. Era metódico. Después ofreció un resumen de algunos puntos presentados por cada defensa, o al menos los que le parecían relevantes. Cada palabra lo iba acercando a definir si los imputados serían enviados a juicio o no.

Dijo que al tomar en cuenta argumentos de ambas partes, consideraba que la SEGEPLAN —Secretaría General de Planificación— debería haber estado involucrada en el proceso para determinar cómo implementar el sistema prepago.

La idea del Juez replicaba uno de los puntos de la fiscalía, aunque era un argumento secundario.

Pero eso no ocurrió, dijo el Juez.

Escuché murmullos —los mismos que imagino salían de mi cuerpo— porque había quedado claro por las presentaciones de los abogados y de Ana de Molina, con referencia a las leyes pertinentes, que en casos de subsidio la SEGEPLAN no tenía ninguna función que cumplir, sino solo en casos de proyectos de inversión pública. Pero el Juez continuó:

Si bien es cierto que quienes firmaron este acuerdo lo hicieron dentro de sus funciones de carácter administrativo, deben estar atentos a los efectos del mismo, y aunque no son responsables de la fiscalización, deberían haberle dado seguimiento.

Con eso ligó a todos los imputados a proceso por el delito de fraude.

Un rumor sofocado de parientes y abogados recorrió la sala. Ahora sí, dejaban de ser imputados para convertirse en acusados.

El Juez dijo ahora que Álvaro Colom y Juan Alberto Fuentes Knight, al ser presidente y ministro de finanzas respectivamente, tenían responsabilidades adicionales como garantes de los recursos.

Así que a ellos también se les liga a proceso por peculado, concluyó.

Mierda.

Ana Cristina, Ana Lucía y yo nos habíamos mantenido quietos, rígidos. Pero cuando mi tía volteó a verme sus ojos me asustaron.

El Juez dijo que al exsecretario privado de la presidencia, Gustavo Alejos, lo ligaba a proceso por esos dos delitos, pero también por lavado de dinero. Pude oír que atrás mío la hija de Ana de Molina rezaba en un suave murmullo. Se incrementó el clickeo de las cámaras, que ahora se enfocaban en las caras de los acusados.

El Juez preguntó entonces si la fiscalía pediría prisión preventiva para los acusados por la duración del juicio.

Fue el turno de Rocío Lemus, la fiscal asistente, porque el fiscal Sandoval no se encontraba en la sala. A diferencia de otros casos grandes donde tenía un papel protagónico, Sandoval solo apareció en las primeras audiencias del caso Transurbano.

El inicio de la fiscal Lemus fue bastante confuso:

En virtud de que en la época en que se firmó el acuerdo los acusados eran funcionarios públicos, dijo, socializaron con distintas personas que tal vez podrían ser funcionarios públicos actuales, de tal manera que podrían destruir o modificar documentación y también se corre el riesgo de que puedan influir para que los testigos se comporten falsamente. Además, existe peligro de fuga, porque muchas de las actividades que realizan los sindicados pueden realizarse en el exterior, al tener invitaciones de trabajo al extranjero. Por lo tanto los acusados podrían sustraerse del proceso penal.

Mi cuerpo recibió sus palabras como golpes secos. Pensé en Julio Suárez, en los tres años que llevaba metido en la cárcel esperando juicio, desde que en una sala similar el Ministerio Público pidió prisión preventiva en contra de él. ¿Cómo serían los años venideros?

El Ministerio Público solicita que se dicte prisión preventiva en contra de los señores Álvaro Colom Caballeros y Juan Alberto Fuentes Knight, dijo la fiscal.

Pidió lo mismo para el resto de acusados. El desconcierto era generalizado, y con eso la fiscal concluyó:

Se pide prisión preventiva porque es evidente que existe peligro de fuga y de obstaculización de la verdad.

El fiscal de la CICIG la secundó citando las mismas razones.

Fue el turno de las defensas. Entre otros argumentos, explicaron que los acusados habían sido funcionarios hacía casi diez años, y desde entonces no habían tenido ningún cargo público —la idea de que ese pasado significaba una influencia en funcionarios actuales no tenía sentido. Por otro lado, decir que podían escaparse porque en ocasiones eran invitados a conferencias en el exterior tampoco tenía pies ni cabeza, pues quien decide fugarse no necesita una invitación oficial para hacerlo.

Estela, la abogada de papá que acompañaba a Giovanni Castro, fue la última en pasar. Al ponerse de pie y dar inicio a su presentación, trastabilló un poco. Pero eso fue solo al inicio. El resto del discurso —porque resultó ser un auténtico ejercicio de oratoria— fue imponente, con una enorme convicción. La sala guardó un silencio distinto mientras hablaba con su voz clara.

Explicó que de acuerdo a la fiscalía debía dictarse prisión preventiva porque la documentación para el caso podía ser modificada o destruida, pero esa documentación ya se encontraba en manos del Estado y de la misma fiscalía, por lo que era imposible modificarla o destruirla.

Pero aún más importante que eso, continuó, su patrocinado realizó acciones que como abogada litigante nunca antes había visto en otras personas bajo investigación. Desde que supo que había una investigación en curso, informó al MP cada vez que salía del país para realizar actividades profesionales o personales, entregando incluso itinerarios detallados a pesar de no ser requerido ni estar ligado a ningún proceso.

Incluso fue más allá, siguió la abogada, porque el doctor Fuentes Knight se presentó voluntariamente desde el 2016 ante la fiscalía para responder a los cuestionamientos por la implementación del sistema prepago. De hecho habló a fondo sobre este tema precisamente con la señora fiscal que ahora se encuentra aquí sentada en la mesa acusadora.

Solo en ese momento entendí que papá había brindado sus declaraciones voluntarias en el MP a la fiscal Rocío Lemus, la misma que ahora pedía su prisión preventiva por el supuesto peligro de obstrucción a la averiguación de la verdad. No pude ver el rostro de la fiscal, pero estaba claro que la atención del juzgado se había dirigido ahí.

Estela presentó cartas de recomendación que daban fe de la integridad de papá, mencionando las del sociólogo Edelberto Torres Rivas, la defensora de derechos humanos Helen Mack Chang, y el diplomático Gert Rosenthal, entre otras.

Como bien sabemos, concluyó Estela, la privación de la libertad es por ley la excepción, y no la regla.

Agradeció el tiempo concedido y se sentó.

Las palabras de Estela habían tenido efecto en el Juez. Bajó la mirada y aguardó unos segundos mientras revisaba los documentos sobre su escritorio. Una vez más, y a pesar de todo, sentí un atisbo de esperanza.

El Juez miró al público y dijo que en base a lo presentado por el MP y las defensas, había decidido conceder la medida sustitutiva por razones de edad y salud a Édgar Rodriguez, exministro de trabajo, al doctor Luis Ferraté, exministro de ambiente, y a Celso Cerezo, exministro de salud.

Tienen la prohibición de salir del país, continuó el Juez, deben registrarse en el Ministerio Público cada 15 días, mantenerse en el departamento de su domicilio, y la caución económica es de 100,000 quetzales. Hubo susurros de estupor en la sala. ¡Q100,000 de fianza!

Habiendo analizado estos casos particulares, dijo el Juez, la judicatura concede medida sustitutiva a unas cuantas personas más en atención a las circunstancias propias.

El Juez detalló los distintos criterios a considerar en los siguientes casos, hablando del arraigo en el país, actividades profesionales y otros detalles.

Por tal razón, concluyó, la judicatura agrega la medida sustitutiva a:

Abraham Valenzuela González, exministro de defensa, con las mismas condiciones.

También para Ana de Molina, exministra de educación, con las mismas condiciones.

Escuché un sollozo apagado a mis espaldas, de la familia Molina. El Juez dijo que también le daría la medida sustitutiva a dos acusados más.

Se le concede medida cautelar a Américo Alfredo Pockus Yaquian, exviceministro de energía y minas, dijo el Juez, con las mismas condiciones.

Aguardó un momento:

Y al señor Mario Aldana, exministro de agricultura, con las mismas condiciones. El Juez hizo una pausa, arregló documentos en un fólder, y los dejó descansando frente a sí.

¡Nos quedamos solos! ¡Papá no saldrá de la cárcel!

Sentí que Ana Cristina se removía junto a mí pero no vi su rostro; imaginé que estaba deshecha.

Para las otras personas, continuó el Juez, voy a hacer el razonamiento de por qué no se les concede la medida sustitutiva, pues es una cuestión peculiar.

Ah, perdón, musitó ahora, antes de continuar: Hay una persona más que ya había anotado aquí.

Es increíble, dijo Ana Lucía, sus ojos llenos de lágrimas, es increíble todo esto. Ana Cristina también lloraba, gimoteaba algo. Mi cuerpo ya se había distanciado de mí, y yo me había alejado de esa sala de audiencias.

Y explicó el Juez:

Hay que preservar las condiciones para que al MP no se le obstruya la investigación, para que no tenga tropiezos. Pero también..., dijo, y guardó silencio un momento, pareció que otra vez revisaba sus notas sobre el escritorio, asintió un par de veces y alzó la mirada:

La otra persona a la que se da medida sustitutiva es al Dr. Juan Alberto Fuentes Knight, solo que a él se le suma la caución de Q500,000.

Nos vimos con Ana Lucía; su cara era de pasmo absoluto.

¿Qué dijo?

Dijo mi papá, balbuceé, aunque yo tampoco lo creía.

Miramos alrededor, escuchamos algunos murmullos. Volteé hacia papá y él tampoco parecía comprender del todo allá al fondo.

Desde atrás nuestro, la hija de Ana de Molina puso sus manos sobre los hombros de Ana Lucía, los apretó. Yo sentí golpes en mi espalda y al voltear entendí que el esposo de Ana de Molina me la estaba palmoteando.

Viste, decía, ¡viste!, pues al inicio de la audiencia me había dicho que teníamos que confiar en Dios.

Nos miramos con mi tía, las lágrimas bajando profusas por su cara, nos abrazamos con fuerza. Hicimos lo mismo con Ana Cristina, que también lloraba.

Y ahora Ana Lucía intentó calmarse, respirar, pero le costaba. Era el llanto de una hermana. Se tomó la cara entre las manos.

¿Cuánto dijo que es la fianza?, me susurró al fin, su voz entrecortada.

500,000 quetzales, respondí.

Ana Lucía hizo cuentas en su cabeza:

¡70,000 dólares!, exclamó, y le respondí que sí, algo así.

Ay dios, hay que ver qué hacemos, dijo, y dije que sí, de alguna forma íbamos a conseguirlo.

¡Es que no se la podían no dar, dijo, no podían no dársela!

El Juez siguió hablando pero ya no lo escuchábamos, apenas entendí que le daba al Ministerio Público dos meses para presentar su caso en la siguiente «etapa intermedia». Quise voltear hacia papá pero me aguanté, porque no quería mostrar mi felicidad y mi desahogo o ver el suyo, pues había algunos otros de los acusados, incluso dos miembros del gabinete, que tendrían que regresar a la cárcel.

El Juez también dijo que el MP debía investigar a la Contraloría General de Cuentas por no haber fiscalizado este subsidio, lo cual era justamente su responsabilidad. Pero esa investigación que pidió el Juez nunca la llevaron a cabo ni el MP ni la CICIG, y sus palabras solo quedaron grabadas en mi celular.

La sesión terminó y luego de levantarnos fuimos directo a abrazar a papá.

Estela y Giovanni se acercaron y les dimos nuestras gracias sentidas. Ella sonreía, contenta y circunspecta, y dijo solo unas cuantas palabras. Había periodistas por todas partes, parientes, curiosos, el juzgado estaba lleno.

Luego de despedirnos de papá —su custodio le puso las esposas para regresarlo al Mariscal Zavala mientras conseguíamos la fianza—, al bajar las gradas de la Torre de Tribunales con Ana Lucía y Ana Cristina, pensé en lo imbécil que había sido al subestimar a la abogada Estela la primera vez que la vi. Bajé agradeciéndole en mis adentros, una y otra vez. En ese descenso empecé a asimilar lo que todo esto significaba, me sentí respirar como si el aire fuera nuevo, más sano —mi espalda y cuello estaban hechos pedazos, un sudor frío empapaba mi camisa, y yo colmado de alivio.

Tuvimos que evacuar la Torre de Tribunales por un túnel lateral a esa hora. Continué texteando con mi hermano y Kate. Alberto, me contó mamá después, iba manejando en las calles de Atlanta mientras se llevaba a cabo la audiencia, y al saber que le darían la medida sustitutiva a papá empezó a llorar en el mismo carro y así siguió manejando hasta su casa. Kate había estado corriendo durante más de una hora en una faja eléctrica en el gimnasio donde estaba en Chicago, para no volverse loca con la tensión, y al recibir la noticia soltó un sollozo que espantó a la gente a la par suya, personas que voltearon a verla alarmados, y entonces se bajó tambaleante de la máquina y salió del gimnasio como pudo, llorando pero también riendo a la vez.

Afuera de Tribunales vimos a algunos parientes de los exministros, y todos estábamos radiantes y exhaustos, aunque ellos irían a juicio por fraude y papá también por peculado. Esa era la situación en la que nos encontramos, el planeta insólito en el que habíamos aterrizado: estábamos felices —henchidos de felicidad— el día en que papá había sido ligado a proceso por fraude y peculado, rebosantes de alivio aunque le habían impuesto una fianza de Q500,000.

Mientras hablábamos bajo un sol fuerte, entendimos que debíamos apurarnos para conseguir la fianza. Si lográbamos entregarla en el juzgado, podríamos sacar a papá del Mariscal Zavala a la medianoche del día siguiente.

Ana Cristina había estado en contacto con un banco para averiguar sobre las gestiones necesarias, y nos dirigimos a una sucursal cercana. En el camino, le preguntamos cómo se encontraban las finanzas de ella y papá. Respondió con ligero pudor que sus ahorros no se acercaban al total necesario, pero que habían terminado de hacer los pagos de la casa y podían ponerla como garantía en lugar del dinero.

De alguna forma lo conseguimos, dijo Ana Lucía, como sea lo conseguimos.

Pero en el banco el gerente explicó que una garantía de inmueble requería un trámite de varios días, con avalúo y otra serie de requisitos. También nos enteramos que además del depósito de medio millón de quetzales, debíamos pagar una «prima» de Q50,000.

¿Una prima?, dijo Ana Lucía. ¿Qué es eso?

Es el costo del proceso administrativo, dijo el gerente.

Nos volteamos a ver.

¿Eso no lo regresarían entonces?

No, ese es el costo del proceso administrativo, es el 10% del valor de la fianza.

¡Siete mil dólares!

¿Por qué?, pensé. ¿Tan costoso es crear el documento de fianza? ¿O es que los bancos saben que la gente en busca de una fianza está tan desesperada que aceptaría lo que fuera para conseguirla?

Salimos de la oficina y en la calle frené el carro junto a la banqueta y bajé para marcarle a mamá. Hablamos con voces entrecortadas y me dijo que al enterarse de la medida había llamado a Harald, quien iba subiendo por la Sierra de las Minas en dirección a la truchera.

Pude imaginarlo en ese camino ascendente de terracería, bordeando la ladera boscosa de la montaña. Mamá me dijo que al enterarse de la noticia, Harald tuvo que frenar el carro junto a la orilla y ahí mismo rompió en llanto. Lloraba y lloraba, me dijo mamá, no podía hablar. Así de enorme es el corazón de Harald.

Una vez logró tranquilizarse, recobrando la sangre escandinava que corre por sus venas, dijo que había que llamar de inmediato a Otto. Dada la experiencia de Otto por su trabajo previo en una multinacional, podría ayudarnos a manejar los trámites.

Respiré el aire de la tarde, mezclado ahora con el humo de unas churrasqueras en la esquina. Mamá dijo que Otto nos apoyaría con lo que fuera necesario, eso había dicho él, y que incluso ayudaría con parte del monto para la fianza —se había jubilado recientemente y podía contribuir. El cielo azul, los árboles viejos y testarudos, incluso el tráfico imposible: todo parecía más cargado de vida, rebosante de generosidad.

Luego de pasar dejando a Ana Cristina, emprendimos la vuelta a casa junto a mi tía. Subimos la cuesta de la colonia, pero en lugar de parar frente al portón continué hasta arriba, al redondel en lo alto. La tarde estaba soleada y calurosa y hablamos ahí afuera bajo una acacia —la luz era casi líquida y se filtraba entre las hojitas delicadas del árbol. Ana Lucía se encontraba tan feliz por la medida sustitutiva que en algún momento se puso a hacer un bailecito como de duende, saltando de un pie al otro, las manos arriba mientras tarareaba algo, y verla así me hizo reír y quererla.

Al entrar a casa vi que Aury se venía acercando con pasos rápidos desde la cocina. Tenía los ojos rojos por el llanto. Nos abrazamos fuerte y lloró otra vez mientras nos contaba que había escuchado toda la audiencia en la radio de la cocina, oyendo al Juez decidir sobre las medidas sustitutivas, hincada de rodillas para rezar.

Fue gracias a la Virgencita, dijo.

En algún momento mamá llegó del trabajo y nos abrazamos entre exclamaciones y seguimos hablando sobre la fianza, pensando en cómo podríamos llegar al monto, agradecidos por la solidaridad inclaudicable de Otto.

Pero ahorita relajémonos, dijo mamá, lo necesitamos.

Bajamos al pantry a cenar. Cuando mamá sonreía la alegría parecía brotarle de adentro, iluminando su cara.

Hay algo que me sigue preocupando, dijo Ana Lucía al final de la cena, y es lo que dijo el abogado sobre la apelación a la medida sustitutiva. ¿Te acordás?, dijo volteando a verme, y era cierto que Giovanni había mencionado antes de irse de la Torre de Tribunales que era posible, incluso probable, que el MP apelara la decisión del Juez sobre la medida sustitutiva de papá.

Ay no, dijo mamá, sus ojos muy abiertos, pero ¿por qué?

Por el mismo motivo, respondió Ana Lucía, así hay más presión para que los acusados acepten culpas, y también para que culpen a otros.

Guardamos silencio. A pesar de ser evidente, ponerlo en palabras le confería una realidad que hasta entonces no habíamos asimilado del todo.

Tampoco mencioné lo que había visto en redes sociales: algunas personas aseguraban que 500,000 quetzales no representaba ningún problema para papá, dado que se había robado $35 millones de dólares. De hecho, decían, si pagaba la fianza ratificaba su culpabilidad.

Esa noche en mi cuarto, sentado en el borde de la cama, recordé de golpe a Erasmo Velásquez, exviceministro de economía y uno de los pocos que no había recibido medida sustitutiva. Al ser viceministro, Erasmo no tenía por qué firmar acuerdos gubernativos, pero resultó que el ministro de su cartera había pedido unos días de vacaciones y le tocó a Erasmo subir al gabinete. Creo que fue el único acuerdo gubernativo que firmó en todo su tiempo en el gobierno. Y ahora estaba en la cárcel por esa firma y seguiría ahí por tiempo indefinido.

¡Qué golpe a Erasmo! ¡Qué golpe a su familia!

Entonces reviví la audiencia que se había llevado a cabo ese día. Me regresó toda la tensión, la angustia profunda, el desahogo sin igual al escuchar que a papá le daban la medida sustitutiva. En ese momento, luego de ver los ojos rojos de mi tía, de atestiguar su llanto y la expresión de absoluto pasmo de Ana Cristina, después de sofocar la celebración intensa que me recorría por dentro —porque otros acusados en esa misma sala tendrían que quedarse en la cárcel— miré a un lado de la barandilla y me encontré con la cara de Erasmo. Erasmo solo era para mí, a la distancia, un hombre pequeño y perspicaz y buen tipo, siempre sonriente. Lo primero que noté en ese momento fue su confusión, la cara pequeña y huesuda y ese bigote que siempre parecía reír pero que ahora volteaba a uno y otro lado, como si intentara comprender lo que acababa de suceder, hasta que al fin se fue aquietando, domesticado una vez más por la decisión que lo regresaba a la cárcel por meses, tal vez años, sin motivo descifrable. Aparté la mirada.

Mamá

Cuando le robaron la elección al Frente Nacional de Oposición en el '74 participé en una de las manifestaciones de protesta. De hecho ese momento dice bastante sobre Guatemala y sobre mi vida aquí: fue la primera vez que pude votar, y en esa elección hubo un fraude clarísimo.

Yo voté porque era el Frente, donde estaban tu abuelo y Manuel Colom Argueta. No los conocía en persona, por supuesto, pero sabía quiénes eran y cuáles eran sus ideas, y había mucha esperanza entre la gente. Entiendo que fue la primera vez en muchos años que tantas personas salieron a votar. Ahí también estaba Ríos Montt, pero era un Ríos Montt muy diferente al que terminó siendo.

Yo había votado y se robaron la elección y todo el mundo estaba furioso. Ríos Montt, como sabés, salió huyendo del país, comprado por los militares que quedaron en el poder. Pero tu abuelo convocó a un mitin a toda la gente para protestar por el fraude, donde dio un discurso famoso, ahí por donde está el ferrocarril en la 18 calle.

Era un sábado y yo los sábados por la tarde tenía que estar en la universidad para un laboratorio de contabilidad que duraba horas. Entonces me junté en el centro con una amiga para ir a la clase.

Pero eso estaba como a cuatro cuadras de donde iba a ser ese mitin, así que en el camino dijimos «Vamos a ver».

De repente vimos que del otro lado de la calle venía una manifestación llena de gente y tu abuelo iba al frente y venían gritando «¡El pueblo, que escucha, únase a la lucha!», así que todo el mundo se iba uniendo a la manifestación y nosotras con nuestros cuadernitos salimos corriendo y nos pusimos una a cada lado de tu abuelo, y él nos llevaba abrazadas a cada lado e íbamos gritando. Esa fue la primera vez que estuve cerca de él; por supuesto yo era patoja y no conocía aún a tu papá.

Seguimos avanzando como dos cuadras más cuando vimos que en dirección contraria venía el Pelotón Modelo para dispersar la manifestación, y luego aparecieron también carros con matones vestidos de civil. Se bajaron armados y empezaron los bombazos y gases lacrimógenos y toda la gente salió gritando y desparramada tratando de huir a donde fuera. Nosotras asustadísimas nos fuimos a parar a una esquina con nuestros cuadernos, quietas sin saber qué hacer.

Desde ahí vimos cómo los matones pasaban dando trancazos con sus garrotes y llevándose a la gente arrastrada, metiéndola a carros o camiones, y nosotras dos temblando, pero como estábamos con nuestros cuadernos y una cara de terror han de haber pensado que íbamos camino a quién sabe dónde, sin participar en la manifestación, y no nos hicieron nada. A tu abuelo ya no vi qué le pasó ese día.

Ese viernes amanecimos eléctricos. Necesitábamos conseguir el dinero, depositarlo en el banco y que este nos diera el certificado de fianza. El Juez solo ordenaría la liberación de papá al recibir la fianza en la Torre de Tribunales: ni un minuto después de las 2:00 de la tarde. De no llegar a tiempo, papá tendría que pasar el fin de semana en la cárcel —posiblemente mucho más tiempo si la fiscalía apelaba la medida sustitutiva.

Ana Lucía y yo nos reunimos con Otto en la entrada de su banco diez minutos antes de que abriera.

No se preocupen, respondió ante nuestros agradecimientos atropellados, después vemos cómo me lo paga Juan Alberto, lo importante es conseguir la fianza.

Atravesamos el lobby del edificio y un gerente nos hizo pasar a una oficina del fondo. Otto le explicó la situación: necesitábamos medio millón de quetzales para sacar a un hombre de la cárcel. El gerente descansó sus manos sobre el escritorio, circunspecto, y dijo que lo lamentaba mucho. Por razones de proceso, solo sería posible sacar Q100,000 de sus ahorros ese día.

Nos volteamos a ver y me alarmó el estupor en la cara de Otto. Lo oí pedirle al gerente que entonces le diera un cheque de caja por lo que fuera posible, y salimos al área de espera.

El aire acondicionado estaba muy fuerte pero Otto sudaba, mis manos también, y entendimos que teníamos que juntar el dinero por otros medios. Se alejó unos pasos y empezó a hacer llamadas. Más adelante me enteré de que se había puesto en contacto con sus hermanos —varios vivían en el departamento de Baja Verapaz—, embarcándose en una colecta entre todos, juntando los montoncitos que cada uno podía aportar.

Con Ana Lucía decidimos salir e intentar al menos con un cajero. Ya habíamos investigado la posibilidad de una transferencia de mi cuenta, la de mi tía, la de Alberto, pero ninguna llegaría a tiempo ni alcanzaría el total.

Ana Lucía se miraba aún más pálida en ese corredor aséptico, junto a vidrieras y comercios de paredes blancas. Entró a la cabina del cajero y desde afuera la vi inclinarse para escudriñar la pantalla, apretando botones de manera enfática. Salió poco después, sosteniendo unos billetes, su rostro desencajado:

¡El límite es de 2000 quetzales!, exclamó.

Al regresar al lobby del banco, Otto estaba a media llamada con mamá:

Es que así no vamos a llegar, le decía. ¿Vos no tenés plata?

Mamá se había jubilado pocos años antes de su trabajo en la universidad, y tenía ahorrado el pasivo laboral.

Bueno, dijo Otto, pues necesitamos lo que tengás, juntémonos en tu banco y ahí vamos viendo.

Colgó y volteó hacia nosotros:

Tu mamá nos va a apoyar, dijo.

Ay dios, dijo Ana Lucía, ¡qué buena gente!

Manejamos precipitados para reunirnos con mamá en su banco. Desde el asiento trasero del carro, Ana Lucía marcó el número de Magalí y saludó a su amiga, su voz llena de urgencia contenida, mientras Otto y yo guardábamos silencio. Había pena en sus palabras, vergüenza en el tono tentativo con que mencionaba cifras. Durante el intercambio rio de forma nerviosa y vi por el espejo retrovisor que asentía varias veces.

Ala puchis, Magalí, dijo al final, muchísimas gracias. Yo te lo pago nomás regrese a Nueva York, veo cómo te lo devuelvo, hacemos un plan de pagos o lo que te funcione mejor.

Colgó y exclamó desde ahí atrás:

¡Magalí puede prestarnos el resto!

Excelente, dijo Otto.

Tiene cuenta en el mismo banco al que vamos, dijo Ana Lucía, va a llamar para que tengan el cheque de caja listo.

Estábamos entrando al lobby de la sucursal cuando vimos a mamá corriendo desde una puerta lateral.

¡Gracias!, exclamó Ana Lucía abrazándola.

No te preocupés, dijo mamá, lo que sea necesario.

Quedaban menos de cuarenta minutos y esperábamos en fila para llegar a la ventanilla —minutos sufridos que iban derramándose como segundos. Mamá y Otto hablaron con una cajera para conseguir el cheque y pronto salieron disparados en dirección al banco final, ahí donde expedirían la fianza al recibir el dinero. Mientras tanto, Ana Lucía y yo explicábamos en otra ventanilla que una cuentahabiente, Magalí, había llamado para que tuvieran listo un cheque de caja. Necesitábamos ese monto para completar el total.

Salí al carro y lo encendí para esperar listo a mi tía. Pero Otto llamó para decirme que dada la urgencia, el banco aceptaba que Ana Lucía solo enviara una foto del cheque al recibirlo.

Así que venite ya para acá, dijo Otto, tendremos lista la fianza para que te la llevés al juzgado.

Me fui zigzagueando en el tráfico de la 19 Calle, entré al Bulevar Los Próceres y luego pasé bajo el paso a desnivel del Obelisco para salir entre camionetas envueltas en humo a la 7.ª Avenida, me bocinaron mientras pasaba un semáforo más rojo que anaranjado, siguiendo de largo como loco, mi cuerpo duro de tensión, una mano aferrada al timón y la otra cambiando las velocidades con violencia, hasta divisar los puestos de comida y los taxis y el parqueo público frente al banco indicado, y ahí me metí entre los transeúntes y detecté a Otto y mamá afuera, que me hacían señas y corrían en mi dirección.

Por la ventana abierta Otto me hizo firmar unos documentos y fui garabateando lo que fuera, me entregó el certificado de la fianza para el juzgado y le grité a mamá que subiera al carro, que me tendría que acompañar porque yo ya no alcanzaba a estacionar en la Torre de Tribunales, que la pasaba dejando en la entrada, así que se montó mientras Otto nos deseaba suerte, suerte, pero ya íbamos desenfrenados hacia la 7.ª Avenida, rebasando carros a uno y otro lado y mamá aferrada al tablero con ambas manos, encogiéndose ante el impacto inminente y diciéndome que íbamos demasiado rápido, y yo le decía que no había tiempo, no vamos a llegar, y ella respondía que muertos tampoco, pero metí el acelerador a fondo mientras pasábamos bajo la Torre del Reformador, y le dije a mamá que la abogada esperaba por los documentos en el cuarto piso, que en su texto había dicho que llevaba pantalones negros y una blusa roja, y entonces entramos a toda velocidad al Centro Cívico hasta cruzar rechinando llantas a la entrada de los tribunales y ahí mamá saltó del carro y atravesó el chequeo de seguridad para correr por la plaza al aire libre y entrar a la Torre.

Me alejé una cuadra, mi corazón retumbando, las manos resbalosas de sudor sobre el timón, y finalmente frené el carro junto a la banqueta. Saqué el celular y le escribí con dedos temblorosos a la abogada que mi mamá ya estaba ahí, que llevaba los documentos. Me bajé para airearme la camisa, mi espalda empapada. La abogada respondió que no veía a mi mamá, que no la encontraba, ¡que urgía! Le escribí a mamá confirmando el piso, el juzgado, la ropa de la abogada, y mientras esperaba hecho un enredo de nervios, entró su respuesta:

Ya! Todo ok!

Poco después la vi caminando sobre la novena avenida hacia mí, desde la Torre de Tribunales. La cara de mamá apenas contenía su sonrisa, y cuando llegó hasta mí nos abrazamos.

Ana Lucía y yo llegamos al Mariscal Zavala poco antes de la medianoche, la hora en que dejaban salir a los acusados con medida sustitutiva. Frente al portón principal nos encontramos a Ana Cristina, tan acelerada como lo estábamos nosotros.

Pasamos entre grupos de parientes que también esperaban en la oscuridad, reconocí a algunos que habíamos visto en la audiencia. Una familia sostenía una especie de guirnalda en alto con un lema religioso, pues cada quien buscaba recibir a los suyos de la manera más cálida. La emoción era casi palpable, similar a la del gentío del aeropuerto al dar la bienvenida a parientes que vienen de fuera, como si el vuelo de los exministros recién hubiera aterrizado y aquí aguardáramos todos —a la expectativa, tensos, de brazos abiertos.

Poco después se abrió la portezuela con un rechinido; los exministros empezaron a salir uno por uno. Caminaban arrastrando sus valijas y alguna mochilita al hombro, una tribu itinerante desperdigándose hacia sus familias.

Entonces vi a papá. Hizo un movimiento discreto con la cabeza al reconocernos. Ana Cristina fue hacia él y se abrazaron. Luego nos acercamos con mi tía y lo abrazamos también. Tomé su valija y Ana Lucía su mochila mientras él se despedía de sus compañeros de prisión. Compartieron breves miradas de alivio, alguna palabra, y entonces caminamos a la esquina donde se encontraba el Volkswagen de papá que Ana Cristina había traído. Ayudamos a subir sus cosas.

Papá estaba a punto de entrar al asiento del conductor —se había mantenido bastante callado, ofreciendo una que otra palabra suave, con esa expresión que oscilaba entre el agotamiento y la conmoción— cuando volteó a vernos.

Ah, ¿y ustedes?

Ana Lucía lo miró a él, a Ana Cristina, a mí.

Bueno, dijo mi tía, ahora te toca descansar, andate a tu casa.

Me habría gustado acompañarlo para celebrar su libertad, pero Ana Lucía tenía razón. Quedamos en ir a visitarlo a su casa al día siguiente.

Está bien, dijo papá. Muchas gracias por todo, ¿ah?

Le dijimos que descansara y caminé junto a mi tía a nuestro carro.

Al llegar a casa todo estaba oscuro, las luces apagadas. Ya le habíamos enviado un mensaje a mamá y Alberto, Kate y Harald, para decirles que papá había salido, que estaba bien, que mañana hablábamos.

Pasé a la cocina por la botella de mezcal y dos vasitos. Nos fuimos a sentar al estudio con Ana Lucía, uno a cada lado del escritorio.

Bueno, dijimos, salud.

Sorbimos el mezcal de a pocos. Quemaba bien en los labios y en la garganta.

Ana Lucía era una mezcalera empedernida a esas alturas de la semana, y yo también había acudido día tras día al whiskey para intentar bajar revoluciones, para poder dormir. Pero esta vez tomamos a gusto, riéndonos de los trances surreales de ese día, de lo que habíamos visto y vivido. Ahora que teníamos la opción, preferíamos reír en lugar de llorar.

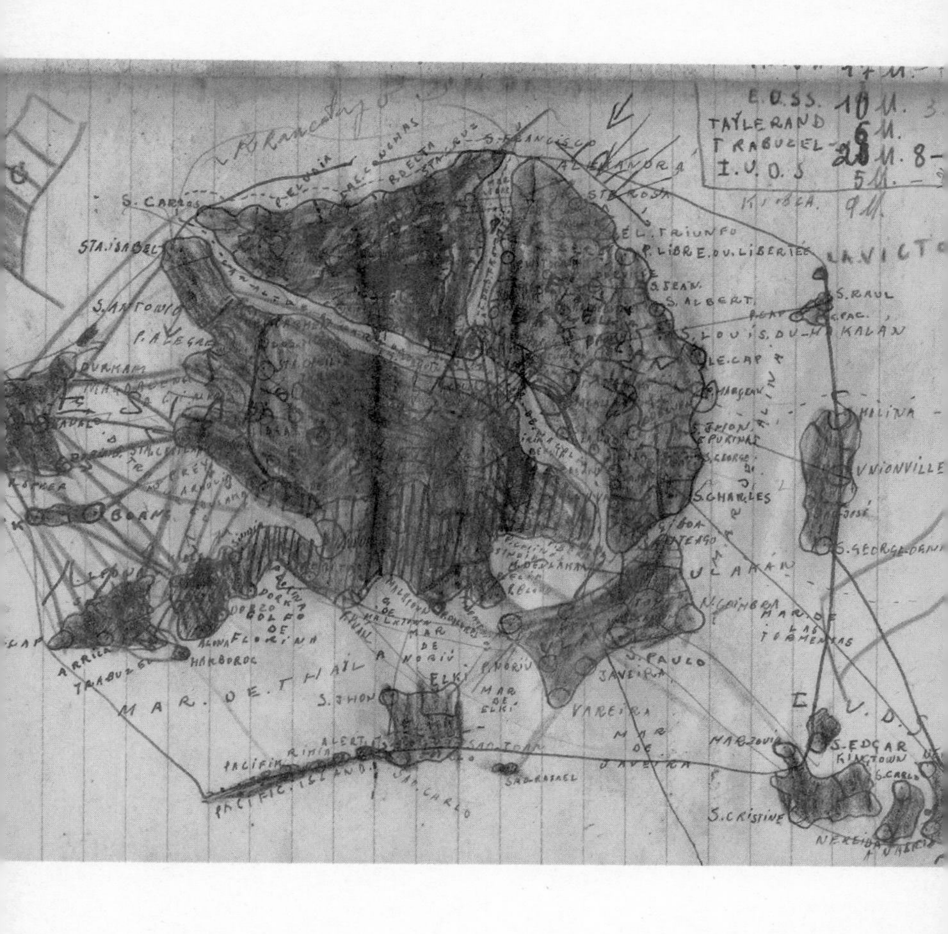
E.O.S.S. 10 M.
TAYLERAND 6 M.
TRABUZEL- 23 M. 8-
I.U.D.S 5 M.
S. CARLOS
STA. ISABEL
S. ANTONIO
P. ALEGRE
DURHAM
S. FRANCISCO
ALEXANDRA
EL. TRIUNFO
S. JEAN.
S. ALBERT.
LE. CAP
S. RAUL
UNIONVILLE
S. CHARLES
S. GEORGE
MAR DE LAS TORMENTAS
S. PAULO
VAREIRA
MAR DE JAVEIRA
S. EDGAR
KINGTOWN
S. CARLO
S. CRISTINE
S. JHON
ELKI
MAR DE ELKI
P. NORIU
MAR DE NORIU
MAR. DE. T HAIL
GOLFO DE FLORINA
PACIFIC. ISLAND
SAN CARLO
SAN RAFAEL
ALERT
LA VICTO

III
Guatemala

En el desayuno, Ana Lucía y yo describimos la noche previa frente al portón del Mariscal Zavala. Mi tía volvió a decirle a mamá cuánto le agradecía por poner parte del dinero para la fianza.

No, se corrigió, ¡la mayoría del dinero!

No tenés nada que agradecerme, respondió mamá. Juan Alberto es el papá de mis hijos. Y ya sabés que a mí la injusticia me pone la sangre a hervir, agregó con una intensidad que me sorprendió, su ceño repentinamente fruncido.

Harald posó su mano sobre la mano de mamá, su modo comprensivo:

Bueno, dijo, vas a ver que Juan Alberto sale bien de esto.

Harald había estado diciendo desde un principio que todo se iba a arreglar, que solo era necesario darle tiempo. Aunque yo apreciaba ese espíritu optimista, también me irritaba en algunos momentos. El daño ya estaba hecho y había costos irremediables.

A la vez, entendía que esa era la postura de Harald ante la vida y las adversidades —así había sobrellevado el fallecimiento por deficiencia renal de su primera esposa, las enormes deudas heredadas que condujeron a su debacle financiera, la sobredosis y muerte de su hermano menor. La vida insistía en presentarle infortunios pero Harald no dejaba de confiar en las buenas personas y en posibles destinos que le dieran vuelta a la tortilla. Eso le había permitido aguantar con inusitada alegría la desgracia.

Sé que yo también era más optimista en mi niñez, o al menos tendía a un mayor entusiasmo por el futuro. Eso empezó a cambiar con nuestra llegada a Guatemala desde México en el '96, cuando se firmaron los acuerdos de paz. Según mis padres iba a ser una época diferente, con democracia, con paz. Y aunque yo no había vivido nunca en el país, rápidamente me monté en esa ola de esperanza. «Guatemala va a ser otra», recuerdo oír decir a mamá, y eso encajaba con la idea que siempre estuvo presente en la familia, la ingenuidad de volver a cierta tierra prometida.

El choque con la realidad sucedió de varias maneras, pero ninguna como la entrada al Colegio Americano. Años después de graduarme, les pregunté a mis padres por qué decidieron meternos a mi hermano y a mí ahí. Había sido costoso para ellos y en varios sentidos contrario al ideario político de la familia. La respuesta fue un poco titubeante; querían que consiguiéramos becas para universidades en el exterior y además habíamos estudiado en colegios bilingües antes. Pero se arrepentían de su decisión. Resultó que el Americano no era tanto un colegio bilingüe, ni mucho menos internacional, sino ante todo el colegio de la élite empresarial guatemalteca. La visión y las costumbres de esa élite se veían reflejadas en la vida estudiantil.

Mi amigo Stefan siempre ríe al recordar mi primer día en el colegio. Junto a otros en la clase, me vio aterrizar en medio del año escolar con doce años recién cumplidos y una sonrisa incauta. Traía un inoportuno acento mexicano; resultó que existía una gran rivalidad entre Guatemala y México que solo los guatemaltecos tenían presente. Ese día llevé mi camiseta favorita: estampada contra la tela blanca, una foto de mi hermano, mi mejor amigo chileno (con grandes anteojos de fondo de botella), su hermanita y yo, los cuatro abrazados y con un perro gordo a nuestros pies. Oliendo sangre, un par de estudiantes se acercaron amigables a preguntarme de qué se trataba la imagen.

¡Soy yo cuando pequeño!, respondí entusiasta.

No sorprende que esos primeros años hayan sido difíciles. Fue un curso intensivo en Guatemala. Hace poco le pregunté a mi hermano cómo recordaba su experiencia en el Colegio Americano y respondió sin su laconismo habitual, como si llevara todos esos años dándole vueltas al asunto:

Hay algo que recuerdo muy bien cuando llegamos al colegio, me empezó diciendo. Teníamos un profesor gringo que una vez nos preguntó si no nos parecía racista usar la palabra «indio» como insulto, porque veía a los estudiantes usándola así entre ellos. Y me acuerdo que todos los niñitos bien se carcajearon por la pregunta, por el gringo mula que no sabía de qué estaba hablando. Para ellos ser indio claramente era ser inferior, un insulto. No había duda, pues, el gringo simplemente no entendía la realidad. Debe haber sido un pobre gringo ingenuo que llegó a Guate y encima al Colegio Americano sin idea del lugar que era. Bueno, igual que nosotros, supongo.

Me acuerdo de un compañero, siguió contándome Alberto, que decía: «Es que yo no soy racista, pero cuando uno va a Estados Unidos ve a los negros todos shucos. Sucios esos negros. Pero no es que yo sea racista, simplemente son así.» O una compañera que decía: «Yo no soy racista, pero la verdad es que negros y blancos nunca deberían estar juntos, no deberían casarse.» Era como llegar al sur de Estados Unidos en 1950.

Lo otro era lo homofóbico, dijo Alberto, el gran insulto en el Americano era ser «hueco». Eso era lo peor que uno podía ser, ahí cerquita de «indio». Y más allá de eso, la insistencia en que si una persona era o parecía homosexual y esa persona hacía cualquier cosa que tan solo sugiriera que podía estar interesado en uno, automáticamente había que responder con violencia. Y casi apalear a la persona o qué sé yo.

Porque la violencia era otra cosa, dijo. Siempre recurrir a la violencia, eso estaba mucho más presente en Guatemala que en los otros países donde habíamos vivido. Siempre la amenaza o la cercanía de una pelea, siempre. Y luego la posibilidad de mandar a matar a alguien; aunque esos niños no tuvieran la edad para hacerlo, era algo común, parte de la plática normal. Púchica, todas esas discusiones sobre la pena de muerte, o más bien el consenso de que la forma de arreglar Guatemala era matando a medio mundo, como si fuera cualquier cosa.

Le pregunté cómo comparaba todo eso con los otros lugares donde habíamos vivido.

Bueno, dijo Alberto, cuando nos mudábamos a otros países yo siempre sentía como una base de entendimiento mutuo con las personas que estaban ahí. No concordancia en todo, tampoco, pero sí ciertos supuestos más o menos compartidos. Pero en Guatemala —al menos al principio y yo creo que todavía ahora— no tenía ese entendimiento en común. Eran como dos mundos distintos, demasiado distintos. Y eso es extraño si se trata de mí país, ¿no? El país al que pertenezco. Supuestamente, pues.

Yo no me acuerdo, continuó Alberto, que en México o en Chile o en Costa Rica los niños del colegio estuvieran hablando de mandar a matar a no sé quién. O que mataran a todos los indios, para limpiar el país, porque decían eso mucho. Cuando acabábamos de llegar, en la época de Arzú, condenaron a unos secuestradores a muerte por fusilamiento. Y televisaron la ejecución, así que un montón de nuestros compañeros lo buscaron en la tele y lo vieron en vivo, niños de 12, 13, 14 años, viendo cómo fusilaban a esos tipos. Y obviamente todos ahí apoyaban eso, y pensaban que estaba bueno, porque así estaría mejor el país, más limpio. El país, ¿verdad? El país que... ellos se consideran que son el país y no existe nadie más. Porque ¿cuál es la definición de ellos del país?

Y eso era otra cosa en el colegio, dijo mi hermano, había una jerarquía de estatus mayor que en cualquier otro lugar en el que yo hubiera estado. Estaban «los populares» porque eran los que más plata tenían, directamente. Y eran de las familias más poderosas. Recuerdo uno de esos, un total imbécil, no sé cómo más ponerlo. Pero era popular porque tenía un montón de plata. No había otra razón, ¿no? Y entonces esas jerarquías económicas del país se traducían directamente a las jerarquías dentro del colegio. Con algunas excepciones —alguna niña particularmente atractiva podía colarse, por ejemplo— eran unas jerarquías basadas exclusivamente en los ingresos de las familias. Y por otro lado estaban los becados, ¿se acuerda? Ellos estaban hasta abajo y excluidos y en algunos casos motivo de burla. Espantoso eso también. Ahí sí que socializados desde chiquitos para entrar en una sociedad y mantener la sociedad como era.

Pero hay una cosa, dijo: el Colegio Americano era bastante terrible en estas maneras, y no quisiera que mis hijos estudiaran ahí. Pero la verdad es que es una cuestión de Guatemala, sobre todo de cierta clase urbana guatemalteca. Lo que valora, lo que piensa, cómo entiende el mundo, es muy diferente. Así que podríamos haber estudiado en el Valle Verde o el Inter o en cualquier otro colegio similar, pero hubiera sido más o menos lo mismo. Los niños en el Americano están socializados así, ¿no? Así crecen también, y uno oye hablar a los papás —no a todos, pero a muchos— y se entiende también de dónde viene esa manera de ver el mundo.

Aunque supongo, dijo Alberto, que ahora nuestros compañeros *son* los papás.

Al cruzar hacia Fraijanes avanzamos por un camino entre pinos, y Ana Lucía notó que la vegetación y el clima eran distintos ahí arriba. Poco después ingresamos a la colonia indicada. Sería mi primera vez en casa de papá.

Todas las casas tenían el mismo diseño y se encontraban reunidas casi hombro a hombro. Pensé en la madrugada del 13 de febrero, cuando varios de los residentes debían de haber despertado con las sirenas de la policía y el escándalo del arresto. Seguimos los números ascendentes hasta encontrar a papá esperando frente a su puerta de entrada.

Saludamos a Ana Cristina y nos hizo pasar por un pasillo angosto hasta la salita. Ahí nos recibió una perra labrador, amigable y de pelambre amarillo. Podíamos oír música clásica fuerte y al sentarnos en el sofá papá fue a bajarle volumen.

Recuerdo que a mis seis o siete años, papá ponía un estruendo de música clásica los domingos por la mañana. Mi hermano y yo dormíamos en el mismo cuarto en esa casa en Santiago y papá acostumbraba abrir la puerta de par en par, ingresando con paso triunfal y alguna sinfonía de Tchaikovsky o Beethoven. Dirigía él mismo la orquesta con sus dedos índices al aire, abriendo las cortinas para que el sol de la mañana nos apabullara tanto como el ruido.

Era una forma lamentable de establecer en los niños ciertas asociaciones con la música clásica, pero aun así esas mañanas estaban teñidas de alegría, porque al pasar al comedor mamá ya preparaba huevos rancheros y papá ponía la mesa, con el baguette y los cuatro croissants que había comprado en una panadería cercana, y las comidas largas que seguían junto a Alberto, mamá y papá —con jugo de naranja, mermelada, queso— comprendían algunos de mis momentos más felices de la semana.

Ya que papá le había bajado volumen a la música nos acomodamos con Ana Lucía en el sofá. Pude ver un pequeño y bonito jardín tras el ventanal, de unos cinco por ocho metros de grama rodeados por arbustos y algunas flores. Mi tía quería hablarle a papá sobre el tema del dinero —quiénes habían puesto la plata para la fianza, cómo hacer pagos para reembolsar el préstamo— así que salieron juntos al jardín.

Ana Cristina y yo nos quedamos sentados en la sala y agradecí cuando me ofreció un trago, porque nuestro remedo de conversación se había ido diluyendo y el silencio era inminente. Se dirigió a la cocina y aproveché para considerar ese espacio de intimidad que ella y papá compartían —la librera alta con varios libros de poesía y narrativa guatemalteca, algunos cuadros de temática más o menos folklórica, la mesa de madera oscura del comedor a la par.

Escuché pasos y al voltear entendí que Paolo, uno de los dos hijos del matrimonio previo de Ana Cristina, bajaba las escaleras. Tendría unos diez años menos que yo y había oído de él y su hermano por menciones esporádicas. ¿Cómo sería su relación con papá tras todos estos años de vida compartida? También me había preguntado qué pensarían él y su hermano sobre mi hermano y sobre mí. Era posible que nos guardaran algún rencor, resintiendo la distancia que habíamos mantenido respecto a su madre a lo largo de los años.

Paolo era alto, flaco, de gesto y mirada suaves.

Hola, dijo dándome la mano.

Hola, respondí poniéndome en pie para estrecharla.

Él debía estar incluso más nervioso que yo, al ser menor y saber que mi relación con su mamá no era la mejor. Pero su modo, amable y tímido a la vez, me cayó bien de inmediato.

Ni él ni yo, ni su hermano ni el mío, habíamos tenido mano en las circunstancias incómodas que ahora nos reunían por primera vez. Me sentí en sintonía con la manera ligeramente apenada de Paolo, sus ojos un poco huidizos mientras intercambiábamos palabras tentativas y cordiales. Se despidió al cabo de un rato y con eso regresó al segundo piso.

Para entonces papá y Ana Lucía ya habían entrado y miraban a la labradora acurrucada junto a mis pies. La perra movía la cola, cerraba los ojos regodeándose cuando le rascaba debajo de sus orejas.

¿Qué día es hoy?, preguntó de pronto Ana Lucía, volteando a verme, y me di cuenta de que yo tampoco estaba seguro.

¿Qué día es, papá?, pregunté.

Se me quedó viendo, entrecerró los ojos.

Uy, no sé.

Miramos a Ana Cristina:

Es... ¡sábado!, exclamó ella.

Asentimos, cada vez más convencidos, aunque no del todo, pues la intensidad de los últimos días también trastocaba la percepción del tiempo.

Todo esto ha pasado a otra velocidad, dijo Ana Lucía. Siento que en estas dos semanas he envejecido dos años.

Se me ocurrió que al interior del cuerpo de papá los órganos le habrían envejecido un par de décadas, y decidimos salir a caminar con él y Ana Lucía en la colonia. La perra corría de ida y vuelta, ajena a la sensación que nos recorría a nosotros. Un vecino nos miró desde su casa.

Avanzamos hasta una hondonada que caía al costado izquierdo de la calle y observé la figura un poco encorvada de papá bajando las gradas de cemento junto a su hermana, murmurándose palabras en voz baja. Hicimos un alto en la canchita de futbol del fondo y empezamos a hablar. La perra iba de un lugar a otro, alejándose para olfatear árboles y regresar a papá cada tanto.

Es que el MP y la CICIG confiaban en que no te darían la medida sustitutiva, dijo Ana Lucía, ellos estaban seguros de que te quedarías en el Mariscal Zavala.

Hay que decir que el Juez sí se mostró independiente, dijo papá, porque presiones no faltaban.

Su abogado había mencionado algo que se contaba en los pasillos de Tribunales: el Juez sentía que los medios y las redes lo estaban crucificando por haberle dado medida sustitutiva a los acusados del caso Transurbano. Giovanni explicó que no había motivo para sorpresa: la mayoría de los jueces revisaba Twitter, Facebook, etc., para ver qué estaba diciendo la gente sobre ellos. Por supuesto condicionaba sus actuaciones.

Pero mira, dijo Ana Lucía, lo que está claro es que la CICIG y el MP quieren que aceptes un proceso abreviado.

Ah no, dijo papá, eso no.

Lo sabemos, dije viendo a mi tía de reojo, pero usted también debería saber que, decida lo que decida, nosotros lo apoyamos.

Eso tenlo por seguro, agregó Ana Lucía.

Papá volteó hacia la arboleda donde se había alejado la labradora, asintió un par de veces y luego nos miró a nosotros, con un fulgor en sus ojos que hacía tiempo no veía.

Nunca aceptaría la culpa por algo que no hice. ¡Nunca!

Bueno, dijo Ana Lucía.

¡No!, exclamó papá: Aunque me dejen veinte años pudriéndome en la cárcel, esperando juicio, sin medida sustitutiva, no aceptaría la culpa por algo que no hice. ¡Eso no!

Casi lo había gritado y nos miramos con Ana Lucía. En esa convicción y en esa rabia estaba claro lo que habíamos querido —lo que habíamos deseado— creer estos días: que una parte de papá, cierto núcleo, seguía tan presente y tan vivo como antes.

Ana Lucía

No, yo nunca había estado en Ginebra. Llegamos después del fraude electoral del '74 y yo por supuesto iba con solo una valijita y un pantalón, porque según yo así iba a tener que volver pronto a Guatemala. Tan babosa.

Como tu papá estaba empezando su doctorado en Ginebra yo estaba medio perdida por mi lado. Mi papá me buscó clases de francés, identificó una posible universidad, y me llevó a una librería para conseguir libros con los cuales preparar los exámenes de admisión, que eran bien duros. Compró una grabadora y me dijo «Estudie y grábese en voz alta y se oye y así va aprendiendo las palabras y también la historia». Había una serie de libros que se llamaba *Que sais-je?*, de todas las disciplinas —matemáticas, con álgebra y trigonometría, o historia, con los griegos y la primera y la segunda guerra mundial, así ¿no? Ahí era donde todos los descubrimientos en todas las áreas eran siempre gracias a un francés (*risas*). Y si no, entonces le encontraban un pariente francés al que lo había descubierto. Descubrimientos, inventos, de todo. No te miento, ¡impresionantes estos franceses!

Ya que entré a la U me encantó la biología, me fascinaba. Las clases eran bien duras y la mitad de los estudiantes no pasaba al siguiente curso. Ahí tuve dos amigos, uno era un suizo y el otro un holandés, y esos eran diferentes a los demás. Porque a pesar de que el sistema se suponía era muy justo, y la universidad gratis, todos los suizos ahí eran hijos de profesionales y científicos y casi todos bien portaditos y también bien reprimidos. Pero este amigo suizo era hijo de jardinero y junto a él y el holandés, que era músico, salíamos mucho.

Fui a conciertos de Moustaki, alegrísimo, de Inti Illimani, de un montón de grupos. Mi amigo holandés tocaba el oboe en la orquesta sinfónica y me llevaba a los ensayos y me acuerdo de un ensayo de *Las bodas* de Stravinsky. ¡Qué cosa más maravillosa! Él me enseñó a escuchar la música con más detenimiento, a notar cómo iban entrando los distintos instrumentos, cómo se compaginaban, lo que hacía el director.

También íbamos a conciertos con mi mamá, a la Vieille Ville, que era un área como medieval y tenía unos patios pequeñitos escondidos y ahí se ponían los músicos de la orquesta de la Suisse Romande. Y era muy lindo, me acuerdo de un concierto de Bach, eran los Brandenburgo, y se ponía uno alrededor de los músicos y estuvimos ahí con mi mamá, disfrutamos muchísimo en esos años en Ginebra.

La otra cosa que me encantaba a mí eran los viajes en bicicleta, y eso era con mis papás y a veces con tu papá. Nos íbamos a Ferney-Voltaire, solo cruzábamos la frontera a comprar baguette y queso y después nos regresábamos a hacer un picnic en el camino. Eso era lo más alegre del mundo.

Y en Suiza estaba metida en un movimiento de solidaridad con Latinoamérica con el que yo pasaba bastante tiempo. Hacíamos festivales y había un par de colombianos y brasileños pero sobre todo un montón de uruguayos y chilenos. Por eso la cosa era sobre todo de solidaridad con Uruguay y Chile. Me acuerdo que yo siempre decía «Y bueno, solidaridad con Guatemala, ¿no hay?» y olvidate, eso no pegaba mucho.

Pero la verdad es que aunque yo sí estaba bien ahí, me hacía falta Guatemala. El problema era mi idea de estar en Guatemala para hacer algo, ¿no? De estar metida en grupos bochincheros (*risas*), o en política. Sí, yo tenía esa idea de que iba a involucrarme. Supongo que todos la teníamos.

Al volver de la caminata a la casa de papá empezaron a llegar algunos de sus amigos. Entre ellos me alegró ver a Rubén, un dramaturgo de gran sensibilidad y erudición, alguien que en mi juventud me animó a leer y escribir. Me conmovió la calidez que él y los otros mostraban a papá, el humor y sus muestras de cariño. Pero también empecé a notar que papá guardaba cada vez más silencio, observándolo todo desde su sillón. Parecía un testigo de lo que acontecía a su alrededor, un invitado en su propia casa.

La conversación se mudó a la vida en el Mariscal Zavala y papá pareció regresar con nosotros, más atento a lo que se decía. Contó que cuando llevaba varios días en la cárcel, entró un nuevo grupo de presos jóvenes. Venían por el caso Chinautla, relacionado a corrupción en una alcaldía al norte de la capital. Hasta entonces la mayoría de presos en el Mariscal Zavala era gente mayor, pero cuando entraron estos jóvenes cambió la dinámica del lugar.

Es que ahí ya existía una liguilla de fútbol en la canchita de la cárcel, dijo papá, pero cuando llegaron los de Chinautla se distorsionó todo. ¡Eran buenísimos!

Tomó un trago de su copa. Le buscaba el lado amable a lo que había vivido, y nosotros lo incentivábamos con preguntas.

Cuando me fui, dijo, los líderes en el sector general estaban considerando ajustar el torneo, distribuyendo a los jóvenes de Chinautla en distintos equipos para que estuviera más balanceada la cosa. Es que si no, ¡imposible!

No le pregunté si él había jugado alguno de esos partidos. No era un gran futbolista, lo suyo siempre fue el ciclismo. Cuando vivíamos en Chile atravesó en bicicleta la cordillera de los Andes junto al club de ciclistas de Naciones Unidas, desde Santiago hasta Mendoza. Recuerdo que una caravana de parientes iba siguiendo al pequeño pelotón, y en nuestro carro mamá manejaba a 10 kilómetros por hora mientras Alberto y yo veíamos asombrados las laderas escarpadas de la cordillera. Esa dinámica —los funcionarios pedaleando cuesta arriba, a su ritmo, mientras sus esposas e hijos los siguen por caminos estrambóticos— reflejaba la trayectoria de vida de muchos burócratas de organismos internacionales en esa época.

Años después, en México, Alberto y yo viajamos con papá a Querétaro durante un fin de semana improbable en que mamá no estaba en el país. En el hotel había una canchita de fútbol y conseguimos un balón para ir a hacer pases y tiros a la portería. No sé si fui yo o Alberto quien pateó un buen balón al ángulo —papá era portero y se tiró para evitar el gol, lanzándose como gato y cayendo como tortuga.

Junto a mi hermano logramos arrastrarlo de vuelta hasta el cuarto. La lesión en la espalda fue seria y un doctor tuvo que llegar a ponerle una inyección para el dolor. Papá siempre se había opuesto a pedir comida a la habitación del hotel, pero nos trajeron sándwiches BLT al cuarto y fue una tarde feliz junto a él y mi hermano. Pasamos el resto del día en cama viendo *20,000 leguas de viaje submarino*. También fue la última vez que jugamos futbol juntos.

Ya era tarde y Ana Lucía debía regresar a casa a preparar su maleta. Antes de despedirnos le pedí a papá que me dejara ver el cartapacio con información del caso, los mismos documentos que llevó a la fiscalía cuando se enteró sobre la investigación. Me había dado cuenta de que a pesar de oír de ellos, no conocía su contenido.

Lo abrí sobre la mesa del comedor y empecé a ojearlo, sorprendido por su aspecto de álbum escolar. La vida de papá estaba en juego y su respuesta había sido este compendio; documentos organizados de forma metódica, bien protegidos por sus cubiertas plásticas. Había ahí un rigor modesto y casi infantil que ilustraba el candor de papá al enfrentar una realidad política como la guatemalteca.

«Ministro de Finanzas confirma anomalías en el TransUrbano», se titulaba un artículo en el periódico *La Hora* del 2010. Los periodistas citaban a papá declarando que los empresarios autobuseros no habían cumplido con un requisito básico: publicar en el portal en línea Guatecompras las compras realizadas. Papá decía que si no se seguían los pasos de la forma correcta, no se daría el segundo desembolso, ya que el dinero «no es de ninguna manera incondicional, hay un plan operativo que debe seguirse. Los primeros 80 millones son solo parte de eso, hasta que no se cumpla con el acuerdo, no se harán más pagos».

Pensé en Iván Velásquez hablando en la conferencia de prensa sobre el ardid y el engaño con que papá había actuado. ¿Pero quien engaña al estado y sale confirmando que hay anomalías en la utilización de esos mismos fondos?

Leí el siguiente artículo, de Emisoras Unidas, donde se explicaba que «El Ministro de Finanzas anunció que suspenderá el traslado de más fondos, porque no hay mecanismos adecuados para fiscalizar el proyecto». Dejaba claro que los pagos del subsidio no eran vinculantes, como aseguraba la fiscalía, y de hecho ya no dio el segundo desembolso.

Pasé las páginas y llegué a la fotocopia de la caricatura de papá que había salido a principios del 2010 en *Prensa Libre*. Era obra de Fo, uno de los mejores caricaturistas políticos de Guatemala. En la imagen papá aparecía sosteniendo sobre su cabeza una alcancía de cochinito. La mantenía elevada para protegerla de unos busitos malévolos que intentaban trepar por las piernas y llegar al dinero. El título de la caricatura decía:

«No más fondos... por ahora».

Ala gran, dije mientras sacaba esa fotocopia del cartapacio.

La hoja circuló entre los invitados, que alzaban las cejas o soltaban exclamaciones, hasta llegar a manos de papá. La miró con cierta desaprobación; como toda caricatura, exageraba las facciones de forma poco halagadora. Recordé que en la audiencia, la abogada Estela había mencionado entre sus argumentos para la medida sustitutiva que su defendido tenía 66 años y el sistema penitenciario no reunía las condiciones mínimas para gente de la tercera edad. Noté que papá se respingaba, un desconcierto casi imperceptible en su rostro. Luego lo comentamos con Ana Lucía, riéndonos: la vanidad lo había sacudido al ser presentado como «un viejito», incluso cuando su libertad estaba en juego.

Durante esos días habíamos discutido la posibilidad de sacar un comunicado público, algo para declarar la inocencia de papá y detallar los puntos centrales de la defensa. El silencio podía parecer una aceptación de culpa, porque *el que calla otorga*. Pero optamos por no hacerlo al saber que criticar un caso de la CICIG en ese momento nos colocaría junto a aquellos que buscaban atacar a la comisión, los mismos que querían expulsarla del país.

La comisión internacional ya no contaba con el poder que había tenido pocos años antes, incluso si era difícil sentir eso dada nuestra posición. Distintos sectores afectados por las investigaciones se habían reagrupado y trabajaban en su contra: el presidente Jimmy Morales, gran parte del Congreso, sectores de la élite empresarial y del ejército, incluso jueces. En una batalla de dos bandos, con la CICIG debilitada, algunos aliados naturales de papá no estaban dispuestos a escuchar matices sobre el trabajo de la comisión. La amenaza real a la lucha anticorrupción, y por lo tanto la urgencia de defenderla, exigía que muchos se resistieran con vehemencia a cualquier crítica a la misma.

Le saqué una foto a la caricatura con mi celular y pasamos a despedirnos de las personas en la sala. Papá nos acompañó a la puerta. Ya afuera esperé en el carro mientras él y Ana Lucía hablaban unos momentos frente a la entrada, ya que era su última vez juntos antes del viaje de mi tía. Papá le dijo algo con palabras que, desde mi asiento, se miraban sentidas. Pensé en la cercanía que habían tenido desde siempre, la misma que en esos días pude observar de nuevas maneras. Se abrazaron. Ana Lucía actuó fuerte, como lo había hecho desde su llegada a Guatemala, pero cuando entró al carro dijo «Ay dios», y noté que tenía los ojos humedecidos y apretaba la mandíbula con fuerza.

En casa, mamá y Harald se acercaron a la habitación que había sido de mi hermano y que Ana Lucía ocupaba esos días. Le desearon buenas noches y acordaron un horario para llevarla de madrugada al aeropuerto. Me quedé un rato ahí mismo con mi tía, hablando a la par del lavamanos.

Qué horrible todo esto, dijo, pero qué bueno que estuvimos los dos para pasarlo juntos.

Sí, dije.

No quiero estar aquí pero tampoco quiero irme. Y qué pena dejarte solo a vos.

Nos dimos un abrazo en el lugar donde nos habíamos visto por primera vez una semana antes. Sus brazos eran los mismos —fuertes, fibrudos— pero la calidez o quizás el alivio eran ahora distintos. Iba a extrañar mucho a Ana Lucía. Éramos personas diferentes después de esos ocho días. Pero también supe que nos queríamos más, y lo querido no nos lo quitaba nadie.

Ana Lucía

Cuando la familia salió exiliada a Suiza en el '74, sentí que mi vida había sido interrumpida. Así que regresar con mis papás a Guatemala en el '77 fue una forma de retomar mi camino y volver a la San Carlos, donde había empezado mis estudios en biología. Yo pensaba que existía un camino definido en mi vida, y que simplemente iba a regresar a la senda correcta. Rapidito me di cuenta de lo equivocada que estaba.

Uno de los cursos que tomé en ese primer año, Diseño Ambiental, era súper innovador y experimental. Lo daba Ferraté, que era un ambientalista a la vanguardia del movimiento por el desarrollo sostenible en Guatemala. Me fascinaban sus clases porque incorporaba recuentos históricos, regresando hasta la época precolombina, y los acompañaba con datos sobre cambios en la geografía, en la flora y fauna de distintas regiones. Me acuerdo que a la mitad de una clase se frenó abruptamente y nos dijo que estar sentados en un salón y escuchar estas cosas no tenía sentido. No supimos muy bien cómo reaccionar y Ferraté solo se rio y dijo:

No deberían creer las cosas que les digo, deberían verlas ustedes mismos. Vamos a visitar esos lugares y luego hablamos.

Mi papá no quería que me involucrara con grupos radicales en la San Carlos, pero la verdad es que solo con ser estudiante ya había peligro. Una semana después de la conversación con Ferraté, trece de nosotros esperábamos frente al Jardín Botánico. Íbamos a ir a las Verapaces para hacer un análisis topográfico y estudiar las formas en que los mayas habían usado el terreno y cenotes y otras fuentes de agua locales para su agricultura.

Nos dijo que tocaría caminar mucho y teníamos que ir bien equipados, así que ahí estábamos vestidos con pantalones gruesos y botas, almuerzo listo y una mudada de ropa en nuestras mochilas, y también binoculares, brújulas, cámaras e instrumentos topográficos. Una estudiante había ofrecido su carro, como con seis estudiantes apretados ahí dentro, y el resto de nosotros y Ferraté nos subimos a un busito que había logrado alquilar de la FAO, de las Naciones Unidas. Adentro noté que Ferraté, que estaba sentado a la par del conductor, tenía una pequeña pistola en su cintura que escondió debajo de la alfombra. Se dio cuenta de que algunos lo habíamos visto, así que se dio la vuelta y nos dijo:

Solo por si acaso, ya saben que vamos a entrar a un área bastante activa.

Sí que lo era. La guerrilla estaba muy presente en las Verapaces y la respuesta del ejército había sido brutal. Masacraron y destruyeron pueblos enteros, aunque en ese tiempo todavía no se conocía el alcance. Me acuerdo que al entrar a Baja Verapaz había cada vez menos carros de civiles; la mayor parte del tráfico era jeeps militares y camiones con soldados. Manejamos por más de dos horas en un caminito que serpenteaba entre montañas de rocas tan ricas en minerales que se miraban rosadas, púrpura, de verdes intensos. Yo pensé que estaba alucinando, era increíble eso.

Al principio todo eran chistes y escuchar historias en el busito, pero luego ya nos fuimos callando. Paramos a la orilla del camino para comer nuestros almuerzos. No había ni un alma, solo selva tupida y un gran silencio. Ferraté nos dijo que sería bueno hacer un alto en el próximo pueblo y tomar algo antes de que anocheciera. Así que encontramos un área que estaba un poquito más poblada y seguimos un rótulo hasta San Pedro Carchá.

Cuando llegamos, el mercado y la calle principal estaban completamente vacíos. Todas las ventanas cerradas, abandonado parecía. Bajamos de los carros frente a una tiendita. La ventanilla estaba cubierta con una persiana de madera pero Ferraté tocó con los nudillos hasta que un señor atendió, pero sin levantarla del todo, solo por un hoyito. El pobre estaba bien nervioso y nos dijo que nos fuéramos porque los kaibiles estaban en el pueblo y ya se habían llevado a «unos muchachos», pero que iban a regresar. Todavía le compramos unas aguas.

Estábamos terminándolas cuando tres jeeps militares aparecieron a media calle y vinieron a coparnos. Nosotros nos quedamos paralizados mientras los soldados saltaban de sus jeeps apuntándonos con sus ametralladoras. El comandante se bajó y nos gritó que subiéramos las manos y que nos pusiéramos de cara contra la pared.

Yo estaba aterrorizada, no sé cómo pude mantenerme de pie. Ya te imaginás, nosotros jóvenes y universitarios y con botas y vestidos como para ir a meternos a la montaña. Y con la cara contra la pared y sin poder voltear y sabiendo que nos estaban apuntando con ametralladoras. El comandante fue con Ferraté y empezó a interrogarlo, que quiénes éramos y qué estábamos haciendo ahí. El tipo no era ningún baboso, se expresaba bien. Ferraté le explicó que estábamos haciendo unos estudios ecológicos de la universidad y no sé qué babosadas y que teníamos el aval de las Naciones Unidas, y que por eso veníamos con un conductor y un carro de la FAO. El comandante no estaba convencido pero pidió ver los papeles del conductor y la documentación de la FAO y nos dijo que volteáramos a verlo, pero sin bajar las manos.

Durante todo este tiempo los soldados no habían dejado de apuntarnos. Entonces el comandante le dijo a uno de mis compañeros de clase, a Federico —que era un tipo grandote y bastante ingenuo, con cara medio de baboso— que se acercara para abrir el baúl del busito. Lo hizo sacar las mochilas una por una y vaciarlas sobre la calle. Ahí fueron cayendo las brújulas, los binoculares, las cámaras. ¡Imaginate, puros guerrilleros! Yo pensé que eran mis últimos minutos sobre la tierra. El comandante recogió uno de los binoculares y le preguntó a Federico, «¿Y para qué son estos?», y Federico lo vio con su cara de ingenuo y le respondió, «Son para ver los pajaritos.» ¡Para ver los pajaritos!

A saber ni qué pensó el comandante. Probablemente se dio cuenta de que éramos demasiado idiotas como para ser guerrilleros. Ni siquiera siguió buscando en el carro, de hecho la pistola de Ferraté quedó todo el tiempo bajo la alfombra. Nos dijo que nos fuéramos rápido de ahí y que no condujéramos de noche, algo que de todas formas no planeábamos hacer. Nos metimos en los carros y salimos volando hasta Cobán, donde pasamos la noche en un hotelito. Al día siguiente Ferraté nos despertó a las cinco de la mañana y nos dijo que ese día nos tocaría una «comida celestial». Pensamos que estaba fregando, considerando que casi habíamos muerto el día anterior, hasta que llegamos a unas casetas que estaban en lo alto de la montaña, como a una hora de Cobán, y ahí nos dieron un estofado de cabro acompañado de tortillas moradas. Fue increíble, de verdad parecía que habíamos llegado al cielo.

A la mañana siguiente fuimos a desayunar al café Los Alpes con mi abuelita Margarita, la madre de mamá. Mi abuelita había vivido en Guatemala toda su vida; fue maestra de escuela por muchos años y vendedora de puerta en puerta después. Vendió de todo: ollas, helados, enciclopedias, frutas. Uno de sus hijos murió joven de una sobredosis poco después de que un infarto insospechado matara a mi abuelo. Desde entonces, los hilos que ataban a mi abuela a este mundo se habían ido descosiendo. Olvidaba mucho y la realidad inmediata le era cada vez más ajena.

Mi familia acostumbraba sentarse en la terraza del café, bajo las enredaderas que colgaban del techo. Al llegar saludé a Harald y mamá y me acerqué a la silla de ruedas para darle un abrazo a mi abuelita. Me miró y sus ojos acuosos sonrieron. Pero durante el resto del desayuno apenas respondió a nuestras preguntas. No supe si me había reconocido o no. Estaba muy ida, más que la última vez. Harald, quien almuerza con ella y mamá cada domingo, lleva algunos años diciendo que «se le está apagando la candelita» —una observación acertada, si bien tétrica, que busca preparar a mamá para lo inevitable.

Días después fui a visitarla a su apartamento y ahí, en la salita, se miraba incluso peor. Me senté frente a ella en el sofá de desgastada tela verde. Durante veinte minutos me habló como si tuviera enfrente a un desconocido. Aunque no sabía nada del caso de papá, me dijo que estaba preocupada por Rodrigo, que Rodrigo estaba pasando días malos, que tenía que hacer algo por él. ¿Cómo se conectaba ella a esa realidad más profunda, a esa verdad que se movía por debajo de su olvido? Poco a poco fue regresándole la memoria, abrió los ojos muy grandes cuando al fin entendió quién era yo. ¡Rodrigo!, exclamó.

Logré hablarle sobre el pasado y su niñez, un territorio familiar al que regresaba con mayor entusiasmo. Mencionó sus vivencias durante la Revolución del '44, la misma que había desembocado en la llamada «Primavera democrática» —la fugaz década de gobiernos verdaderamente democráticos en Guatemala, los de Arévalo y Árbenz. Ese año mi abuelita estaba internada en el Instituto Belén de la Zona 1, donde tuvo que esconderse bajo su cama mientras afuera, en las calles, dijo ella, columnas de campesinos llegaban del interior para derrocar al dictador Ponce Vaides. Pasaban sus machetes sobre la calle empedrada, dijo mi abuelita haciendo el gesto del macheteo con su mano extendida. *Chas chas chas*, me dijo, *chas chas chas*. Su miedo pareció revivir, quizás porque a su modo de ver incluso la revolución popular del '44 era una especie de afrenta al orden natural de las cosas.

Eso sí lo evocó a detalle, eso sí estaba afincado en la región oficial de sus recuerdos: el miedo atávico de los capitalinos a la inminente «invasión campesina». A pesar de haber manifestado junto a maestras del sindicato, o de luchar contra viento y marea para subsistir, la visión política de mi abuelita era muy conservadora. De niña, en el Instituto Belén, entabló una larga amistad con la futura esposa de Ríos Montt, y siempre lo tuvo a él en un pedestal.

Cuando yo era niño y pasábamos de visita a su apartamento no se hablaba de temas políticos. Recuerdo la tensión entre mis padres y ella por los comentarios que a veces soltaba. Años después se empezó a hablar de un juicio contra Ríos Montt por genocidio durante su dictadura. Mis padres admiraban a Claudia Paz y Paz, la valiente y talentosa fiscal general que lideró los procesos judiciales contra criminales de guerra en Guatemala, pero la mera mención del tema hacía que mi abuelita saliera en auxilio de Ríos Montt: «Pobrecito el general, le están diciendo loco». Yo le respondía que eso era lo de menos, y además los que decían eso eran sus propios abogados para evitarle el juicio. «Pero no», decía ella, «pobrecito, es que Guatemala es ingrata», y con un suspiro ponía fin a la conversación.

Después del desayuno, papá pasó a recogerme. Ese día estaría presentando su renuncia a la junta directiva del Icefi, el

Instituto Centroamericano de Estudios Fiscales que fundó en el 2005. A pesar de que el 50% de la población vive bajo la línea de la pobreza, Guatemala es el país latinoamericano con la carga tributaria más baja como porcentaje del PIB. Ambas realidades tienen que ver en gran medida con el tipo de élite empresarial que concentra el poder en el país.

Fundar y levantar un instituto como el Icefi, que investiga la desigualdad y la política fiscal, fue un logro importante para papá. Pero el arresto no solo lo afectaba a él, sino a las organizaciones con las que estaba vinculado. El día del arresto había renunciado al movimiento Semilla y a Oxfam para que su situación legal no las perjudicara. Al distanciarse de estas tres organizaciones, se alejaba también del trabajo que daba significado a su vida.

Mientras esperábamos en el carro frente a la sede del Icefi, le dije que quizás había otras cosas en las que podía involucrarse, otros proyectos.

Sí, dijo viendo la calle vacía frente a nosotros.

Estudios, consultorías que podrían salir, ¿no?

Hizo un gesto difícil de interpretar.

¿O no?

Tal vez, dijo dubitativo, y entonces continuó con una voz más apagada: Fijate que estaba trabajando en un proyecto lindo de Naciones Unidas, una consultoría sobre mujeres en el campo laboral, bien interesante. Pero me la cancelaron.

¿Cómo así?

Pues me enteré hace poco, ¿no?, dijo volteando a verme. Por el arresto, me escribieron un correo para informarme.

Era difícil imaginar lo que habría sido para él recibir un correo como ese. Papá se tuvo que jubilar de las Naciones Unidas a los 60 años, la edad límite, algo difícil porque siempre había estado dedicado de lleno a su trabajo. Yo sabía cuánto lo disfrutaba, su emoción contenida al hablar de algún estudio o libro que hubiera leído, incluso la forma en que su mirada despertaba al discutir con mi hermano temas de desarrollo y política fiscal. Pensé en los otros correos similares que estaría recibiendo y que prefería no mencionar.

Salimos del carro, nos acercamos a la puerta principal del Icefi y papá tocó el timbre.

Del Icefi fui al centro comercial Fontabella, donde nos reuniríamos con Ana Cristina y una periodista de Plaza Pública que escribía sobre el caso Transurbano. Habíamos hablado de la necesidad de que periodistas rigurosos e independientes lo investigaran. Cada artículo de prensa replicaba la versión y también el lenguaje de la fiscalía, casi siempre con fotos de los ministros esposados. A la vez, los periodistas presentes en la audiencia omitían los argumentos de las defensas en sus publicaciones. Todo esto contribuía a la impresión de que *seguro andaba metido en babosadas*. Al subir las gradas eléctricas me entró el mensaje de Ana Cristina:

Apelaron la medida sustitutiva.

Mierda: el MP había pedido que se revocara la medida sustitutiva de papá. Me quedé quieto junto al descanso de las gradas, un hormigueo debilitante en las piernas. ¿Lo regresarían a la cárcel? Busque la noticia en el celular, mis manos frías y torpes, pero aún no había nada.

Intercambiamos textos con Alberto, con mamá, con Kate, con Ana Lucía, angustiados de que pudieran ir a arrestar a papá otra vez para llevarlo de vuelta al Mariscal Zavala. ¿Cómo era posible que insistieran con esto?, nos preguntamos. ¿Bajo qué criterio? Alberto, que estaba al tanto de todas las noticias, dijo que el Ministerio Público no había apelado las medidas sustitutivas de los otros acusados, solo la de papá.

Caminé con pasos rápidos hasta la entrada de Sophos y ahí me encontré a Ana Cristina. Estaba junto al estante de las novedades literarias y tenía el rostro desencajado.

Ay, no puedo creerlo, me dijo.

Yo tampoco. No se sabe cuándo lo deciden, ¿verdad?

No, Giovanni aún no ha podido averiguar.

El fantasma de la apelación nos sobrevoló durante la reunión con la periodista. Nos escuchó atenta desde su lado de la mesa. Era joven y mencionó que había estado en algunas de las audiencias del caso Transurbano, pero tampoco lo conocía a fondo. Nos explicó algo que iba quedando cada vez más claro: estos casos eran muy complejos, pero como el MP había estado presentando tantos de forma acelerada, era difícil que la prensa se mantuviera bien informada sobre cada uno.

No hay suficientes recursos ni reporteros, dijo, no nos damos abasto.

Por eso te queríamos hablar, respondió Ana Cristina, simplemente para que al menos pudieras conocer nuestra versión.

Procedimos a explicarle los puntos principales de la acusación y la defensa.

Bueno, respondió al final la periodista, hablaré con los editores. Podemos ver si hay alguna posibilidad de investigarlo más.

No se miraba muy convencida y me sentí decaído, cansado, cuando nos despedimos de ella.

De vuelta en casa, mamá y yo nos dedicamos a preparar un correo con actualizaciones sobre el caso para enviar a amigos de la familia. En el estudio, mamá iba sugiriendo posibles destinatarios. Luego de un par de nombres, le pregunté si no creía que estaban demasiado convencidos por el trabajo de la CICIG y el MP como para considerar la posibilidad de que alguno de sus acusados fuera inocente.

Pero a esos también es importante enviarles el correo, dijo mamá al otro lado del escritorio, justo a los que asumen que la CICIG y el MP no pueden equivocarse. Nosotros estaríamos en las mismas si esto no nos hubiera pasado.

Seguimos trabajando y en algún momento noté que observaba su taza vacía.

¿Qué pasó?

Nada, dijo, es que toda la lucha contra la corrupción ha sido una decepción enorme para mí. Yo estuve en las calles desde el principio, gritando con la gente en el Parque Central y defendiendo a Iván Velásquez y Thelma Aldana en Twitter. Yo sé que no soy una persona famosa, pero hice lo que podía, salí a las calles y puse mi nombre y mis palabras en público. Pero ahora no vuelvo a ir a ninguna otra protesta, nunca más.

Recordé que en algún momento Kate y yo nos topamos por casualidad unos tuits que mamá había escrito en apoyo a la CICIG. Nos sorprendió su tono fogoso y combativo, sobre todo dada la persona dulce que nosotros conocíamos. También nos hizo reír.

Yo sé, le dije a mamá, uno se siente como un tonto útil.

Esa noche, antes de dormir, llamé a Kate desde mi cuarto y le conté sobre la conversación.

Dice mucho, me dijo, que alguien como tu mamá ya no vuelva a salir a manifestar por todo esto.

Recordé lo que le había dicho a mamá en el estudio:

Hay que ver, mami, tal vez en el futuro encuentra algo que sí valga la pena.

Había alzado las cejas, no parecía muy segura.

Tal vez, dijo.

Mamá

Me acuerdo bien cómo conocí a tu papá. Yo estudié casi toda la licenciatura de economía en las noches, trabajando de maestra durante el día, pero en mi último año se abrió una plaza en SEGEPLAN. Tu papá también trabajaba ahí, acababa de terminar su doctorado en Inglaterra, y su familia había vuelto del exilio en Ginebra.

Al lado de los baños en la oficina había un pasillo con un lavamanos. En ese tiempo los empleados llevaban su taza para tomar café. Un día, yo fui a lavar la mía y en ese pasillo me topé con tu papá. Terminamos hablando un poco de política y yo mencioné que estudiaba en la San Carlos. Entonces tu papá me invitó a una reunión del PSD, del Partido Social Demócrata, que en ese tiempo estaba en formación.

Si me pongo a pensar en lo que yo oía en la San Carlos, y lo que luego salió en esa reunión del PSD, eran dos mundos aparte. En la San Carlos se hacían mítines con las caras encapuchadas porque la situación estaba tan fea, estaban matando a dirigentes estudiantiles, las conversaciones eran sobre la lucha armada, sobre la revolución. Muy distinta a la conversación de un partido como el PSD, sin duda de izquierda pero sin abogar por la lucha armada.

La reunión del PSD fue por La Recolección y hablaron sobre la visión de la social democracia. La cosa es que en esa reunión empecé a hablar con tu papá, y me invitó a salir, creo que a tomar un café.

Pero tu papá era una persona muy reservada, ya sabés cómo es. Tímido, y reservado. En cambio yo no era así para nada. Yo cambié estando con tu papá después, porque yo era amiguera y parrandera. Creo que a tu papá le gustó eso, en parte se incorporó a mi grupo de amigos universitarios. Él tenía su grupo de amigos ahí en SEGEPLAN, pero era distinto, no muy parranderos. Supongo que intelectuales, no parecían jóvenes, eran algo aburridos (*risas*). Entonces tu papá empezó a salir un poco con nosotros. Rápidamente nos hicimos novios, no fue mucho tiempo.

Bueno, mucho era salir a bailar, ir a discotecas, pero tu papá no sabía bailar. Y yo sí era rebailarina y había un baile que se llamaba «bump». No sé si has oído del «bump». Ah, pues el «bump» era el último grito de la moda en esos tiempos, un baile en que uno se daba como golpecitos con diferentes partes del cuerpo mientras bailaba con la pareja. Era realegre, hacer bochinche más o menos, para molestar. Y tu papá no había modo de que aprendiera eso, así que me pidió si no le podía dar clases de «bump».

Me acuerdo que fui a su casa un sábado por la tarde con mis discos vinilos, y fue un mate de risa, casi me orino de la risa. Porque tu papá era lo más desarticulado del mundo —cuando se movía era para el lado que no era, daba el golpe donde no era, era rechistoso. Me reí montones. Bueno, nos reímos montones los dos. Él también se mataba de la risa. Fueron carcajadas toda la tarde, tratando de bailar «bump». Creo que no aprendió nunca el bendito «bump».

La verdad es que tu papá era una persona interesante. Primero conocía más mundo de lo que yo conocía, era alguien con una visión diferente, de hecho diferente a toda la gente que yo conocía en Guatemala. Y además Juan Alberto puede ser una persona muy dulce. Sí, como especial con uno. Quitándole esa su apariencia de ser una persona con una pared en frente... cuando uno pasaba esa barrera, era una persona muy dedicada a mí. Con un montón de intereses que a mí me gustaban —le gustaba leer, le interesaba la discusión política y económica, le gustaba bailar, aunque bailara mal (*risas*), y hacía cosas que yo nunca había hecho. Por ejemplo le gustaba hacer picnics, cosa que en Guatemala nadie hacía porque además era peligroso, pero con él salíamos de la ciudad y nos íbamos a cualquier lado a hacer picnics. Irresponsables, pero alegre. Íbamos a la playa, en fin, hacíamos cosas que al menos yo no hacía ni había hecho antes, teníamos conversaciones de temas inesperados. Y tu papá era muy cortés conmigo... ¿cómo te dijera? Lo hacía a uno sentir que era una persona especial. En esa época así era.

No era solo que podíamos hablar, tener buenas conversaciones, sino que además había mucha sintonía en el tema de nuestra visión sobre Guatemala. Porque la cuestión política estuvo siempre desde el inicio con nosotros. El interés por la política y el deseo de que el país cambiara nos acercó mucho. Lo hablábamos, íbamos a manifestaciones, estábamos muy activos como muchos otros en ese sentido. Al menos del lado mío, eso me acercó a él.

El camino que atraviesa el bosque del Mariscal Zavala se encontraba desierto. Iba ahí para ver a Erasmo Velásquez, el exviceministro de economía que no había recibido medida sustitutiva, y también para agradecerle a Julio Suárez por apoyar a papá cuando estuvo dentro. Avancé con pasos lentos, preguntándome si los exministros aún presos me recibirían amablemente o con alguna frialdad, si existía rencor por saber que mi papá y el resto estaban fuera.

El guardia de la entrada me abrió la portezuela y le pregunté a un preso junto a las champas por Erasmo Velásquez. Me indicó las mesas bajo el galpón.

Se encontraba sentado junto a otro señor de camisa de botones quien resultó ser su hermano.

¿Cómo está tu papá?, preguntó luego de los saludos.

Bien, dije, está bien, aunque me sentí casi culpable respondiendo a esa pregunta.

Qué bueno.

Acomodó sus manos sobre la mesa.

Es una injusticia que a usted le toque estar aquí adentro, dije.

Se sonrió resignado:

Las cosas pasan por alguna razón, hay que confiar en Dios.

El hermano de Erasmo se mostró de acuerdo y retomaron una conversación previa —llevaban algún tiempo especulando sobre la posible razón del Juez para denegarle la medida sustitutiva. Erasmo me acercó un folder con documentos, explicó que ahí estaba la justificación.

Fue hasta ayer que el Juez agregó razones, dijo, porque ni las dio durante la audiencia, y mi abogado tuvo que hacer un pedido formal para que se las detallaran. Y aquí, dijo señalando los papeles con el índice, el Juez dijo que por el cargo que ocupé en el gobierno hace diez años podría interferir con la justicia.

¿El cargo que ocupó? ¿Haber sido viceministro hace una década?

Sí, dijo Erasmo.

¿Solo así? ¿Sin dar más explicaciones?

Así como lo ves, dijo sin dejar de sonreír.

Ala gran diabla.

Con Lancerio hemos tratado de encontrarle sentido, agregó, pero no hay explicación convincente.

¿Anda por aquí Lancerio?, pregunté, y miré alrededor del galpón por si veía al exministro de cultura, a quien también se le había denegado la medida.

Sí, dijo, aunque aquel anda bastante de bajón.

Ah no.

Hasta anda considerando el proceso abreviado.

Lo había dicho con ligereza, restándole filo, pero en mi cabeza las alarmas se encendieron.

¿Proceso abreviado?

Erasmo asintió sin verme, ahora meditabundo.

Es que hicimos las cuentas de cuánto se tendría que pagar si a uno lo sentencian por fraude, explicó. Y resulta que costaría menos que todo lo que se paga en abogados, los gastos de estar aquí, de no poder trabajar.

Yo ya había leído que de ser sentenciado por fraude, cuya condena máxima es de 5 años, se podía pagar un monto por día para permanecer fuera de la cárcel. Era un ejemplo más del regresivo sistema judicial guatemalteco, donde se paga para evitar la cárcel si se trata de ciertos delitos. No era el caso para el cargo de peculado.

Intenté no revelar la agitación que me recorría. Tampoco repetí lo que sin duda ya sabía Erasmo: que una aceptación de culpa del exministro de cultura, aunque fuera por razones puramente prácticas, debilitaría la defensa de todos los otros acusados.

Además que con el proceso abreviado ya se puede ir uno de aquí, continuó Erasmo, volteando a su alrededor como si contemplara sus dominios. Lo malo es la mancha que queda,

¿verdad? Pero por lo menos uno ya estaría afuera. Lancerio podría reabrir su negocito, porque él exporta plantas ornamentales a Europa y se le está cayendo la empresa aquí metido, o empezar algo nuevo, olvidarse de todo esto. Eso ya es decisión de cada quién.

Pasamos los siguientes minutos hablando sobre la arbitrariedad del caso, de cómo los empresarios que sí recibieron el dinero del Transurbano estaban tranquilos, probablemente muy lejos de ahí. Erasmo me contó que el Juez había decidido retrasar la fecha para analizar otra vez su medida sustitutiva hasta mayo, lo que significaba dos o tres meses más esperando en prisión.

¿Por qué?

Porque sí, no hay una razón, es el típico proceso del que ya hemos estado aprendiendo aquí, dijo Erasmo, su bigotito quieto. Sabemos que estas cosas las van aplazando y aplazando y uno se queda aquí metido.

Julio Suárez se encontraba junto a su esposa en el extremo opuesto del galpón, cada uno hundido en una sillita de tela y leyendo su periódico particular. Me invitaron a que tomara asiento. Él tenía un modo suave, conciliador, y recordé lo que había dicho papá —que Julio se había convertido en una especie de guía espiritual para varios presos.

Le expliqué que solo quería agradecerle por haber ayudado a mi papá cuando le tocó estar ahí, por su apoyo en general.

No te preocupés, dijo, sentate, sentate, y me ofreció una de las sillas junto a la mesa frente a ellos. Habían descansado sus periódicos sobre sus regazos y me observaban.

Su ayuda fue muy importante, dije, para toda la familia. Enterarnos de que alguien lo estaba apoyando aquí adentro nos dio gran tranquilidad.

Julio asintió, y la forma amable de sus cejas, así como sus anteojitos de marco fino, le concedieron un aire benévolo. Su esposa lo observaba con cariño pero también con resignación piadosa. Me pregunté cómo habría sido para ella llegar ahí cada semana durante los últimos tres años, ver los cambios paulatinos en su esposo, su envejecimiento, saber que el tiempo pasaba y no volvía.

Hablamos brevemente sobre literatura y Julio alzó un dedo y me dijo que aguardara un segundo. Se levantó de la mecedora y buscó algo atrás suyo, en un estante recostado contra las columnas que sostenían al galpón. Luego de ojear un libro me lo acercó. Tenía un título en inglés.

Es solo un bestseller, ¿verdad?, dijo con ligero pudor, y vi que en efecto tenía un sello del New York Times. Pero a pesar de ser un bestseller, continuó Julio, está bien escrito. Tanto así que he estado apuntando todas las palabras que no conozco, y con eso sacó de entre las páginas una hojita puntillosamente doblada.

La desplegó sobre la mesa para enseñarme y vi las hileras de pequeñas palabras escritas con esmero a tinta azul. Me explicó que aprovechaba la lectura para aprender un poco de vocabulario mientras estaba aquí adentro.

Ojeé algunas de las palabras, vi las columnas bien organizadas. Evité su mirada para no encontrarme con ese suave entusiasmo que acababa de ver en sus ojos. Una vez más en todo este proceso, sentí un nudo en la garganta.

Ana Lucía

Fue como una pesadilla, ya de vuelta en Guatemala y yo estudiando en la San Carlos. Tendría unos veintipocos años. Algunas personas que ni conocía bien —estudiantes o un profesor, por ejemplo— me llegaban a contar sobre lugares donde me habían visto, o donde yo supuestamente había estado. Pero yo no había ido a esos lugares. Así que me preguntaba qué me estaba pasando. Pensé que me estaba volviendo loca, pero en serio volviéndome loca.

Y qué si lo que pasaba era que mi papá a veces salía con sus otras hijas, de su otra familia. Yo en ese momento no sabía sobre la otra familia. Y por ejemplo una persona me dijo que habían visto a Fuentes Mohr en la costa con sus hijas. «¿No estuviste con tu papá en la playa este fin de semana?», me decían, y yo no sabía si me estaban fregando o qué estaba pasando. No es que las hijas se parecieran a mí, pero imagino que así hacían la conexión las personas que lo mencionaban. Era como estar en otra realidad. Y empezás a preguntarte si quizás has estado en otro lugar sin saberlo, o si hay otra persona como vos que está viviendo tu vida.

Y además con la situación política era fregado, ¿no? Porque yo estaba involucrada con grupos estudiantiles activos políticamente, y de repente aparecía gente desconocida para decirme que me habían visto por aquí o por allá. Me daba miedo, sentía como que alguien estaba tratando de amenazarme o mandarme un mensaje.

Un día estábamos almorzando con tu papá y yo no me sentía bien, realmente me estaba cuestionando mi lucidez. Le dije «Fíjate que algo rarísimo me ha estado pasando» y le expliqué, y entonces él me dijo «Ah, ¿no sabes?», y yo le dije «¿No sé qué?» Y tu papá dijo «Ah, puchis. Ay, mira... », y me contó sobre nuestro papá, sobre su otra familia. Juan Alberto estaba... Yo jamás lo había visto tan... roto. Sí. Eso le dolió. Bueno, obviamente, para los dos fue un tremendo golpe. Porque los dos idolatrábamos a nuestro papá, ¿no? Y una cosa tan dolorosa, como una traición. A pesar de que yo sabía que me quería muchísimo. Luego ya empezás a ver a la persona, a entender mejor... es un ser humano, ¿no? Pero eso tarda, cuesta mucho.

Mamá y Harald habían invitado a papá a cenar con nosotros esa noche. No era cosa menor: por años después de la separación, mamá decidió que papá no volvería a entrar a la casa. Pero eso fue cambiando con el tiempo.

En una Navidad reciente, almorzábamos en el jardín junto a mamá, Harald, Kate y mi abuelita Margarita cuando escuchamos el timbre. Era papá pasando a traerme para ir a tomar algo. Harald fue a responder y ahí decidió con hospitalidad navideña y su generosidad de siempre que lo invitaría a pasar.

Para ese entonces mi abuelita Margarita llevaba varios años de quebrantos —había sufrido un par de derrames— y muchas veces no entendía lo que estaba sucediendo a su alrededor. Kate me contó que cuando Harald fue a la puerta y yo iba al cuarto por un suéter, mi abuelita volteó hacia ella y, con repentina palidez, preguntó si era mi papá quien tocaba.

Creo que sí, dijo Kate.

¿¡Y va a entrar!?, exclamó escandalizada.

A pesar de los dieciocho años desde la separación, mi abuelita seguía indignada de que papá hubiera propiciado el divorcio. Siempre le tuvo cariño y había sido particularmente atenta con él. Cada vez que íbamos a visitarla le cocinaba subanik u otros platos de ardua preparación que a él le gustaban. Por eso es que nunca renunció a sentirse traicionada. En más de una ocasión nos reímos con mamá, pues la abuelita seguía hablando de papá con una mezcla de añoranza y rencor, frunciendo el ceño al recordar «lo que nos hizo ese señor».

De hecho, una de las primeras preguntas que mi abuelita le hizo a Kate fue si tenía una buena impresión de mi papá. En su tono quedaba claro cuál era la respuesta correcta y Kate se rio, sorprendida:

Pues... ¡es su papá!

En ese tiempo Kate solo conocía la faceta más seria de papá, su gesto escrutador luego de preguntar cualquier cosa durante algún almuerzo. «Las cejas Fuentes», decía, ya que las cejas de los hombres en nuestra familia solían ensombrecer la mirada. Pero Kate me dijo luego que llegó a entender esa aparente parquedad, la renuencia a asentir con entusiasmo ante cualquier comentario, como una forma de la honestidad, de primero pensar bien en lo que decía la gente antes de reaccionar. Eso y su dificultad para oír, le dije yo.

Así que esa Navidad papá llegó al jardín acompañado de Harald. Pasó saludando a los presentes hasta llegar a mi abuelita:

Hola, Margarita, dijo.

Mi abuelita volteó a ver a mamá, un gesto de confusión en su rostro.

¿Y él quién es?, preguntó señalándolo con un dedo tembloroso.

Es Juan Alberto, dijo mamá, usted se acuerda.

La abuelita lo miró con detenimiento; del asombro inicial pasó a una mueca de profunda decepción:

Ay no, exclamó, ¡qué viejo y gordo se puso!

Creo que todos soltamos una carcajada; papá esbozó una sonrisa.

¿Será?, dijo en voz suave, y se llevó una mano a la panza. De hecho bajé de peso estos meses.

Y era cierto: se miraba bien, más joven que otras personas de su edad. Pero mi abuelita lo observaba como si hubiera visto un espanto, volteando cada tanto hacia mamá para confirmar semejante sobresalto. Una pequeña venganza magistral.

Salimos de la casa junto a papá y luego de entrar a su carro me confirmó que de verdad había perdido peso. Le dije que sí, que se veía bien, que estaba en buena forma.

Esa noche solo estaríamos Harald, mamá, Otto y yo para la cena. Al oír el timbre fuimos a recibir a papá a la puerta; vestía un saco café un poco arrugado y pantalones khakis. Aury salió de la cocina donde preparaba la comida y se dieron un abrazo breve, con una mezcla de timidez y sincera alegría de verse.

Ya en la sala Harald nos acercó Vikingos y Otto le preguntó a papá cómo estaba, cómo había seguido, y hubo expresiones de solidaridad por todo lo sucedido. Dijimos que ahora que estaba afuera las cosas cambiarían, que de aquí en adelante irían mejor.

Los tragos ya empezaban a relajarnos cuando pasamos al comedor. Aury había preparado trucha —la especialidad de la casa— y tomamos vino blanco para acompañarla. Papá se aclaraba la garganta con frecuencia, porque tenía una tos seca desde el Mariscal Zavala que se había ido poniendo peor. A veces parecía que se le iba el aire y en esos momentos guardábamos silencio y aparentábamos no darnos cuenta.

Nos contó que acababa de reunirse con el abogado, y que le había dicho que el juzgado tardaría alrededor de un mes en definir si le confirmaban la medida sustitutiva o se la quitaban. Volteé a ver a mamá. Un mes. Por lo menos había tiempo. ¿Tiempo para qué? Papá estaría viviendo en cuenta regresiva, sabiendo que sus días de libertad podrían estar contados.

¿Y cuáles son los próximos pasos en el proceso legal?, preguntó mamá.

Parece que se reanuda en unos meses, dijo él, cuando empiece lo que se llama etapa intermedia. En esas audiencias se determina la seriedad de las acusaciones y si corresponde que el caso vaya a juicio.

¿Es posible que el juez decida que no tiene que ir a juicio?, pregunté.

Pues debería serlo, respondió papá, pero el abogado dijo que en los casos de la CICIG los jueces simplemente los mandan a juicio, estén o no estén fundamentadas las acusaciones. Solo lo pasan de largo, dijo, e hizo el gesto de entregar una papa caliente. Así evitan el desgaste y son otros los que tienen la responsabilidad de decidir.

Entonces va para largo, murmuró mamá, y dijo que habría que rezarle mucho a la Virgencita.

Papá solo asintió. Era un ateo convencido, aunque los años lo habían vuelto más abierto ante creencias distintas a las suyas. Supuse que el arresto también le habría alborotado certezas previas.

Nos empezó a contar que en el Mariscal Zavala muchas redes de apoyo estaban formadas en base a la religión.

Yo no iba a misa ni rezaba en la cárcel, dijo, pero la mayoría sí. Y luego está el hecho de que la persona que tenía el control de nuestro sector es muy cristiano. Por eso me sorprendió que me prestara la champita en la estuvimos con Rodrigo y Ana Lucía, dijo viéndome, porque yo no participaba en eso. La verdad es que sí fue un acto de generosidad inesperado.

Pues yo sí he estado rezando bastante a la Virgencita, dijo mamá, y Harald mencionó que habían ido a la iglesia varias veces en esas semanas. Sonaba cansado.

En el Mariscal Zavala casi todos son católicos o cristianos o se convierten. Y la verdad, suspiró papá, si yo pudiera, ¡también me gustaría creer!

Le dije que pensaba lo mismo, que después de todo esto no hubiera caído mal creer.

Lástima su cosa atea, papá.

Pues sí, dijo, una fregadera ser escéptico.

Escéptico, pensé luego, pero no lo suficiente como para imaginar que algo como esto le podría suceder.

Procedió a contarnos que cuando ya llevaban un par de semanas en el Mariscal Zavala y le tocaba ir a la primera audiencia, el gabinete se reunió bajo el galpón.

Estábamos todos los exministros ahí, esperando para ir a la reja de salida, cuando llegó la persona que controlaba el sector y nos juntó en un círculo, pidiendo que nos abrazáramos. Ya abrazados rezó una oración por nosotros, para darnos fuerza en la audiencia.

Me imaginé a papá en ese círculo, los rostros de los exministros congregados muy juntos como en un equipo previo a los penales, el «Amén» final.

La religión es muy poderosa, dijo Otto con laconismo, y todos asentimos.

Ahora que lo pienso, siguió papá, sí fui una vez a la iglesia, en uno de mis últimos días ahí. Es que me invitaron a hablar frente a la gente congregada, lo cual es algo común: invitan a personas a que den charlas o hablen sobre sus experiencias.

¿Y cómo estuvo?

Papá se terminó lo que quedaba de su copa:

Pues yo no había preparado nada, dijo, y ahí hay gente que habla muy bien, que le gusta dar discursos. Se hacía referencia a Gandhi, a Martin Luther King, las clásicas, pero también a Malcolm X, por ejemplo. Yo empecé diciendo que hablaba desde la humildad, porque en el Mariscal Zavala había aprendido un montón de cosas de las que no estaba al tanto. Reconocí que estuve equivocado de varias maneras. Juzgué personas y casos sin conocer los detalles.

Me sorprendió que lo dijera tan abiertamente. Tampoco era extraño que ahora mirara las cosas desde un ángulo distinto, expresando a su propia manera lo que yo también estaba sintiendo.

La verdad es que fue improvisado, dijo, y al final la gente se levantó y aplaudió, algunas personas incluso lloraron. Hasta un tipo bien grande que siempre me había parecido amenazador, con cara de pocos amigos, se me acercó al final con ojos llorosos y me dio un gran abrazo.

Púchica, dijo Harald riendo, hasta amigos fuiste a hacer ahí.

Pues no sé si tanto como amigos, sonrió papá, pero la gente sí que aprende a escuchar estando ahí adentro. Las perspectivas cambian mucho y supongo que hay tiempo para pensar. Mis perspectivas han cambiado.

Luego de un digestivo y sobremesa, papá dijo que ya era hora de regresar a su casa. Nos levantamos para acompañarlo hasta la puerta.

Tenía la mirada como en shock, dijo mamá luego de verlo alejarse en su carro, estaba en shock todavía. Lo vi muy avejentado.

Harald dijo que era cierto, pero que también lo sintió contento de sentirse querido.

Puso su brazo sobre los hombros de mamá, y ella se acercó a él.

Ana Lucía

Habiendo visto lo que pasó entre mis padres, y habiendo pasado por las relaciones que me han tocado a mí, con los problemas que ya conocés, lo que siento es que esconder la realidad... ¿por qué? ¿Para qué? Alguien podría decir «Ay no, qué vergüenza», pero ¿vergüenza para quién? Para mí, ¡no! No debería ser así, ¿verdad? Pero esta sociedad la hace sentir a una como que es una la que debería sentir vergüenza por lo que hacen los hombres. ¡¿Desde cuándo?!

Lo que mi papá hizo sufrir a mi mamá no es culpa de mi mamá. En ese sentido, esa vergüenza entre comillas es fregada, porque perpetúa esta idea de que las mujeres son las que tienen que cargar con la responsabilidad. Y luego ya difuntos los esposos y una sigue cargando esa vergüenza.

Una vez le pregunté a mi mamá sobre el tema y me dijo «No, yo nunca hubiera dejado a tu papá. Él no me quería dejar y yo no lo hubiera dejado porque yo lo amaba.» Porque lo que yo pensaba era «¿Cómo es posible que acepte esto?», a pesar de que quería tanto a mi papá.

Y había otro elemento, que era la vida que nosotros tuvimos como familia —las experiencias increíbles, maravillosas que mi hermano y yo tuvimos con nuestros papás. El diálogo que llevábamos los cuatro, la relación tan dinámica. Tu papá y yo le debemos mucho, si no todo, a ese principio de nuestras vidas, a cómo nos desarrollamos en ese ambiente.

Yo veo a mi alrededor y me doy cuenta de que la mayoría de gente no tiene ese privilegio de tener padres que te exponen a pensar y te cuestionan y te admiten dentro de la conversación, padres que tienen un diálogo del que uno quiere ser parte, y a la vez te invitan a ser parte de viajes o aventuras. Yo tengo recuerdos buenísimos con mi papá y mi mamá, con los dos, en el sentido de que mi papá no estuvo ausente cuando yo era patoja, ¿verdad? Y por eso fue tan duro cuando me enteré de todo. Porque yo creo que si hubiera tenido un papá ausente hubiera sido diferente; bueno, terrible a su propia manera, pero en el caso de mi papá no tuve ese vacío.

Mi papá era un papá muy especial, y era un líder político con mucha sensibilidad. Y luego estaba esto otro, su vida como esposo. Y la pura verdad es que lo veo como un reflejo de la sociedad en que vivimos. Digo «vivimos» porque esto sigue ocurriendo. Esto lo ve uno tanto, todavía. Yo no sé cómo explicarlo. A mí me deja perpleja, siempre. Estos hombres también tienen un problema con su ego, en alguna parte. Porque tantas de las personas que están en situación de poder —los hombres en situación de poder— tienen sus amantes, y también sus otras familias o hijos. Porque esa es la hombría o eso piensan. El macho, que va dejando hijos e hijas por ahí. Casi como una forma del darwinismo, ¿no?

Pero en el caso de mi papá hay una contradicción ahí, muy grande, por su congruencia ideológica en los otros campos de su vida. Básicamente refleja su humanidad y su imperfección. Una manera de explicarlo para mí es que en su propia casa tenía un modelo en su padre; sabemos que su padre se comportaba de forma similar con mi abuelita Marie. Pero además sobrepasar eso en una sociedad machista es difícil, y sobre todo en ese tiempo, sobre todo en Guatemala.

La última vez que yo le hablé a mi papá —y eso me dolió por muchos años— me dijo que no iba a poder pasar Año Nuevo con nosotros. Eso fue a finales del '78; yo había llegado de mi maestría en Costa Rica a pasar unas semanas en Guatemala. Dijo que le habían ofrecido un viaje a Cuba para dar una conferencia o no sé qué. Íbamos en el carro, porque él me estaba dando jalón al centro, y me acuerdo que me volteé y le dije «Ay papá, no sea tan mentiroso». Yo sé que él estaba —no sé si angustiado, pero no sabía cómo decírmelo. Así que esperó hasta el último momento para hacerlo. Y entonces yo le dije «¿Por qué no simplemente me dice la verdad?», y me respondió «¿De qué está hablando?» o algo así. Me acuerdo que le dije «Adiós, papá» y cerré la puerta. Y esa fue la última vez que lo vi, hombre. Yo me fui para Costa Rica y poco después lo mataron a él.

A la mañana siguiente acompañé a mamá a la Antigua. Tenía que dejar truchas en restaurantes y tiendas que le compran el pescado, y aprovecharíamos para alejarnos un rato de la ciudad. Pasamos el Reloj de Flores con sus agujas gigantes girando sobre un jardín a media avenida; en Guatemala se acostumbraba decir sin ironía que es el «reloj de flores más grande del mundo».

El valle de la capital está surcado por barrancos, y avanzamos por calles que se columpiaban entre hondonadas y cerros, atravesando unos cuantos puentes destartalados. Uno de estos, llamado El incienso, es trampolín predilecto de suicidas, razón por la cual la municipalidad alzó una malla metálica a los costados —pero el presupuesto o las ganas solo alcanzaron para cubrir la mitad. Abajo, en las covachas al fondo del barranco, los habitantes han pintado sobre sus techos mensajes de salvación que mezclan un auténtico amor al prójimo y cierto humor guatemalteco.

Pero los barrancos no son solo accidentes geográficos, sino emblema y vitrina de la estratificación social de la ciudad. A la par de edificios lujosos que buscan los cielos, barriadas de construcciones endebles se aferran de uñas y dientes a las pendientes. En época de lluvia, los deslaves se llevan casas y causan tragedias que toman por sorpresa, como siempre, a las autoridades municipales. Si bien los barrancos fueron pulmones de verdor en su inicio, con el tiempo se han vuelto el reducto de aquello que la ciudad deshecha: basura, aguas negras, gente sin dinero.

Ya entrando a la carretera que lleva al occidente, al salir del atasco vial de la Avenida Roosevelt, aceleramos en dirección a la Antigua. Pronto llegamos a las calles empedradas de la ciudad y, luego de dejar las truchas con los clientes, decidimos cruzar a pie el Parque Central hasta el restaurante Sabe Rico, ubicado en una especie de jardín secreto.

Cuando terminamos, mamá insistió en que nos tomáramos una foto para enviarle a Kate —se va a poner contenta de verte aquí y saber que estás bien, dijo, pero pareció desconcertada al ver la imagen en el celular, y repetimos la foto unas cuantas veces.

Ya íbamos entrando otra vez a la capital cuando recibí una llamada de papá.

¿Vas a estar en casa en la tarde?, preguntó.

Sí, ¿por qué?

Tengo que contarte algo.

¿Ah sí?

Sí, algo duro.

¿Sobre qué?

Mejor te cuento en persona, dijo, mejor llego a la casa.

Colgamos y mamá me volteó a ver.

¿Qué pasó?

No sé, papá me tiene que contar algo.

Sangre fría circulaba por mi cuerpo.

Nos vimos en la puerta de entrada y le dije que mejor subiéramos al bosquecito en la cima de la colonia.

Ahí podemos hablar tranquilos.

Ya arriba avanzamos por un sendero entre grandes pinos y encinos. Al llegar al pequeño claro entre la arboleda, sombreado por plátanos enormes de apariencia prehistórica, papá se frenó.

Te cuento, dijo. Ana Cristina se reunió ayer con un periodista importante de quien te había hablado antes. Te acordás, ¿no?

Le dije que sí: se trataba de uno de los periodistas de mayor trayectoria en el país. Papá dijo que el periodista había sido una especie de padrino de profesión para Ana Cristina, quien estudió comunicaciones.

Pues él le dijo a Ana Cristina algo que ya hemos escuchado bastante, me dijo papá. Recomendó que buscara un proceso abreviado.

Lo miré pero guardé silencio.

Le dijo que estos casos con la CICIG son sumamente difíciles, independientemente de la situación particular. Que duran años y son muy caros, realmente desgastantes. Los jueces están muy presionados. Solo la gente con plata puede aguantarlos. Vas a terminar vendiendo tu casa para aguantarlo, le dijo a Ana Cristina, y aun así quién sabe cómo saldrá Juan Alberto.

Seguimos caminando hasta una banquita de madera junto al sendero. Entre los grandes árboles frente a nosotros, más abajo, se podía vislumbrar la carretera a Muxbal. El zumbido del tráfico nos llegaba por oleadas.

¿Entonces lo está considerando en serio?, pregunté.

Se encogió de hombros, respiró.

Pues sí, lo estoy considerando.

Hasta ahora había evitado mi mirada, como si hablara de alguien más, pero en ese momento volteó a verme. Intenté rearmarme, aparentar que sus palabras no me habían golpeado.

Pues está bien, papá, tiene que hacer lo que sea mejor para usted. Usted sabe que lo apoyamos, sea cual sea su decisión.

Imaginé que él también intentaba convencerse a sí mismo.

¿Significaría aceptar la culpa de lo que dicen?, pregunté.

Movió la cabeza de lado a lado, dubitativo.

Tal vez es necesario asumir alguna responsabilidad personal, aunque sea una mentira. Es que la alternativa es terrible, dijo. En este ambiente no es descabellado que me declaren culpable. Diez años en la cárcel, o más.

Sí hombre.

Imaginate, salir de casi ochenta años, si es que logro salir.

Sí, es terrible.

Y probablemente tendría que vender la casa, endeudarme, dejar a Ana Cristina y a la familia bien fregada.

Apoyó sus codos sobre las rodillas. Pensé en los mensajes a favor del proceso abreviado que nos habían llegado —de algunos amigos de buena fe, así como las presiones por parte de otros con sus propios intereses— y entendí que al fin, después de tanto, esa presión había hecho mella.

¿Y tendría que culpar a otras personas?, le pregunté.

No, eso nunca lo haría.

Sí.

Ay dios, dijo sacudiendo la cabeza, fregado todo esto.

Sí, papá. Pero nosotros lo apoyamos, decida lo que decida.

Los próximos minutos fueron duros porque no hablamos, pero la realidad del proceso abreviado ya pesaba sobre nosotros. Cargamos ese peso al levantarnos otra vez, mientras caminábamos por el sendero para salir del bosque. Lo miré de reojo en la bajada y noté que iba viendo el pavimento de la calle, encorvado, y me dieron ganas de abrazarlo. Seguimos cuesta abajo.

Al día siguiente desperté con mensajes de Alberto en el celular.

Maldita Prensa Libre, decía en el chat de la familia.

Habían vuelto a poner el caso Transurbano en la portada, como venían haciéndolo cada tanto, pero ahora iban más lejos. Aún en cama, leí el titular:

«MP ya tiene 20 testimonios en caso Transurbano».

El hormigueo familiar del temor se hizo sentir. Por el título parecía que una legión de testigos respaldaban con sus relatos las acusaciones de la fiscalía. Se mencionaba comunicación comprometedora y descubrí sobresaltado que habían publicado correos electrónicos entre papá y su viceministro de finanzas del momento.

Al leerlos, sin embargo, entendí que eran precisamente los mismos correos que papá había entregado a la CICIG de forma voluntaria el año previo —una correspondencia normal donde se detallaban los pasos a seguir para aprobar el subsidio. Y aunque los mensajes corroboraban que no hubo arreglos oscuros —el intercambio ahí era técnico, transparente—, el contexto del artículo los presentaba desde un marco condenatorio. Imaginé a las personas ojeando el artículo sentadas ante sus desayunos. Solo con leer el titular, muchos asumirían que la persona señalada era culpable.

Esa noche, papá me avisó que su amiga Anabella —escritora y miembro de Semilla— estaba invitándonos a tomar un trago en su casa. Yo solo había conocido a Anabella en una ocasión, varios meses antes. Los tres nos habíamos reunido en un café por sugerencia de papá dado el interés común por la literatura. Recuerdo aún el entusiasmo con que Anabella habló de sus distintos libros publicados, describiendo los temas que abordaban. Es que te va a encantar, me dijo sobre la novela que estaba pronta a publicar, sus ojos encendidos.

La invitación tenía un peso simbólico que agradecí: unos cuantos miembros de Semilla se habían mostrado solidarios con papá tras el arresto, pero el movimiento en su conjunto había guardado silencio en relación al caso. Quizás era comprensible en términos de cálculo político, pero la sensación de desengaño era inevitable. La invitación de Anabella, quien tenía cierto protagonismo en Semilla, era un gesto bienvenido después de ese distanciamiento.

Álvaro, el esposo de Anabella, llegó a recibirnos a la entrada con una sonrisa generosa. Llevaba ropa deportiva y cómoda, tenis y una chaqueta roja de Adidas. Me agradaron su aire juvenil y su informalidad.

Anabella llega pronto a casa, dijo mientras nos hacía pasar, está participando en un panel de escritoras.

Seguí a Ana Cristina y papá al interior, admirando la casa que entendía había sido diseñada por el padre de Anabella, un arquitecto famoso. Las gradas bajaban por un espacio amplio y abierto, y al fondo un gran ventanal ofrecía una vista del valle de Guatemala. Álvaro nos invitó a sentarnos en el bar ahí abajo y ofreció cierto coctel con el que había estado experimentando, y que de hecho era delicioso.

Justo entonces escuchamos que la puerta de la entrada se abría y desde ahí la voz airosa de Anabella saludó a los que esperábamos abajo, en el bar. Sentado en mi taburete la vi bajar las gradas, con un chal cuyo extremo sostenía en el antebrazo, y en su camino empezó a contarnos sobre el evento en el que había participado, las preguntas del público, sus respuestas.

Nos abrazó a todos con besos y se sentó en la barra junto a mí, esperando a que su esposo le sirviera un trago. Sacó un cigarrillo electrónico de su bolsa.

¡Qué chilero verlos, muchá!, exclamó.

Estaba radiante y dirigía la conversación por diferentes senderos, describiendo en algún momento sus impresiones de películas —*Dunkirk, The Darkest Hour*— y de otras cosas. No dije mucho mientras aguardaba sentado entre papá y ella. Ambos hablaban en voces cada vez más altas porque Álvaro le había subido el volumen a la música y ya todos estábamos un poco borrachos. Me alegró ver a papá animado y comentando temas que nada tenían que ver con lo vivido estas últimas semanas. Aproveché para salir al balcón a fumar un cigarro.

Al entrar de vuelta Anabella me dijo que ahí adentro podía fumar sin problema, que no me preocupara, y papá sacudió la cabeza con una sonrisita reprobadora, diciéndome que debería cuidarme más. Anabella ya había puesto un cenicero sobre la barra.

Fumá a gusto, dijo señalando la gran sala, aquí hemos tenido fiestas y la gente fuma; las personas incluso bailan en las mesas, se pone bueno aquí, ¡no creás que no!

Le dije que sí, que podía imaginarlo, y al voltear a ver la sala pensé en toda esa gente bailando sobre los muebles. De improviso se quedó quieta, olfateó el aire.

Qué rico huele tu cigarro, ¿qué es?

Saqué la cajetilla de Pall Mall rojos, los más baratos de la gasolinera.

¿Pall... Mall?, preguntó, saboreando las palabras. Pues tiene un aroma como achocolatado. ¿Me regalás uno?

Seguro, los que quiera, dije, y encendí el cigarro entre sus dedos.

Ana Cristina también fumaba ahora y Álvaro y papá miraban a una y otra con supuesto reproche, diciendo que ellos eran los únicos saludables aquí, y mientras tanto Anabella seguía hablando sobre las fiestas concurridas que habían tenido —se guardaba ciertas anécdotas para otra ocasión, explicó con un guiño. Iba expulsando el humo hacia arriba o hacia atrás, sobre su hombro.

El humo y los whiskeys fueron llenando el espacio de una mayor densidad. En algún momento vi que Anabella se levantaba para ir a bailar con Álvaro tras la barra, y entonces Ana Cristina también se bajó del taburete y se acercó bailando a papá. Aunque no volteé a ver supe que él se había puesto de pie, y fui afincándome aun más en mi taburete, empotrado ahí como un molusco fumador. Traté de seguir con mi mano en la barra el ritmo del pop reggaetonero que salía de las bocinas.

¡Qué chilero muchá!, exclamó Anabella sin dejar de moverse.

Luego de unas cuantas canciones, Álvaro bajó el volumen de la música para renovar los tragos. Cada quien se fue sentando en sus taburetes, solo que ahora Anabella parecía haber recordado algo y titubeaba con evidente emoción, considerando si debía compartirlo con nosotros o no.

Bueno, dijo volteando con complicidad hacia papá y Ana Cristina. ¿Adivinen quién va a venir mañana a desayunar aquí?

Miré a Álvaro pero él estaba enfocado en preparar los tragos.

¿Quién?, dijo papá.

Anabella sonrió y apagó su cigarro:

Thelma Aldana.

Papá miró a Ana Cristina, luego a mí.

¿Thelma Aldana?, preguntó, y por su intento de sonrisa entendí que quería encontrarle el lado divertido, al igual que yo. ¿Y eso?

Pues solo es un desayuno, ¿verdad?, para platicar.

¿En serio?

Pues sí, respondió ella.

Papa descansó su trago en la barra y luego de voltear a Ana Cristina, como constatando lo que acababa de escuchar, miró a Anabella:

Pero bueno, dijo un poco alterado, ¡explicale que soy inocente!

Anabella lanzó un manotazo al aire.

Ay no, dijo, yo no le puedo hablar del caso, ya sabés cómo es eso.

Estaba claro que ahora Anabella vacilaba un momento, comprendiendo que el camino emprendido revestía mayor complejidad de lo esperado. ¿Qué está pasando aquí?, me pregunté, mi cuerpo borracho pero de pronto alerta, intentando reactivarse. ¿Será una broma? Papá tampoco parecía entender. Le preguntó para qué se iban a juntar.

Es que con ella ya hemos tenido algunas pláticas, dijo, y su rostro se volvió más serio y también más tentativo cuando volteó a ver a Álvaro.

Papá sacudió la cabeza, alejó el trago en la barra con la punta de los dedos.

Púchica, dijo, pues qué mal.

¿Por qué?, respondió Anabella, ahora defensiva. Solo es una conversación.

El ambiente se había tensado y sentí que incluso la música apenas sonaba.

Pues para mí, dijo papá, Thelma Aldana es una mierda.

No alzó demasiado la voz pero era la primera vez en mi vida que lo oía usar esa palabra, y la dijo con tal vehemencia contenida que me tomó un momento asimilarla.

¡Ay no!, exclamó Anabella. Esas cosas no las vengás a decir a mi casa.

¿Por qué no?, dijo papá.

Vos dijiste, respondió Anabella en voz muy alta, ahora descompuesta mientras levantaba un dedo acusador, que había que ser congruentes, que la gente afectada por estas investigaciones no podía luego ir criticando al MP y la CICIG.

Sí, exclamó papá, pero eso fue antes de entender mejor cómo funciona esto, de saber que a mí me clavaron sin evidencia, sin razón, de aprender que hay otros casos cuestionables, abusos con la prisión preventiva para mucha gente.

Ah no, dijo Anabella, ¡eso no se vale!

¿Por qué no?

Eso no se vale, no podés cambiar ahora de opinión porque te tocó a vos, ¿verdad?

Pues me equivoqué, dijo papá, alzando las manos y la voz. ¡Acepto que me equivoqué!

¡No se vale!, repitió Anabella, y con eso se echó para atrás sobre el asiento y encendió uno de mis Pall Malls, pero con fastidio. Álvaro aguardaba callado tocando botones en el equipo de sonido y Ana Cristina no supe qué hacía, pues yo solo esperaba sentado en mi taburete entre Anabella y papá, que habían estado ojeándome cada tanto en su intercambio.

No se trata de qué se vale o no se vale, dijo papá, tengo nueva información y nueva información genera nuevas conclusiones. Me encontré con algo que no conocía, así de sencillo.

Ah, ni mierda, respondió Anabella, sacudiendo la cabeza, eso no se vale.

Papá volteó a vernos a Ana Cristina y a mí, incrédulo.

¿Por qué no? Vos no sabés lo que he vivido, lo que siento.

Pues fijate que yo sí puedo saber cómo te sentís, dijo Anabella, yo puedo imaginármelo.

¡No!, exclamó papá. Eso solo lo puedo saber yo.

Lo siento, Juan Alberto, dijo Anabella elevándose sobre el taburete, pero yo soy escritora, así que yo sí puedo ponerme en los zapatos de otras personas.

Con eso se quedó muy recta.

Ahí yo no estoy de acuerdo, dije, masticando mis palabras para no agitarme demasiado.

Papá y Anabella me miraron y traté de calmarme.

Yo también escribo, dije, y soy el hijo de mi papá. Pero ni escribiendo, ni siendo su hijo, puedo entender lo que siente él. No puedo saber qué piensa él, o cómo ha sido todo esto para él.

No seguí porque ya sentía el posible desenfreno, reconocí el mismo temblor que había escuchado en la voz de papá. ¿En los zapatos de otras personas?, quise preguntarle. ¿Por ser escritora? No agregué que esas palabras me parecían tan desacertadas como faltas de mínima sensibilidad. Tampoco dije que esa actitud subyacía uno de los grandes problemas de cierta literatura latinoamericana, la ilusión autocomplaciente de darle voz a aquellos que no la tienen.

Todos guardamos silencio y la conversación pareció calmarse un poco. Alguien observó que Ana Cristina ya no estaba ahí —que de hecho llevaba algunos minutos desaparecida—, y entonces hubo un nuevo y pequeño altercado entre Anabella y papá, porque él quería ir a buscarla al baño y ella también y no se ponían de acuerdo. Papá prevaleció.

Luego de que él se fuera en su búsqueda, Anabella me sonrió sacudiendo la cabeza, pidió otro cigarro. Con el modo aún entrecortado, pero intentando cierta jocosidad, me dijo que estuvo duro, pero que así había sido siempre entre ella y papá, porque ellos se decían las cosas de frente.

Por suerte papá y Ana Cristina regresaron en ese momento. Álvaro ofreció nuevos tragos y soltó una ocurrencia de la cual intentamos reírnos. Pero por dentro, por debajo de todo el resto, una pregunta se mantuvo presente:

¿Por qué se estaría reuniendo Anabella con Thelma Aldana?

Después de un último whiskey me pareció que la situación había cambiado lo suficiente como para despedirme. Les dije adiós a todos.

Nos vemos mañana, papá, paso en la tardecita.

Sí, nos vemos mañana.

Me acerqué para darle un abrazo. El día siguiente sería el último antes de mi regreso a Providence. Subí las escaleras hasta la puerta de salida, llegué al carro y enfilé a casa.

SELLOS.DE.LAUNION

29 Junio 133 - Conmemorativo 3 centenario del descubrimiento

SELLOS CONMEMORATIVOS

Julio Conmemoratitos - aniversario del 1º vuelo en Milavá | AEREOS

Agosto 133

IV
Providence

Kate me esperaba en la estación de bus en Sabin Street. Nos abrazamos largo y al ver sus ojos cálidos entendí cuánto la había echado de menos. Me ayudó con mi mochila y cruzamos en diagonal bajo los árboles ya deshojados de Kennedy Plaza.

Esa noche desempaqué mi ropa, colgué las camisas y me dejé caer en el sofá. Era el mismo sofá en el que había visto la conferencia de prensa de la CICIG, cuando Iván Velásquez y Thelma Aldana responsabilizaron a papá de orquestar negocios corruptos. Me pregunté si esa asociación quedaría afincada en mi mente y en mis tripas, si el apartamento seguiría contaminado por esos recuerdos.

Pero Kate también había preparado una cena de bienvenida —quizás mi tipo de comida favorita— con pequeños platitos de tapas: una tabla de quesos, coliflor con ajo y pasas, baguette, vino. Al final ya me encontraba dichosamente borracho, feliz de estar ahí con ella.

Las cosas están mucho mejor que la última vez que nos sentamos en esta mesa, me dijo Kate, y tenía razón. En situaciones así, hay que ser felices cuando algo feliz pasa, agregó.

Le conté que luego de una de las audiencias, mi mamá me dijo que teníamos que salir de todo esto siendo mejores personas.

Menos ingenuos, le dije a Kate, tal vez escépticos, pero no cínicos.

Es cierto, respondió ella acercando su mano a la mía, y los dos nos miramos con alguna complicidad, incluso culpa, y luego nos reímos, resignados. Más fácil decirlo que lograrlo.

Esa noche hablamos con Kate sobre mis sensaciones en relación al país luego del arresto de papá.

I got sucker-punched by Guatemala, le dije.

Kate y mamá se habían preguntado en el pasado, con genuina incredulidad, por qué era que me gustaba tanto pasar tiempo en el país, a pesar de las cosas difíciles que le tocaron a la familia, así como las dificultades en mi época de colegio. De tener la opción, mamá viviría en otro país; Alberto se fue y visitaba cada vez menos. Yo, en cambio, volvía a cada oportunidad. ¿Por qué tanta insistencia en regresar?

Con Kate hablamos seguido sobre la posibilidad de pasar temporadas extendidas en Guatemala. A ella le gusta visitar a la familia y los amigos, pero no le entusiasma la idea de asentarnos o tener una familia ahí. Así como a mi hermano, le afectan visceralmente los comportamientos racistas y clasistas que uno se encuentra a cada vuelta de la esquina. Tiene claro que el racismo sistémico opera a sus anchas en Estados Unidos, que está tan presente en el origen del país como en su rostro contemporáneo. Aun así le impresiona la desfachatez con que se manifiesta en Guatemala. También la desconciertan ciertos disfraces guatemaltecos a los que no logra acostumbrarse: gente de apariencia progresista que, al calor de los tragos, revelan su comodidad e incluso preferencia por las afiladas jerarquías locales.

Con frecuencia me veo matizando esta realidad guatemalteca; sugiero que en Estados Unidos el racismo está mejor maquillado, que en Guatemala solo se disimula con menor éxito. Kate no está en desacuerdo, pero ambos sabemos que es un argumento pobre.

Y aunque Kate aprecia la amabilidad de mucha gente, incluso su calidez, entiende que las interacciones con sonrientes meseros, por ejemplo, o solícitas tenderas, están definidas por relaciones de poder bastante jodidas. A menudo, el modo afable de los guatemaltecos esconde una aprensión marcada por el hierro al rojo vivo de nuestra historia. El constante «*disculpe*», el preventivo «*fíjese que*», el «*pues*» provisional —nuestro lenguaje mismo está poblado de formas de distanciarnos de aquello que decimos. Y lo que se dice pocas veces es lo que se piensa. Nuestra lengua vive entre los puntos suspensivos.

¿Qué dice sobre mí que yo prefiera estar en Guatemala que en casi cualquier otro lugar? Disfruto enormemente hablar y reír con desconocidos, las horas con buenos amigos, viajar a la Sierra de las Minas o al Lago Atitlán, deambular por las calles coloniales de la Antigua. Como si esa misma época colonial no estuviera viva y presente ahí, ahora; como si mi situación particular no privilegiara una experiencia segura, agradable, saludablemente emocionante. A diferencia de Alberto y Kate, ¿tengo una brújula moral más flexible y complaciente, una que se adapta a las circunstancias que más deleites me concedan?

Nieve tupida caía en el camino de la universidad a Providence. Al llegar al estacionamiento subí a la planta destechada. Se había desatado la tormenta y desde ahí la ciudad se miraba irreal, cinematográfica, un horizonte de ladrillo rojo y cemento tras las ventiscas de nieve.

Hola papá, dije al celular.

Hola Rodrigo, ¿cómo has estado?

Intentamos ponernos al día. Me contó que le alegraba la pronta visita de Alberto, pues mi hermano estaría llegando junto a mi prima Lorena para reunirse con algunos analistas y periodistas, al igual que lo habíamos hecho Ana Lucía y yo. Como buenos académicos, o como académicos buenotes, todos queríamos estudiar la situación para entender mejor el caso. ¿Cuáles eran las fuerzas y motivaciones tras el arresto? Siempre estaba la esperanza de aprender algo que permitiera ayudar a papá. A pesar de que mi hermano nunca pudo convivir con ciertas realidades del país, es quién más lee los periódicos y libros sobre la actualidad política nacional, quién más enterado está. En la familia nos hemos reído por la manera idiosincrática en que se manifiesta su desencanto.

Papá también dijo que había recibido algunos correos solidarios de excolegas de Oxfam. Explicó en una voz suave que le pegaron esas muestras de apoyo.

Pero eso fue todo. A partir de entonces el volumen de su voz fue bajando y era difícil entender las frases breves que decía.

Respondió con algunos monosílabos a mis preguntas, costaba tener un intercambio fluido. Quizás era yo quien buscaba consuelo al hablarle, él quien toleraba mi conversación, esperando pacientemente para colgar. La posibilidad de que cancelaran su medida sustitutiva siempre estaba presente, una estática al fondo de todo.

Seguí caminando a un *deli* cercano al apartamento por unas verduras, y al entrar le pregunté si había salido de su casa.

Fijate que ayer fui a cortarme el pelo, dijo.

¿Ah sí?, respondí alarmado, pues me había estado preguntado sobre su vida pública ahora que él era de «los corruptos». ¿Cómo lo vería la gente en la calle, o en el supermercado? ¿Alguien lo increparía?

Sí, fui al Camino Real.

Papá llevaba décadas yendo a la peluquería del hotel Camino Real, con un barbero mayor que hacía cortes de la vieja escuela. Yo lo había acompañado algunas veces, y ahora lo pude ver avanzando por esos mismos pasillos de suelos encerados hasta el pequeño local al fondo del hotel. Supuse que habría estado atento a las caras que por ahí se iba encontrando, cauteloso.

¿No se encontró a nadie?

Bueno, llegué sin saber muy bien cómo iba a ser, ¿no?

Sí pues.

Pero fijate que al entrar a la peluquería, el barbero —el flaco, ¿te acordás?— me vio y vino a darme un gran abrazo.

Puchis.

Buena gente, dijo papá, y murmuró algo más, aunque esto último fue ininteligible. También he oído a mi hermano Alberto balbucir cosas así. Tanto él como papá son claros con el lenguaje, concisos siempre, pero sus palabras se borronean cuando se acercan a los linderos de la vulnerabilidad.

Mamá

A las dos semanas del asesinato de tu abuelo, en febrero del '79, la gente del Partido Socialista Democrático se reunió para decidir los próximos pasos a tomar, qué hacer ahora que habían matado al líder del partido. Por ese motivo nos juntamos en la casa de otro dirigente del PSD —el doctor Gallardo— que quedaba entre la Zona 9 y la Zona 4.

Era de noche y estábamos muy asustados. Después de que mataron a tu abuelo la represión se había intensificado. Todos andábamos temerosos, sabíamos que nos estaban siguiendo.

Tuvimos la reunión en la sala de su casa y ya era de noche, tipo siete, cuando uno de los que estaba ahí se tuvo que ir por algo que tenía que hacer. Pero al salir se dio cuenta de que había carros circulando en esas calles con personas sospechosas, carros sin placas. Así que llamó al teléfono de la casa y dijo:

Váyanse ahora mismo, pero no todos de un solo, váyanse por grupos, porque hay gente vigilando la casa.

En ese tiempo no hubiera sido extraño que entraran para llevarnos a todos y desaparecernos. Casos así ha habido muchos en la historia de Guatemala, y sobre todo en esos años. A los cuantos meses entró gente armada a una reunión de sindicalistas en pleno centro de la ciudad, a pocas cuadras del Palacio Nacional, y se los llevaron a todos, a casi treinta, y nunca más se volvió a saber de ellos.

Así que decidimos ir saliendo en grupitos lo más rápido que podíamos, y yo salí con tu papá. La casa del doctor Gallardo quedaba a una cuadra de la vía del ferrocarril, cerca de la terminal, pero en lugar de irnos volando a nuestra casa tu papá empezó a dar vueltas por esas calles, buscando a los matones.

Esos son los que mataron a mi papá, decía, ¡esos son los que mataron a mi papá!

Por supuesto estaba con un gran dolor, pero estaba como loco. Y yo iba aterrada.

En una esquina, cuando íbamos a cruzar a la derecha, quedamos de trompa con otro carro, y nos dimos cuenta de que era uno de los carros de los matones.

Ellos sabían quiénes éramos nosotros y que nosotros sabíamos quiénes eran ellos. Era un carro sin placas, estaba claro quiénes eran.

Nos quedamos parados ahí mismo lo que pareció siglos, frente a frente, viéndonos, y de repente ellos se hicieron hacia un lado y empezaron a rebasarnos despacito, mirándonos, yo esperando que nos metieran los balazos. Pero entonces aceleraron y se fueron.

Tu papá y yo teníamos las piernas como si fueran de gelatina. No sé cómo arrancó y me vino a dejar a la casa, y él se fue para la suya.

Mamá me contó que Alberto acababa de llegar a Guatemala junto a Lorena, y que cada día se duchaba muy temprano y comía el desayuno antes que todos.

Ya a esa hora está sentado con un traje completo, me dijo mamá, con camisa blanca, corbata, zapatos formales. Bien peinadito, y de ahí sale a sus reuniones programadas.

Pocas veces lo había visto así. Aunque es sobrio con su vestimenta, disfruta de la comodidad de sus tenis y camisetas. Lo imaginé frente al espejo del baño, peinándose luego de ponerse el saco, dispuesto a vestir sus prendas más formales para las reuniones —sabía que ese tipo de detalles intrascendentes podían contar.

Papá tenía suerte. Si algo me pasara a mí, si terminara metido en algún embrollo, quisiera tener a Alberto en mi esquina. No creo que Alberto tenga el talante para ser político, pero sin duda sería un excelente estratega político.

Cuando estábamos en el colegio uno de sus amigos le preguntó si algún día le gustaría ser presidente de Guatemala. Alberto lo pensó unos momentos y luego respondió:

«No quisiera ser presidente, pero sí el hombre tras bambalinas, aconsejando al presidente.»

El hombre tras bambalinas. Hubo risas; aún hoy lo recordamos.

Alberto se graduó del colegio dos años antes que yo y se fue a la universidad en Estados Unidos. Por ser el conejillo de Indias de nuestra familia —imagino como todo primogénito— viajó con la visa incorrecta; al aterrizar lo deportaron de inmediato a Guatemala y cuando al fin consiguió la visa adecuada y llegó a su universidad no llevaba sábanas ni colchas, por lo que durmió sus primeras noches arropado por una toalla. Iba mal preparado, probablemente cohibido, pero poco a poco fue conociendo a gente de distintos ámbitos que se convertirían luego en entrañables amigos —un pequeño y ecléctico grupo de personajes cálidos.

Continuó con su maestría y doctorado en Estados Unidos. Cuando pasó unas semanas de vacación en Guatemala conoció a Kimmie, quien estaba ahí de viaje y aprendiendo español. Se enamoraron y decidieron vivir juntos mientras ella terminaba sus estudios de medicina y se unía a la CDC en Atlanta. Aunque sus temperamentos eran muy distintos —mi hermano introvertido, Kimmie con una personalidad burbujeante acentuada por sus rubios y alocados colochos— formaron un gran equipo. Ella quería a mi hermano tal como era, valorando la ternura y lealtad que demuestra de una forma sincera pero comedida. A la vez, lo integró a la activa vida social que ella ya tenía, y nunca dejaron de disfrutar con los viajes y aventuras que los había unido desde un principio.

La introversión era un fantasma que parecía recorrer a los hombres de nuestra familia de generación en generación. Así como mi abuelo siempre privilegió a Ana Lucía *—la alegre—* por sobre papá, papá siempre fue más suave conmigo que con Alberto. Porque Ana Lucía y yo éramos diferentes a ellos; porque no veían en nosotros las características propias que habían luchado para desterrar de sí mismos.

En alguna ocasión fui a cenar con Kate y papá a *Donde Joselito*, y ahí empezamos a hablar sobre la niñez de mi hermano y la mía. Le fui preguntando a papá sobre la forma en que nos criaron, la férrea disciplina en casa, y me encontré con respuestas más tentativas de lo que hubiera esperado. En algún momento dijo que se arrepentía de haber sido tan estricto con Alberto.

Pienso que ser estricto es importante, dijo. Pero me acuerdo que una vez regañé a Alberto y vi miedo en sus ojos, me di cuenta de eso. Y me dije puchis, mi hijo me tiene miedo.

Con esas palabras pareció sorprenderse a sí mismo. De un momento a otro se le humedecieron los ojos y sacudió la cabeza. Tomó un trago de su vaso y dijo que bueno, era algo que le había tomado tiempo entender, que se arrepentía.

Me aguanté de llamar a Alberto mientras pasaba su semana en Guatemala. Supe que tenía reunión tras reunión, algunas con personas escépticas, y que cada noche volvía a casa drenado de reservas sociales. Pero un día después de su regreso a Atlanta, vi su llamada entrante.

Pues lo primero es el proceso abreviado, dijo luego de los saludos. Papá no lo va a hacer.

¿De veras? ¿Te lo dijo él?

Sí, está convencido, sabe que sería pésimo vivir consigo mismo después de algo así.

Ala gran, qué bueno, hombre.

Sí, creo que antes se sentía demasiado presionado y por eso lo consideró, sobre todo con la preocupación de la plata, de tener que vender su casa.

Imaginé que mi hermano también se sentiría aliviado. A la vez pensé en las otras implicaciones de esa decisión, los riesgos que conllevaba.

Aparte de eso tuve varias reuniones, dijo Alberto.

Procedió a mencionar los nombres de la gente con la que había hablado —me parecían, en general, personas cuyo criterio respetaba, incluso si no lo compartía. Se ubicaban a lo largo del espectro ideológico.

¿Qué te dijeron?

Pues empecé preguntándoles sus opiniones sobre el caso, ¿verdad? Me sorprendió la reacción.

¿Ah sí?

Sí, hay dos grupos, unos cuantos que conocen bien el caso y saben que papá y los ministros no tienen nada que ver ahí. De ahí hay otros que creen que a papá se lo babosearon, que entre Sandra Torres y Alejos y otros se aprovecharon del gabinete para empujar esto y beneficiar a los transportistas. Pero ninguno de ellos cree que esto fuera una conspiración de los ministros.

Púchica, ¿eso dijeron?

Pues fueron bastante críticos de este caso. Hubo varios cuestionamientos en general sobre el actuar reciente de la CICIG, incluso de gente que apoya su trabajo. Una periodista me dijo que se pusieron a jugar política sin saber jugar. Necesitan los arrestos y las conferencias de prensa para generar el apoyo popular que justifica su trabajo. Es un círculo vicioso.

Increíble que estén contándote eso, le dije.

Bueno, eso no lo dicen en público, ¿verdad? Algunas de estas personas cambian mucho el discurso en los medios. No son tan críticos. No quieren afectar a la CICIG o tienen miedo.

Papi, papi, escuché que decía Anaís al fondo, y Alberto le respondió algo y volvió al teléfono. Mencionó el nombre de un experto en el tema del transporte público con quien se había reunido.

Él simpatiza con la CICIG, dijo, la apoya y de hecho ha trabajado con ellos en investigaciones previas. Pero me dijo que este caso había sido un error.

¿En qué sentido?

Dijo abiertamente que el problema fue que la CICIG cedió a la presión del *paracuandismo* y por eso terminaron acusando a todo el gobierno de Colom. Debían haberse ido por los empresarios que se robaron el dinero, además de Alejos y el ministro de comunicaciones, que es el responsable del transporte y parece tuvo que ver. Pero el simbolismo de arrestar a todo un gabinete de izquierda y meterlo a la cárcel era muy atractivo. Por eso la manera tan pública de hacerlo.

Recordé las palabras del abogado que se reunió con Ana Lucía y conmigo —explicó que la CICIG y el MP podían parecer fuertes, pero había grupos de empresarios poderosos que los estaban presionando mucho, tanto en Guatemala como con *lobby* en Estados Unidos. Exigían a la CICIG que hubiera casos contra la izquierda, pues sentían que solo iban tras personas cercanas al sector privado. En un contexto como ese, nos dijo el abogado, la CICIG también hacía lo que podía para sobrevivir.

Ala gran.

Sí, y que además está la medalla adicional que Thelma Aldana e Iván Velásquez se pueden poner en la solapa por haber metido a otro presidente y su gobierno en el bote.

¿Así te lo dijo?

Así. Creo que dijo pin, no medalla.

Mamá

Bueno, además del ejército también estaban esas bandas de matones que iban armadas de un lado a otro torturando y desapareciendo a quien fuera. Bandas como la de Chupina, el director de la policía, o de Donaldo Alvarez, el ministro de gobernación, gente así. Mataban a alguien, ¿y qué importaba, verdad?

Ya habían matado a tu abuelo, ya habían matado a Meme Colom, ya habían matado a Oliverio Castañeda y a medio mundo. Yo estaba con pavor de que me mataran todo ese tiempo. Todos estábamos igual, era psicosis. Y así fue cómo lograron apacharnos, a cualquiera que no pensara como ellos. Hasta la actualidad la situación en Guatemala es como es en parte por esos años.

Tuvimos la suerte de que tu abuelo, que había trabajado en Naciones Unidas en Ginebra, tenía amigos ahí que ayudaron a sacar a tu papá del país. Allá estuvo algunas semanas con un trabajo o consultoría. Nosotros casi no podíamos hablar, eran puras cartas. Primero porque una llamada internacional era carísima pero además porque tenían todos los teléfonos intervenidos.

Un día me llamó Juan Alberto para preguntarme si me quería ir con él a Ginebra, porque le estaban ofreciendo un trabajo ahí, y entonces le dije que sí, que sí me iba. Y ahí me dijo que nos casáramos. Sí, por teléfono, ni modo, esas eran las circunstancias.

Tu papá regresó a Guatemala poco después, para arreglar todo y ayudar a Shirley a empacar la casa. Y bueno, ahí trajo mi anillo de compromiso.

Nos casamos en marzo, en una boda hecha a la carrera, ¿no? Fue por lo civil y por lo religioso, porque tu papá no era creyente pero yo sí. Así que antes de la ceremonia pedimos cita con el sacerdote de mi parroquia y llegamos a hablar con él.

«¿Cuándo se quieren casar?», nos preguntó, y nosotros le dijimos que en tres semanas. «¡¿Qué?!» casi gritó el cura, «¡no se puede! ¿Por qué tan rápido?», y Juan Alberto le dijo, «Bueno, es que tenemos una urgencia», y el cura empezó a darnos un gran sermón (*risas*), hasta que Juan Alberto le dijo «Disculpe, está un poquito equivocado, nos tenemos que casar porque tenemos que irnos de Guatemala, yo soy hijo de fulano de tal.» Y ahí el cura cambió, entendió lo que pasaba y entonces dijo que por supuesto, que no había problema.

Nos casamos en la Iglesia San Martín de Porres, en una ceremonia muy sencilla, y luego mis papás hicieron una cena en casa. Me acuerdo que después de la boda, Otto nos llevó en el carro de tu abuelita Shirley a la cena —Otto era padrino de bodas y también nuestro chófer (*risas*). Por supuesto estaba recién muerto el papá de Juan Alberto, así que no había música, no era realmente una celebración. Es que estábamos de duelo. Comimos, nos abrazamos con todos, y luego de eso salí de la casa con mi maleta hecha.

Fijate que Giovanni se topó por casualidad con un fiscal de la CICIG en la Torre de Tribunales, dijo papá al teléfono.

¿Ah sí?

Sí, de hecho hablaron de mi caso.

Las alarmas saltaron en mi cabeza.

¿Y qué le dijo?

Que querían reunirse conmigo en la sede de la CICIG.

¿Para qué?

No sé, respondió papá, aunque sería una buena oportunidad para recalcarles los argumentos y la evidencia que no han tomado en cuenta.

¿Pero será bueno eso...?, empecé a decir. ¿Será buena idea darles nuestros argumentos? Pueden usarlos en su contra, parchar los vacíos en el caso.

Hmm.

Traté de no insistir, porque entendía que papá quería ver una ventana de oportunidad (¡yo también!, me hubiera gustado decirle, ¡yo también quiero verla!).

Papá me llamó a los pocos días de tener la reunión.

Fue en la sede de la CICIG, explicó, una casa grande, como de los años cuarenta. Ahí por la Diagonal Seis.

¿Estaba Velásquez?

No, fue con una mujer argentina y un hombre de la CICIG; era ella la que conducía la reunión.

No supe si eso era algo positivo o preocupante. Papá me explicó que le habían sugerido que se fuera por un proceso abreviado; también quedaba claro que querían que les diera información comprometedora sobre Sandra Torres.

Ah, no friegue. ¿Siguen con eso?

Sí, pero lo manejaron todo de forma bastante desastrosa.

¿Por qué?

Porque les aclaré que nunca aceptaría un proceso abreviado, ¿no? Pero además me di cuenta de que ninguno de los dos había leído la declaración ni información que yo di a la CICIG meses antes de mi arresto. ¡Ni conocían la declaración en sus manos! En realidad no sabían cosas básicas sobre el caso.

No, hombre.

¡Sí! De hecho los dos habían ojeado *Rendición de cuentas*, pero ninguno lo había leído todo. No es que mi libro sea importante, pero ahí están mis reparos respecto a Sandra Torres.

Era cierto: el día siguiente del arresto, un medio en línea de amplia difusión había publicado un artículo titulado «Así describe Juan Alberto Fuentes Knight a Sandra Torres en su libro».

Sorprende esa incompetencia, le dije. ¿Será deliberada?

No lo sé. Pero no hubo mucho más que saliera de la reunión. Aunque sí me arrepiento de una cosa: yo fui funcionario de Naciones Unidas casi veinte años, y me hubiera gustado decirles que era una vergüenza que funcionarios de Naciones Unidas, porque la CICIG es parte de Naciones Unidas, hicieran un trabajo tan mal hecho, al menos por lo que vi en este caso. A mí esa falta de rigor me molesta. Sobre todo considerando la responsabilidad que tienen. Sobre todo considerando las consecuencias de lo que hacen.

Más de tres meses después del arresto de papá y del gabinete, el Ministerio Público presentó la acusación formal en el juzgado. Giovanni se la envió a papá y este a su vez la compartió con Ana Lucía, Alberto y conmigo. Un temblor subterráneo me recorrió mientras descargaba los enormes archivos enviados. Eran miles y miles de páginas, aunque pronto quedó claro que la mayor parte eran fotocopias de documentos de identificación, folios de procesos legales sin importancia, papeles genéricos. Tomaría mucho tiempo leerlo todo. Los cuatro nos pusimos a trabajar.

Me encontré con la denuncia del exvicepresidente Espada, la misma declaración que llevó a los fiscales a reabrir el caso: en el 2015, en plena euforia del movimiento anticorrupción, Espada presentó su tibio «J'accuse». Hablaba sobre la manera en que se acordó firmar el acuerdo gubernativo:

«A partir de ese momento no entra a discusión al gabinete económico, del cual yo estaba a cargo, y se discute únicamente con el Ministro de Finanzas y el Presidente de la República, quienes a través de acuerdos gubernativos, reglan o aprueban transferencias presupuestarias para dicho proyecto».

Su tono parecía dolido, e imaginé que se habría sentido excluido de responsabilidades que pensaba le correspondían. Pero en una segunda declaración del 2016, Espada afirmaba que el Ministro de finanzas sí hizo presentaciones al gabinete sobre la propuesta del sistema prepago. De hecho, varias de las posiciones de Espada en sus declaraciones eran vagas y a la vez contradictorias.

Recordé que cuando papá estuvo en el gobierno, le pregunté por el vicepresidente —no sabía casi nada sobre él, pues era un doctor que recién entraba a política por primera vez. Me respondió:

No es mal tipo.

Insistí hasta que, casi a su pesar, citó una frase que un exjefe suyo solía usar:

Tiene pocas ideas, pero confusas.

Nos reímos, él con alguna pena, y recalcó que igual le parecía alguien con buenas intenciones. El problema, me explicó entonces, era que Espada no tenía manejo técnico ni político, por lo que quedaba muy relegado en las discusiones de gabinete.

Continué leyendo la acusación con cuidado, cada vez sintiendo mayor desahogo al ver que no parecía haber evidencia nueva, nada comprometedor contra papá. Era una versión diluida de lo que se había dicho en la conferencia de prensa. ¿Sería que ahora que ya habían dado el golpe no les importaba el caso? Llevaba una doscientas páginas del mamotreto, orgulloso por mis grandes avances, cuando entró al chat de la familia un mensaje de Alberto:

Ya leí la acusación. Mal fundamentado todo. Y hay un tema bien importante que está muy débil. Gran error del MP.

Lo primero que pensé fue, ¿cómo puede leer tan rápido este cabrón? Lo segundo: ¡Grande, Alberto!

Lo llamé por teléfono mientras conducía al trabajo:

Hola, ¿qué tal?

Encontré algo increíble, dijo.

Contame.

Se acuerda del Plan Operativo, ¿no?

Ajá, respondí —se trataba de uno de los elementos centrales en la acusación: la fiscalía y la CICIG aseguraban que el gobierno había dado el subsidio sin tener un plan operativo que detallara cómo se usarían los fondos.

Uno de los pilares de la acusación, dijo Alberto.

Sí, confirmé ya un poco impaciente, ¿pero qué pasó?

Basaron su acusación en el Plan Operativo incorrecto.

¿Cómo así?

Los fiscales basaron toda su acusación en un Plan Operativo para un subsidio distinto, previo al de este Acuerdo Gubernativo. Para cada subsidio hay un Plan Operativo nuevo, y el que revisó la fiscalía solo menciona superficialmente la idea del sistema prepago porque se refiere a un subsidio previo. ¡El Plan Operativo correcto era el siguiente!

Ala gran diabla, no fregués.

Lo peor es que papá le entregó el plan correcto a la CICIG cuando fue a dar su declaración antes del arresto. De hecho está incluido con firmas y fechas entre los miles de documentos de la acusación, porque tenían que incluir la declaración de papá. Pero la fiscalía basó todo en un plan incorrecto, y por eso decían que dieron el dinero sin saber cómo se usaría.

¿Pero habrá sido a propósito? Parece un error demasiado grande.

Tal vez. Pero aquí queda claro que sí había un plan operativo detallado, que el dinero no se desembolsó con cuatro folios, como dijeron en la conferencia de prensa.

¿Y qué aparece en el Plan Operativo correcto?

Se detalla cuál va a ser el proceso de implementación, quiénes los beneficiarios, los usuarios, cuáles los costos, los objetivos, todo.

Estacioné en el parqueo de la universidad y subí las gradas al campus saltándolas de dos en dos. Por el frío y la prisa enganché el brazo de mi abrigo en una punta metálica de la baranda —el pequeño y sordo estallido expulsó una nubecilla de plumas a mi alrededor. ¡Mi abrigo! ¡Mi querido y cálido abrigo! Identifiqué el hoyito del que salían las plumas a velocidad alarmante.

Mientras me sostenía el brazo y caminaba apresurado al departamento de español, recordé las palabras que Ferraté había compartido con Ana Lucía al final de una de las audiencias. Hablaba de sí mismo y de los otros exministros, de lo que el arresto y la acusación significaba para ellos:

Somos como pollos que acaban de desplumar, le dijo a mi tía. Cuando al final se sepa que éramos inocentes, ya no va a ver forma de volver a pegarnos las plumas.

Mamá

La impresión que me causó Ginebra cuando llegué con tu papá de Guatemala es que era una ciudad gris. ¡Súper gris! Yo estaba acostumbrada a ciudades con las casas pintadas de colores. Así que eso fue raro para mí, pero de todas formas era mágico. Además significaba estar en un lugar donde no nos sentíamos en peligro o a merced de quien fuera. Y en Ginebra me sentía libre, era una vida nueva por descubrir.

Yo entendía un poquito de francés, porque en ese último mes en Guatemala había tomado clases. Ya en Suiza tu papá, para variar, me obligó a que me metiera a la clase intermedia, porque según él yo ya no era principiante.

Hice la maestría en el Institut du Développement. Me acuerdo que cuando llevé mi título de Guatemala la gente en la oficina de admisiones lo vio con una sonrisita muy suiza, porque el título de la San Carlos era un gran pliego como de dos metros lleno de sellos dorados por todos lados, puro pergamino de conquistadores, comparado a los títulos en Europa que parecen una invitación a un entierro.

En Ginebra no fue fácil desprenderme del miedo. En Guatemala nos había dado pavor ver carros sin placas, o incluso peor, notar que una moto te pasaba a la par —así habían ametrallado a muchos. Pues en Ginebra nos dimos cuenta de que habían pasado varios meses desde nuestra llegada y tu papá y yo seguíamos viendo siempre por el espejo retrovisor, nerviosos con los carros y las motos.

Pero también tuvimos mucha suerte, porque ahí una pareja que habían sido muy amigos de tu abuelo nos tomaron bajo el ala. A través de ellos conocimos a un grupo de amigos que nos adoptó. Bien bonito, unas ocho personas, y nos reuníamos en un apartamentito para tener cenas que llegaban hasta la madrugada.

Poco después llegó tu abuelita Shirley. Fue ahí que yo a Shirley realmente la quise tanto. Se quedó con nosotros, en nuestro apartamento, como unos tres o cuatro meses. Teníamos un sentido de humor similar, y además habíamos vivido muchas cosas fuertes en Guatemala, y en tan poco tiempo. Cosas muy tremendas.

Con mi papá seguimos enviándonos cartas —ya te he dicho que él era una persona muy suave. Yo había recibido un sobre con varias postales de su puño y letra desde Guatemala y esa Navidad hablamos por teléfono y se oía bien.

La celebración fue linda porque decidimos con nuestros amigos tener un evento especial, chiquito pero nuestro. Para Shirley también fue muy bueno, habiendo salido de ese terror de Guatemala.

A los días de esa celebración estábamos durmiendo en el apartamento cuando sonó el teléfono. Y cuando sonaba el teléfono de madrugada siempre era una mala noticia —algo le había pasado a alguien en Guatemala. Me acuerdo que Juan Alberto se sentó en la cama y dijo «¿Aló?» y oí que dijo «Sí, aquí está» y me pasó el teléfono. Era Otto, para avisarme que mi papá había muerto de un ataque fulminante al corazón. Shirley también lo había oído y vino corriendo al cuarto, y ya me encontró llorando. Y por supuesto yo no pude regresar a Guatemala para el funeral.

Me encontraba de visita en Boston, tomando un café, cuando entró un mensaje de Alberto a mi celular:

CICIG presentó caso de financiamiento ilícito. Empresarios dieron plata bajo la mesa para comprar al presidente. Las grandes empresas del país señaladas: la cementera, la cervecería, otras.

Leí el mensaje de Alberto en mi celular, entré de inmediato a Prensa Libre y busqué la noticia, incrédulo. Estaba en primera plana.

¡Los tatascanes de Guatemala! Se confirmaba lo que ya se suponía desde hacía tiempo: los grandes empresarios del país daban dinero bajo la mesa a candidatos con el fin de garantizar influencia, contratos y funcionarios allegados en los gobiernos de turno. La investigación se había enfocado en el dinero recibido por la campaña del presidente actual, Jimmy Morales, millones de quetzales que no se reportaron como estipulaba la ley.

La noticia restauró algo de mi fe en la CICIG; si habían arrestado a los grandes empresarios era posible que la comisión se estuviera manejando con mayor independencia y menos cálculo político de lo que pensaba. También ponía en jaque el monopolio que esos mismos empresarios mantenían sobre el sistema electoral.

Salí del café y caminé cuadra tras cuadra con la mirada fija en el celular hasta que pude hablar con Alberto. Me dijo que sí, que habían señalado a los grandes empresarios de algo grave (¡de comprar al presidente!), pero acababa de ver la conferencia de prensa de Iván Velázquez y Thelma Aldana.

Estuvo suavesísima, dijo, nada que ver con los otros casos de la CICIG. Casi les agradecieron por dar un paso al frente, por asumir la responsabilidad.

¿Pero los arrestaron?, pregunté.

No, ¡que va! Ni siquiera a los operadores políticos, menos aún a los empresarios. Solo los citaron a presentarse al juzgado. Y creo que no a todos.

Me explicó que en la conferencia de prensa no habían mostrado fotos de los señalados. Tampoco habían llegado policías a arrestarlos a las seis de la mañana a sus casas. Nombraron a un par de actores secundarios y algunas empresas que usaron para dar el dinero al partido del presidente. Pero a los verdaderos señalados, a los dueños que movían los hilos de este país, ni los mencionaron.

Y eso que este es el pecado original de la democracia, dijo Alberto.

Tosió una risa desganada. Era cierto que en sus discursos de los últimos meses, Iván Velásquez había insistido en que el financiamiento electoral ilícito era «el pecado original de la democracia», pues ese era el crimen con que se corrompía todo el Estado.

A los cuantos días miré la conferencia de prensa del MP y la CICIG en YouTube. Me impresionó la delicadeza con que se mencionaban los posibles errores cometidos por los señalados —la manera en que Velásquez y Aldana hablaban de la «reparación digna» que darían los empresarios. Quedaba claro que el delito era demasiado serio como para ser ignorado. A la vez, la manera de confrontarlo intentaba ser lo suficientemente suave para no enfurecer a las fuerzas poderosas que buscaban echar a la comisión del país.

Los cinco jefes de familia prepararon su propia conferencia de prensa en el salón de un hotel de lujo en la capital. Ahí ofrecieron una tibia disculpa conjunta y hablaron de su amor por el país: «Quiero dejar claro que nuestro primer compromiso es Guatemala, el segundo es Guatemala, y el tercero también es Guatemala.» Ese domingo, la sección de El Peladero de El Periódico publicó una sección sobre «la valiente conferencia de prensa de los empresarios que reconocieron el error de haber dado recursos financieros al partido de gobierno y al mandatario».

Valiente, decía; *error*. Aun así, cuando se presentaron las imputaciones formales, cuatro de los empresarios se retractaron, declarándose inocentes y evitando dar declaraciones a la prensa. Los casos ya no avanzaron.

Tiempo después, un testimonio anónimo incluido en el libro de la antropóloga Alejandra Colom confirmó que para esos venerables *pater familias*, la disculpa significó una «humillación pública», algo que «jamás nos vuelven a hacer». Considerando la suavidad con que se les trató —ni arresto o grilletes, ni prisión preventiva, ni siquiera la publicación de sus fotos— la reacción demostraba su presunción de absoluta inmunidad frente a la ley. Tenían razón.

Mamá

En Europa había comités de solidaridad para países con dictaduras, porque un montón de lugares en América Latina estaban hirviendo en esa época, ¿verdad? Las personas que lograban salir del país intentaban denunciar lo que se vivía. Como en Ginebra estaba la Comisión de Derechos Humanos, ahí llegaban muchos, y varios se quedaban de paso con nosotros en el apartamento.

Me acuerdo de dos curas españoles que estaban en Quiché y habían tenido que salir huyendo del país amenazadísimos por su trabajo con la gente. Me tocó lavarles su ropa y no se le quitaba la suciedad ni a patadas. Bien fregados los pobres. Así estaban muchos que recibíamos ahí.

Y también me acuerdo de la vez en que llegó un grupo del Ejército Guerrillero de los Pobres, debe haber sido el '80 o '81. Era gente que iba de paso y estaban ahí en nuestra sala hablando de cómo estaban a punto de tomar el país entero por las armas. Ellos ya se hacían victoriosos en Guatemala. Con tu papá oíamos, sentados, y no decíamos nada, solo nos mirábamos de reojo.

Ya se estaban repartiendo los ministerios y los poderes del Estado, según ellos era cosa de meses, semanas, ganar la guerra. Este iba a ser ministro de no sé qué y aquel el secretario de no sé cuántos. Ya habían hecho su gabinete. Olvidate del resto de los grupos que estaban ahí peleando, ellos ya lo tenían todo resuelto. Eran realmente sectarios, nos dio miedo la forma en que hablaban.

Y en algún momento —no sé si cuando se fueron o un ratito en el que estábamos en la cocina— con tu papá dijimos «Uy, si estos ganan nos van a mandar a fusilar por no ser comunistas». Esto aquí no es democracia, pensamos. Por la manera en que se expresaban, por cómo se repartían lo que creían era el poder entre ellos.

Había todo tipo de personas. Recuerdo bien una velada que organizamos junto a comités de solidaridad de Nicaragua, El Salvador, varios otros, con actividades en un gran salón de eventos —ponencias de denuncia, conversatorios, y también nos tocó cocinar y vender comida a todos los que llegaban. Los hombres centroamericanos de estos grupos, como buenos progresistas machistas, nos pusieron a las mujeres a hacer comida. La estuvimos vendiendo para conseguir fondos para las causas en Centroamérica: preparamos frijoles, carne asada y chirmol, un montononón de comida.

El escritor Manuel José Arce llegó para dar una conferencia sobre el tema de derechos humanos. Pobrecito: él era un dramaturgo y poeta reconocido, no era un perico de los palotes, pero había tenido que salir al exilio y estaba bien fregado de plata, trabajaba de albañil en el sur de Francia. Tenía las manos muy maltratadas, de eso me acuerdo bien. Me encantó ese señor, una persona muy dulce.

Lo divertido fue que para hacer los frijoles cocidos en la velada teníamos ollas de presión, pero hubo tal venta loca que se nos acabaron y seguían las filas de gente que quería comer frijoles de Guatemala. Entonces lo que hacíamos era cocer los frijoles, pero solo medio cocidos por la falta de tiempo, y así medio duros se los seguían comiendo, no paraban de comprarlos porque no sabían cómo debían ser los frijoles, ¿verdad? Nosotros dijimos: Pobres suizos, esta noche no va a dormir muy bien Ginebra.

Manuel José se quedó en nuestro apartamento, y al día siguiente lo fuimos a dejar a la estación de tren, porque así se iba a regresar a Francia, creo que a Marsella. Y yo le di para su regreso un recipiente con frijoles —pero de los que sí estaban bien hechos— y también chirmol. Recuerdo que luego nos escribió y me dijo que me había estado dando bendiciones todo el camino de vuelta, por sus frijolitos

Él murió a los pocos años, creo que en el '85, relativamente joven y muy solo.

Tomé el metro hasta Harvard Square y atravesé el área verde del campus central. Estaría reuniéndome con Kirsten Weld, una historiadora canadiense que investiga el pasado reciente de Guatemala. Me habían recomendado hablar con ella para escuchar una versión más matizada sobre la lucha anticorrupción.

Weld había escrito un artículo titulado«CICIG y sus contradicciones» en el que empezaba describiendo los muchos aciertos de la CICIG, logros tan significativos que habían redefinido las expectativas de los guatemaltecos a la hora de combatir la impunidad. Weld argumentaba que este tipo de luchas privilegiaba políticas de transparencia y rendición de cuentas. Eso estaba muy bien, decía, pero dejaban de lado o incluso minimizaban la importancia de cambios estructurales y de fortalecimiento del Estado.

Así como la corrupción es un blanco resbaloso, escribía Weld, *la anticorrupción es una solución resbalosa*. Terminaba el artículo con una serie de preguntas:

¿Por qué es que los guatemaltecos marcharon en las calles contra la corrupción y a favor de la transparencia, pero no contra la pobreza o a favor de la justicia social? ¿Por qué es que un consenso internacional surgió tan fácilmente alrededor de la protección de los derechos jurídicos individuales de los centroamericanos, pero no alrededor de sus derechos colectivos y económicos?

Subí los cuatro pisos y caminé por pasillos amplios y llenos de luz. Weld me recibió en una oficina de grandes ventanales, decorada con algunos tejidos guatemaltecos, así como una que otra torrecita de libros que se elevaba por aquí y por allá. Me dio un fuerte apretón de manos; su modo era enérgico y franco a la vez.

Le dije que su artículo sobre la CICIG me pareció —en retrospectiva, leyéndolo ahora— casi profético, que ahí señalaba cosas que yo había pasado por alto en mi apoyo incondicional a la comisión. Y que en estos tiempos era difícil hacer una crítica pública, constructiva o no, a la lucha contra la corrupción sin ser tildado de corrupto. Se rio.

A mí me tomó dos páginas de elogios, dijo, en un artículo de tres, para sugerir que sin contrapesos había que plantearse unas preguntas.

Entendí a qué se refería, porque yo también había estado en esa posición: las amenazas reales a la supervivencia de la CICIG producían una reticencia razonable en los aliados de la comisión, quienes evitaban expresar incluso las críticas más pequeñas.

Le pregunté si había tenido alguna respuesta a su artículo y se sonrió y dijo que no, que muy pocos lo leyeron en Guatemala, porque además no estaba traducido.

El lenguaje para hablar de la lucha contra la corrupción también dice mucho, explicó Weld. Hay un lenguaje fisiológico, un lenguaje biopolítico —el cuerpo político necesita remover el cáncer de la corrupción, como si la corrupción no estuviera en una relación simbiótica con el resto del cuerpo, como si la corrupción fuera un tumor externo, algo creciendo del cuerpo que puede ser extirpado.

Aquí recreó con sus manos una especie de tumor invisible que salía de un lado de su cuello.

Pero si uno fuera a usar ese tipo de lenguaje para hablar de la corrupción de una forma más precisa, en todo caso sería una enfermedad del tuétano, algo constitutivo del cuerpo. Algo que no se podría eliminar sin matar al resto del cuerpo también.

Ya que la conversación se acercaba a su final, Weld regresó a algo que yo había mencionado; que el proceso puesto en marcha por la CICIG era como un tractor que se dirigía hacia un horizonte de justicia, indiferente a lo que sucedía a su alrededor o sobre quiénes pasaba aplastando en su trayecto hacia ese destino.

Puede ser solo eso, me dijo Weld, no que haya una gran conspiración contra tu papá, sino más bien que solo es maquinaria trabajando, trayéndose abajo a personas en su camino hacia la justicia. Lo cual es casi peor.

Sí, le dije con una sonrisa que sentí amarga, no hay ningún villano en una silla de cuero retorciéndose el bigote, ningún gato blanco en su regazo.

En el tren de vuelta a Providence, mientras atravesábamos campos y bosques entre pueblitos suburbanos, pensé en la conversación con Weld. Era cierto que el 2015 había sacado a la población a las calles. Se trataba de un logro importante que reactivaba políticamente a la pequeña clase media guatemalteca, tan apagada en las últimas décadas. Nuevas alianzas ciudadanas facilitaron conversaciones antes inexistentes; la sensación de impotencia política cedía a la posibilidad, si bien difusa, de un cambio más amplio.

A la vez, ese cambio pareció limitarse al campo jurídico. Abundaron expresiones como *antejuicio*, *cohecho pasivo*, *colaborador eficaz*. Emocionados ante nuestras nuevas palabras, las blandíamos como si siempre nos hubieran pertenecido. Aprendimos cuántos diputados se requerían para *levantarle la inmunidad* a un gobernante. En la calle frente al Congreso, aguardé en un silencio tenso y esperanzado junto a muchos otros mientras se anunciaba la cuenta ascendente de diputados que votaban para levantarle la inmunidad al presidente Pérez Molina.

Alguna vez escuché que una parte considerable de la población chilena solo le dio la espalda a Pinochet al enterarse que había robado dinero del Estado. La dictadura, las desapariciones, las torturas y los asesinatos no habían sido suficiente. La percepción del «Tata» solo cambió cuando salieron a luz los millones de dólares que el senador vitalicio se había embolsado.

De forma similar, el movimiento anticorrupción dejó en claro que el elemento aglutinador en el Parque Central de Guatemala era el rechazo al robo descarado. Ni la desigualdad, ni las relaciones asimétricas entre indígenas y ladinos, tuvieron un lugar central en la conversación del país a partir del 2015. Algunos conectaron el robo del erario público con las carencias de un Estado precario, incapaz de cumplir con sus funciones básicas. Muchos más lo vieron como otra razón para confirmar lo que ya venían diciendo desde antes: el Estado solo sirve para robarse la plata. *Mi plata*.

Los sectores de derecha siguen acusando a la CICIG de haberse enfrascado en una «guerra ideológica» —consideran que solo ellos fueron afectados por el proceso. Pero uno de los legados de la CICIG es la profundización de la idea entre guatemaltecos de que el Estado está completamente carcomido por la corrupción, y que por lo tanto debe ser reducido y maniatado. En ese sentido, pocas cosas podrían servir al discurso neoliberal tan bien como la lucha anticorrupción.

Con el tiempo, la angustia que sentí por el arresto de papá, aguda y casi violenta, fue dando paso a una desilusión más pesada y abarcadora. A la vez, entendía que asignar el peso de esa decepción a los posibles errores de la CICIG era una salida fácil; replicaba la ligereza con que en un inicio encumbré ciegamente a la comisión.

En el arcaico ecosistema guatemalteco, un organismo como la CICIG se encontró con depredadores prehistóricos. No es extraño que tuviera que adaptarse para luchar por su supervivencia. Aun con intenciones puras, la comisión se vio obligada a maniobrar sin mapa por varios laberintos. La anhelada pureza pronto cedió a consideraciones más apremiantes. Tal vez fuimos nosotros quienes con ansias caudillistas endiosamos a unos cuantos fiscales y jueces, imponiéndoles expectativas desde siempre inalcanzables.

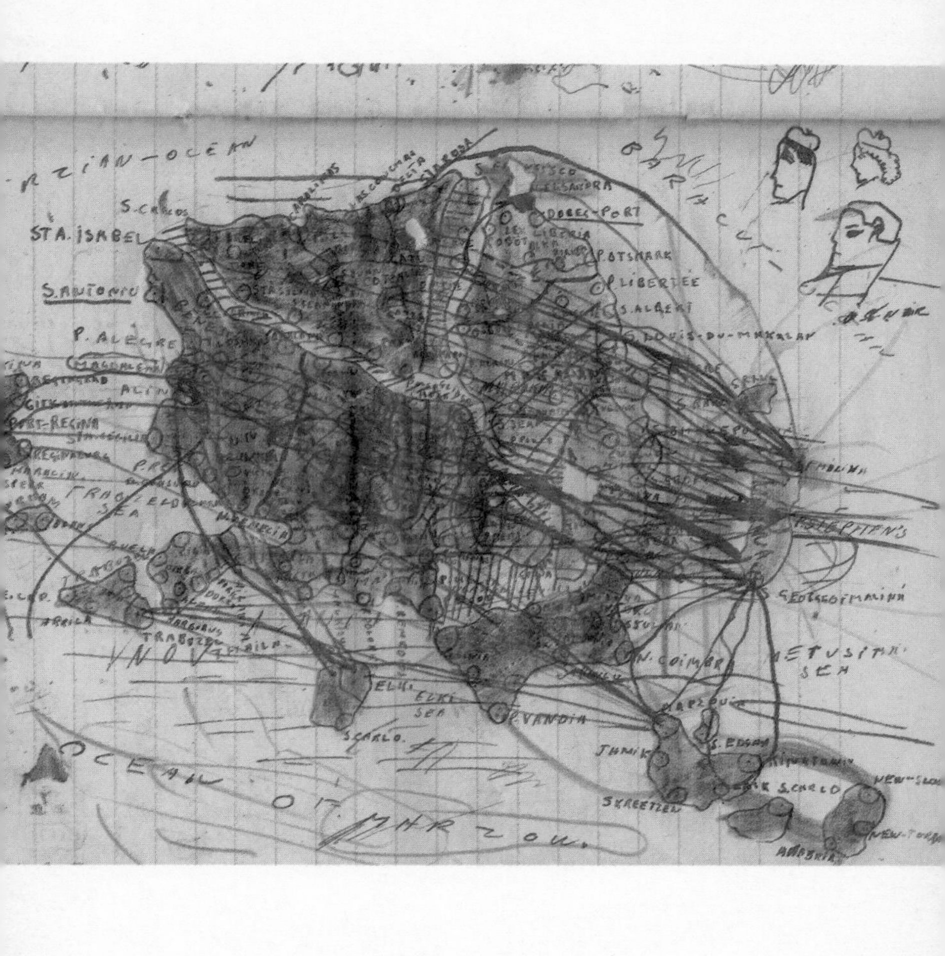

RZIAN-OCEAN
S.CARLOS
STA. ISKBEL
S.ANTONIU
P. ALEGRE
PORT-REGINA
DOBEC-PORT
P.OTSMARK
P.LIBERTEE
S.ALBERT
TRABZON
TRAO ELDORSA
SEA
ELKI
ELKI
SEA
S.CARLO.
P.VANDIA
N. COIMBRA
METUSITA
SEA
JANIK
S. EDGAR
S.CARLO
SKREETZEN
OCEAN OF MARZOU

V
Guatemala

Había una agradable brisa tibia en Providence cuando terminé de ingresar las notas del semestre. A la semana salí rumbo a Guatemala; Kate se estaría reuniendo conmigo luego de unos días con su familia en Chicago.

Mi vuelo fue apacible y aterricé en un atardecer soleado en el aeropuerto La Aurora. Luego de cenar con mamá, Aury y Harald, fui a ver a papá a su casa.

Lo abracé frente a la puerta de entrada. Me hizo pasar a la sala y la conversación entre él, Ana Cristina y yo transcurrió con cierta torpeza. Pero también se descorchó una botella de vino, brindamos, bebimos, me acomodé en el sofá. Ahí estaba la perra de papá, cariñosa como siempre.

Me pregunté, al igual que en semanas recientes, cómo se encontraría Ana Cristina. Le había tocado vivir el arresto y el derrumbe de papá más de cerca que a cualquiera; era ella quien lo estuvo acompañando en su día a día. ¿Cómo sería verlo despertar cada mañana, ahora sin trabajo, sin las llamadas entrantes de antes? ¿Lo observaría deambular por la cocina, prepararse un café, sentarse a mirar por la ventana?

Probablemente era yo quien convocaba esa imagen de papá en pantuflas y bata, mal rasurado. Supe, y agradecí, que Ana Cristina lo conminaba seguido a salir de casa a tomar un café, visitar Sophos y ver libros, no quedarse varado. A pesar de la distancia que me separaba de ella, su apoyo a papá durante todo el proceso era innegable. También era cierto que papá había demostrado una testarudez reconfortante que me sorprendía; no era alguien que tirara la toalla con facilidad.

Imaginé que el campo de acción de Ana Cristina también se había reducido con toda esta situación. Su involucramiento en Semilla, donde colaboraba en el tema de comunicaciones, habría quedado en suspenso. ¿Tendría amigos ahí dentro aún? ¿Desearía todavía alguna participación?

Estaba pensando, les dije, que valdría la pena contactar a gente de Semilla para compartirles los puntos centrales del caso. Se nota en Twitter que andan perdidos cuando lo atacan a usted para atacarlos a ellos.

Papá ojeó a Ana Cristina.

No creo que valga la pena, dijo, ellos andan en otras. Lo que pasa es que no quieren arriesgarse.

Sí, pero sería un gana-gana: solo es cosa de compartirles en términos claros lo que sabemos del caso, darles argumentos de la defensa para que al menos los sepan. Podrían explicar que a usted ni siquiera lo acusan de haber recibido plata, dije. Eso les ayudaría a ellos, ¿no?

No agregué lo que él ya debía saber: en cada ataque a Semilla se aseguraba que el financiamiento del movimiento venía de los millones de quetzales robados por papá.

¿No creen?, insistí.

Bueno, dijo papá, es que ellos tienen otros planes.

¿Cómo así?

No te va a gustar, dijo mirando a Ana Cristina, y entonces descansó su copa de vino en la mesa. Parece que están considerando candidatos para las elecciones presidenciales del próximo año, y el escenario principal es ir con Thelma Aldana.

¿Qué?

Thelma Aldana, de candidata.

¡No! ¿Con Semilla? ¿Cómo sabe?

Ah, porque me lo han dicho, gente que está ahí adentro. Ella quiere, ahora que terminó su periodo como fiscal general, y hay gente en Semilla que también.

No friegue.

Ana Cristina no se movió, tenía una expresión extraña. La sangre le había subido a la cara. Yo sentí lo mismo, empecé a decir algo y trastabillé.

¿Y está de acuerdo la mayoría de Semilla?, pregunté al fin.

No está decidido todavía, dijo Ana Cristina, los grupos de Semilla del interior ni han sido parte de esta conversación.

Pero en la junta directiva del movimiento sí hay apoyo, agregó papá.

¿Anabella?, dije, recordando esa noche en su casa.

Sí, Anabella, pero no es la única, otros también. Es que en términos electorales tiene su atractivo.

No puedo creerlo, dije.

Ana Cristina suspiró un «Ay no» antes de levantarse para ir a la cocina.

Yo no sabía qué decir. ¿Semilla con Thelma Aldana?

¿Pero no era de derecha ella?, pregunté. ¿No es así como se describe ella en entrevistas? «De derecha con pensamientos avanzados». Nada que ver con los supuestos principios y la ideología de Semilla.

No pues, dijo papá, están dándole la espalda a los valores y los ideales del movimiento, a lo que habíamos estado trabajando todos estos años. Es oportunismo electoral.

Y están dándole la espalda a usted, pensé también, pero eso no lo dije.

Desde el inicio, la idea en Semilla era formar cuadros con profundidad ideológica y una visión progresista compartida. Pero tener a Thelma Aldana de candidata garantizaba un caudal importante de votos. No parecía ser un contratiempo que el ideario político de Aldana no coincidiera con el de la agrupación, o que ella hubiera armado un caso débil en contra de uno de los fundadores del mismo partido.

Pues cuesta creerlo, le dije a papá, incluso con todo lo que ya ha pasado.

Sí, dijo él.

¿Será así la política?

Bueno, dijo, en la política también existe la lealtad, también se valora la lealtad. Y además para mí Semilla era más que solo política.

Mientras manejaba entre el tráfico de vuelta a casa, alcancé a escuchar por la radio que se mencionaba al doctor Oliva. Subí el volumen.

Una muerte siempre es lamentable, decía el locutor. Ya regresamos con más sobre esta trágica noticia.

La imagen del doctor Oliva en la cárcel me vino de golpe: parado en el umbral de la champita de papá, nos preguntaba si habíamos pedido tacos. ¿Muerto, el doctor Oliva?

El carro avanzó unos pocos metros más y el locutor ahora explicaba que el doctor —aún en prisión preventiva luego de tres años esperando su proceso legal— se acababa de suicidar.

¡Suicidio! Lo recordé con su delantal blanco, moviéndose amable pero con prisa, pues tenía que hacer otras entregas de comida. Así pagaba los costos del tratamiento de su hijo enfermo.

En la radio, el locutor entrevistaba a su abogado y este explicaba que el doctor llevaba meses sufriendo de una aguda depresión. Habían solicitado en innumerables ocasiones que le concedieran una medida sustitutiva por motivos de salud. No había ninguna sentencia y el caso simplemente no avanzaba. A pesar del deterioro galopante del doctor Oliva, el MP y la CICIG bloquearon los pedidos de la defensa y después responsabilizaban al juez por la decisión.

El locutor abrió el micrófono para aceptar llamadas entrantes de los oyentes. Solo escuché dos, la primera de un hombre que decía que el señor difunto se lo había buscado, que ese era el costo de ser un corrupto, y luego una joven que aseguraba que así tenían que pagar los criminales, que dios sabría mejor. Apagué la radio.

Mamá

Nuestra estadía en Ginebra terminó porque tu papá consiguió un trabajo en Costa Rica. Por supuesto, ahí la vida fue muy diferente a la que habíamos tenido en Suiza. Para empezar los tuvimos a tu hermano y a vos. Pero además coincidimos con Shirley y Ana Lucía y sus dos niñas recién nacidas. Fue la última vez que nuestra familia vivió junta en un mismo país.

Los fines de semana íbamos a la playa y Shirley era nuestra compañera permanente. A ustedes les encantaba el mar. El mar en Costa Rica es como una piscina, ¿te acordás?, íbamos a las playas más cercanas a Nicaragua. Nos quedábamos en cualquier hotel y yo llevaba mi licuadora y todo lo necesario para hacer desayunos y que no saliera demasiado caro. Era tan bonito.

Tengo muy presente la primera vez que te escuchamos a vos y a tu hermano platicando, chiquititos los dos. Habíamos ido a comprar plantas a unos viveros que estaban por el aeropuerto y ustedes venían cada quien en su sillita sentados atrás. Y estábamos enfrente hablando con tu papá cuando oímos voces atrás, ¡y risas!

¡¿Están hablando?!, nos preguntamos.

¡Sí, sí, están hablando!

Y no sé qué se estaban diciendo ni de qué se estaban riendo los dos, pero nos quedamos en silencio, escuchándolos. Para mí esa etapa fue la más linda de mi vida, sobre todo después de lo que había sido Guatemala.

Veíamos más a Shirley, y también a Ana Lucía —nos juntábamos a comer con ella y las niñas los fines de semana. Ana Lucía estudiaba su maestría en biología. Era bella, Ana Lucía, tocaba la guitarra y cantaba rebién, una presencia tan alegre. Pero estaba casada con un costarricense que la trató muy mal.

Un sábado por la tarde estábamos haciendo la siesta y en eso sonó el teléfono y me levanté a contestar y era Shirley, me acuerdo que me dijo: Ay, disculpa, yo sé que están descansando, pero tengo que hablar con ustedes porque Ana Lucía se va a separar.

Tu papá y yo fuimos a la casa de Ana Lucía para empacar todo lo que estaba ahí de ella. Dejamos la cama nomás. Lo que pudimos lo subimos al carro y el resto se lo llevaron en un camión.

Ninguna de sus dos niñas caminaba todavía y Ana Lucía siempre andaba cargando a las dos, cada una en un brazo. La apoyamos en lo que pudimos, pero sobre todo fue Shirley la que estuvo ahí con ella. Así que cuando Ana Lucía consiguió una beca para un doctorado en Canadá y viajó allá con sus niñas, tuvo sentido que Shirley la acompañara. Otra vez fue como un vacío para mí. Y bueno, poco después nosotros nos fuimos a Chile por el trabajo de tu papá en la CEPAL, ¿no?

Pero ese tiempo en Costa Rica fue distinto, muy especial. Recuerdo a la familia junta, y a ustedes y sus primas jugando en la playa bajo el sol.

Kate llegó de Chicago y nos pasamos a un apartamento en la Antigua, parte de una casa colonial seccionada. En la mañana leíamos en la terraza del techo, bajo un cielo azul y límpido, con buganvilias derramando sus colores vivos a nuestro alrededor. Al bajar el libro podía ver el valle de la Antigua con las ruinas de iglesias despuntando entre tejados rojizos. Del otro lado se alzaban los tres volcanes, enormes y nítidos: el de Agua, el Acatenango y el humeante Volcán de Fuego.

Estaba cocinando el almuerzo junto a Kate cuando recibí la llamada de mamá:

¿Está cayendo mucha ceniza?, preguntó.

¿Ceniza?

Del volcán de Fuego, dijo, acabo de ver en Twitter que está haciendo erupción.

Afuera descubrí que una arena fina y negra lo había tapizado todo —el suelo empedrado del patio, la mesita de vidrio, unas sillas alrededor. Un cuidador se paseaba con una escoba a la distancia, barriendo la ceniza por aquí y por allá para echarla en una cubeta.

El azul del cielo estaba ahora de un color plomizo y pesado. Algo extraño pasaba con la luz; todo parecía oscuro y brillante a la vez. Empezó a llover y las gotas venían sucias, cargadas de ceniza. Sentí un retumbar distinto y me quedé en silencio, recibiendo cada tanto un murmullo hondo, grave, que parecía provenir de las tripas de la tierra.

El sol era apenas visible y un fuerte olor a azufre lo inundaba todo cuando entró la llamada de papá.

¿Rodrigo?

¿Sí?

Tengo una buena noticia, hombre.

¿Qué pasó?

¡Me confirmaron la medida sustitutiva!

Me tomó unos segundos asimilar la noticia. Fue pegando de a pocos, disipando la tensión que siempre había estado ahí, anidada, la posibilidad de que en cualquier momento encerraran otra vez a papá en la cárcel. Me senté sobre un baúl junto a la pared.

Papá me contó que lo acababa de llamar el abogado, Giovanni, y que le había dicho que en la corte de apelaciones hubo presión para que no se la confirmaran, pero que al final prevalecieron las voces más sensatas. Ya no tendría la soga al cuello, al menos por la duración del proceso legal.

También me contó que a Erasmo y al resto del gabinete les habían confirmado la medida sustitutiva para salir de la cárcel. Escuché verdadero alivio en su voz.

Pues le voy a decir al resto de la familia, dijo papá al teléfono, solo quería avisarte.

Le conté a Kate, quien me había estado observando desde el umbral del cuarto, a la expectativa por mis gestos y exclamaciones.

Nos abrazamos, decidimos abrir una botella de vino y subimos a la terraza para brindar ahora que la lluvia había parado. Me tomé un par de copas e imaginé a papá sentado en su sofá, con trago en mano, considerando su nuevo estado de precaria libertad.

De pronto regresó una oleada de preocupaciones, los otros costos: el pago de la fianza cada año, la continuación del proceso legal, los contratos de trabajo cancelados, la imposibilidad de salir del país para ver a los hijos de Alberto o a la abuelita Shirley, la mancha en su nombre. Recordé lo dicho por una periodista extranjera que conocía a Guatemala a fondo, palabras bien intencionadas cuya naturalidad me sacudió: «Este caso va a durar toda la vida.»

Arriba, en la terraza, el polvillo de la erupción y el azufre seguía suspendido en el aire. El Volcán de Fuego presentaba ahora una cicatriz que bajaba desde el cráter y se iba ensanchando por las faldas. Los ojos ardían; me costó aguantar las lágrimas al brindar con Kate.

Era difícil saber cómo nos había cambiado la experiencia, pero sin duda nos había acercado incluso más. Cuando le agradecí por todo, Kate dijo que no había nada que agradecer, que siempre había sido un privilegio que cualquier persona le tuviera la confianza suficiente como para compartir su dolor.

Horas después, los telenoticieros mostraban las imágenes en las faldas del volcán. Hombres, mujeres y niños caminaban como zombies por un territorio devastado y ceniciento, completamente cubiertos de polvo. La bocacosta al otro lado del volcán había recibido la peor parte. Un video mostraba a gente corriendo por una carretera, algunos en motos o carros, mientras una enorme nube piroclástica se les acercaba desde el fondo. Hasta ese momento iban más de sesenta muertos confirmados; como siempre en Guatemala, el número de desaparecidos se desconocía.

Un par de meses después, el presidente Jimmy Morales declaró que el gobierno no estaría renovando el mandato a la CICIG. Dio la noticia con suficiencia pomposa, rodeado de militares y la cúpula policial. El escenario intentaba ser una exhibición de músculo; conservaba, sin duda, el aire a circo tétrico de las dictaduras recientes.

El péndulo venía de vuelta con fuerza. Luego de doce años en el país, la CICIG tendría que irse. Iván Velásquez y allegados de la comisión protestaron de manera enérgica. Pero las masas que habían apoyado en el 2015 no se hicieron presentes. El Parque Central guardaba silencio.

Algunos analistas se refirieron a lo que estaba por venir como «La restauración», el momento en que las fuerzas conservadoras se reagrupaban para sofocar la rebelión iniciada en el 2015. Si bien había un aire melodramático en el uso del término —porque lo nuestro no había sido exactamente la revolución francesa— era cierto que el status quo recuperaba su monopolio sobre el Estado.

¿Qué significaba esto para papá y el resto de exministros acusados? No lo sabíamos. Imagino que todos buscábamos pistas que ayudaran a entender las implicaciones de esta nueva sacudida. El caso se empantanó, sumiéndose aún más en el viscoso limbo legal donde iban a caer tantos procesos judiciales.

Poco después de que la CICIG abandonara el país se llevaron a cabo elecciones a la presidencia. La tensión crecía: además de Thelma Aldana, las candidatas con mayores opciones eran la exprimera dama Sandra Torres, así como Zury Ríos, la hija del dictador Efraín Ríos Montt. La primera propuesta de campaña de Aldana fue la construcción de una gran cárcel nacional en forma de quetzal.

Pero la carrera electoral se desinfló cuando la Corte de Constitucionalidad decidió prohibir la participación de las tres candidatas. Aunque se dieron distintos motivos para bloquear cada candidatura, quedó claro que las decisiones tenían que ver con criterios más políticos que legales.

Al dejar de ser candidata a la presidencia, Thelma Aldana perdió su inmunidad y se convirtió en un blanco fácil para sus enemigos; se giró una orden de arresto en su contra por un caso que parecía débil y poco después se fue del país. Los ataques contra ella y otros actores centrales del movimiento anticorrupción continuaban ahora por nuevos medios.

Aunque las circunstancias eran muy distintas a aquellas de los años setenta, palabras como *exilio* y *censura* empezaron a sonar de nuevo. No eran términos equivocados; una vez más, me sentí atrapado entre dos polos. Las fuerzas en contra de la CICIG parecían haber ganado la última batalla, quizás la guerra. Pero al hacerlo de esa manera también lograron un efecto inesperado: convirtieron a sus antiguos adversarios en mártires premiados internacionalmente, inmunes a cualquier cuestionamiento.

Ana Lucía

Bueno, ya sabés de la experiencia tan horrible que tuve con mi matrimonio en Costa Rica, ¿no? Él se iba de viaje, disque de trabajo, y luego me enteré que andaba con otra. Y me empezó a tratar realmente mal, como a un trapo sucio. Como cuando una persona está con alguien con quien de veras no quiere estar, pero en lugar de decirlo la trata mal.

Finalmente me separé y me fui a vivir a un apartamento en San Pedro con mis dos patojitas, y la verdad es que ahí la pasé mejor. Era duro pero estaba más cerca de la universidad y del trabajo. Tu abuelita Shirley me ayudaba y tenía a las niñas en la guardería, así que en esos tiempitos fui haciendo mi tesis de maestría.

Como un año después de la separación final, conocí a Andrés. Era bastante mayor que yo, pero una persona bien especial. Yo creo que de todas mis relaciones fue la mejor.

Teníamos fiestas o reuniones bien simpáticas todos los fines de semana, churrascos, porque él había construido una barbacoa en el jardín. Llegaba todo tipo de gente, nicas y chapines y chilenos exiliados, y comprábamos carne y todos aportábamos. Yo hacía pan y un gran chirmol y había vino y nos dábamos unas comidonas. Además había gente de todas las edades. Por supuesto hacía calor en Costa Rica, y nunca se me olvida un churrasco que tuvimos, como a medio día, y pusimos una manguera con chorritos y entonces mis patojas y ustedes y todos los niños se desnudaron y salieron a brincar entre el agua, y ya te imaginás a mi mamá, «*Why are all those children naked?!*», y nosotros «Bueno, ¿por qué no?»

Yo me quería quedar ahí, con Andrés, con esa vida. Pero por otra parte no me quería quedar estancada en mi carrera. Por eso terminé yéndome. Me ofrecieron una beca para ir a estudiar el doctorado de biología en British Columbia, así que tenía que tomar una decisión.

No lo dudé, a pesar de estar tan bien... o más bien por estar bien, porque si hubiera estado mal habría sido más difícil. Lo que me empujó fue pensar que para mis niñas era importante que yo me desarrollara como persona. Y siempre pensaba «¿Qué es lo que yo quiero que ellas vean?» Y era que yo hiciera las cosas que yo creía que eran valiosas. Y bueno, sabés el resto de la historia, de todos esos años en Canadá, de seguir en la universidad dando clases de biología, de terminar enseñando en Nueva York.

Me animaba que Rigoberta Menchú Tum estuviera dispuesta a tener una conversación sobre el caso de papá, si bien no sabía cómo lo percibía ella. Mi tesis de doctorado tenía referencias a su testimonio, *Me llamo Rigoberta Menchú y así me nació la conciencia*, que había enriquecido y ensanchado mi idea de Guatemala desde la niñez. Era un libro bello y brutal en el que gritaba al mundo que el Estado de Guatemala estaba desatando una violencia desenfrenada contra las comunidades indígenas.

Para llegar a la puerta principal de su casa se atravesaba un jardín entre árboles de troncos gruesos. Noté la presencia de unas cuatro o cinco personas en el camino. Una señora me hizo pasar a la sala, donde me senté en uno de los sofás en L y observé el mismo jardín a través del ventanal. Los hombres deambulaban por aquí y por allá. En la pared a mis espaldas colgaba un tejido grande, creo que de los Cantones de Totonicapán, en honor a Rigoberta Menchú Tum por el Premio Nobel de la Paz.

Escuché que alguien bajaba las escaleras y pronto la vi acercándose; Menchú Tum me ofreció una sonrisa ajustada pero cordial. Tenía presencia y se mantenía muy recta, también al sentarse en el sofá.

Es un gusto conocerla, dije. Lástima que en estas circunstancias, pero agradezco su tiempo.

Me dijo que claro, por supuesto, que conocía a mi papá y que con gusto podíamos conversar.

Le expliqué los detalles centrales del caso. Cuando terminé sacudió la cabeza y me dijo que lamentaba la situación, y luego de agradecerle mencioné que el proceso había sido difícil. Iba a frenarme ahí pero algo en la presencia calmada de Menchú Tum, en su mirada a la expectativa, me hizo seguir:

Además del peligro real de prisión, le dije, está la historia de la familia. Usted sabe del trabajo político de mi abuelo, y esa es una deuda histórica que mi papá lleva.

Sí, ¿verdad?, dijo haciéndose hacia atrás. Es que lo que le hicieron a su papá es claramente un asesinato político.

Me sorprendió que lo pusiera así, en términos tan categóricos.

Porque su papá ahí iba con Semilla, continuó, y no había buenos candidatos adversarios de la derecha, así que su papá tenía muchas posibilidades de la presidencia.

No supe qué responder. Era cierto que luego de la crisis del 2015, a papá se le había percibido de esa manera, lo cual perturbaba a los sectores de derecha que acostumbran adjudicar posturas radicales a cualquier adversario. Un artículo del Wall Street Journal mencionaba su potencial candidatura, presentándolo como un comunista en piel de oveja.

Menchú miró hacia fuera por el ventanal, atenta a alguien que se movía en el jardín, y sentí que en ese momento se iba distanciando y pensaba en algo más.

Pero ustedes lo que tienen que hacer es dar la lucha, dijo volteando a verme otra vez, tienen que salir a hablar del caso en la prensa, donde puedan.

Ha sido complicado comunicarnos con los medios, expliqué. Públicamente pocos periodistas criticarían un caso de la CICIG.

Nosotros no confiamos en los medios, dijo sacudiendo la cabeza, repentinamente enfática. A nosotros nos han pegado muy duro los medios. Si no, recuerde que decían que mi papá era el que incendió la embajada de España en el '80. Imagínese. De todo han dicho. De hecho, nosotros ya ni sacamos información de los medios, casi ni los leemos. Nuestra información viene de primera mano, porque en los medios no se puede confiar nada.

¿Ah sí?

Sí. Pero eso no significa que ustedes no vayan a hablar. Hay que buscar espacios. Tienen que ir a la radio, tienen que dar entrevistas, poco a poco tienen que ir dando su versión. Si no la gente se queda con la misma historia que se presentó. Además, considérelo una posibilidad para entrar a la lucha más amplia, para entrar a la política. La política no se estudia, se practica.

Me miró ahora con intención:

Usted debería entrar a la lucha también. ¿Qué estudió usted?
¿Yo?, pregunté, sorprendido. Yo, literatura, no soy de política.
Ah, literatura, dijo, y sus facciones se suavizaron, sonrió.
Sí, yo escribo cuentos, eso es lo mío.
Sonrió más.
Bueno, pero considere esta una oportunidad, tal vez es momento de subir y continuar la lucha de su papá y de su abuelo.
Sonreí yo también y tomé de mi vaso de agua.
Hablamos de algunos otros temas. Me contó de las veces que habían tenido que salir del país cuando las cosas se ponían muy difíciles, cuando los atacaban, y era entonces que ella y los compañeros tenían que pelear de vuelta.
Aquí, dijo señalando con el rostro hacia fuera, donde algunas de las personas en el jardín se movían de uno a otro lugar, hemos tenido que dar batallas fuertes.
Pensé en lo extenuante que debía ser eso, tener que estar en todo, respondiendo sin tregua a la variada gama de golpes que ofrece Guatemala. Pero luego miré a esta señora cuyos parientes habían sido asesinados, que había sido criticada y denostada y amenazada y destruida y había vuelto a ponerse de pie, una y otra vez.
Cuando terminó la conversación salimos juntos y me llevó por el caminito hasta la puerta de su casa. Me dijo que le mandara saludos a mi papá y que tuviéramos fuerza. Nos dimos un abrazo.

De vuelta en casa abrí *Secuestro y prisión*, el libro que mi abuelo escribió sobre sus experiencias en la política guatemalteca, invariablemente marcadas por la violencia. Papá me lo acababa de prestar y ahora volvía a esa edición después de muchos años.
Busqué una sección que siempre me había cautivado. La escena tenía lugar en la casa de seguridad a la que un comando guerrillero lo llevó luego de secuestrarlo en el '70 con el fin de canjearlo por un prisionero político que tenía el gobierno. A diferencia de la Judicial que lo capturaría menos de un año después, los guerrilleros se habían comportado con cierta decencia.

Le traían cigarros y podía entablar conversación con sus jóvenes custodios, si bien lo tenían encañonado con una ametralladora.

En un momento les preguntó «cómo podían llamar 'ajusticiar' al acto de matarme en frío», sobre todo pensando en que «aun dentro del razonamiento de ustedes, creo que tendrán que convenir en que nunca he sido un traidor a las causas populares». Los jóvenes guerrilleros titubearon. Cuando más adelante le proporcionaron unos libros para que pudiera pasar el rato, antes de su liberación final, mi abuelo mencionó lo siguiente:

Casi todos, sin embargo, eran de inspiración marxista y estando ya un poco cansado por el vocabulario que empleaban los guerrilleros en sus conversaciones, aquella literatura que usaba similar terminología me resultaba un tanto aburrida. Leía, por ejemplo, que la lucha de clases resurge con mayor violencia y se agudiza cuando las doctrinas de la sociedad burguesa han proclamado que todo anda muy bien. Interesante, pensaba yo, pero quisiera leer algo distinto. Vi entonces que entre los libros estaba La República de Platón e inicié su lectura rememorando a la vez los días de universidad, cuando había escrito un pequeño ensayo sobre aquella obra. Sí, allí volvía a encontrar aquel famoso diálogo sobre la Justicia. Platón, por boca de Sócrates, trata de destruir las ideas tradicionales, así como las revolucionarias de los sofistas, sobre la naturaleza de la Justicia. Pero, ¿no estaría equivocado? ¿No tendría razón el sofista Trasímaco al afirmar que la Justicia no es nada más que el interés del más fuerte? Esto, pensé, parece ser un argumento que se adapta a la realidad que yo vivo. El gobierno «ajusticiaría» a estos guerrilleros porque hoy por hoy es el más fuerte; pero cuando ellos son los más fuertes hablan de «ajusticiarme» a mí.

La vigencia de esas palabras, escritas hace cincuenta años, me golpeó. Seguí hojeando el libro hasta regresar a la primera página en blanco, donde mi abuelo le había escrito un mensaje a papá:

Para Juan Alberto, mi hijo mayor y uno de los protagonistas invisibles de este libro, para que esta experiencia le sirva en el futuro y le ayude a comprender y a querer más a Guatemala.
Enero de 1973

Mi hermano mencionó alguna vez que para papá y la familia, nuestro abuelo se había convertido casi en una hoja de ruta, un *blueprint*: sacó su doctorado, después regresó a Guatemala y lideró un proyecto político progresista. Papá había seguido un mapa similar. La idea se mantuvo presente con nosotros, si bien nunca de forma explícita.

Esa visión, me dijo Alberto, la tenía yo antes también. Ahora ya no. Pero me acuerdo que incluso después de terminar la maestría, antes de ir al doctorado, todavía pensaba: «Bueno, yo tengo la responsabilidad de ayudar al país. Sin personas como yo estos cambios no van a suceder.» Entonces estaba esa sensación de que debemos hacer algo porque tenemos privilegios, dijo, pero también tenemos responsabilidades. Ahora veo que esa visión también tiene algo elitista.

Aunque mi hermano se había distanciado de ese modelo, también reconocía en nuestro abuelo y en papá un compromiso auténtico. Pero a él no le interesaba tanto esa versión de nuestro abuelo, la idea del mito más allá del bien y el mal.

La verdad es que siempre me dio tristeza no haberlo conocido, dijo. Pero haberlo conocido en persona... cómo hablaba, cómo se relacionaba, qué le gustaba hacer, ese tipo de cosas. Conocer al humano. Porque es esta como gran figura histórica, y no ha sido humanizado en nuestra mente, ¿no?

Mamá

Luego de salir despavoridos de Guatemala, yo no tenía ninguna gana de regresar. De hecho no volvimos a poner un pie en el país sino hasta el '82, poco después de que Ríos Montt le diera el golpe de estado a Lucas. Pensábamos que las cosas iban a mejorar con la salida de Lucas —ya luego nos dimos cuenta de que seguían tan mal, o incluso peor.

Luego del nacimiento de tu hermano se nos ocurrió venir a Guatemala. No sé por qué, porque somos necios, supongo, por irresponsables, pensando que las cosas estarían mejor. Así que aterrizamos en el aeropuerto La Aurora con tu papá y también con Alberto, chiquitito, la primera vez en más de tres años.

En ese tiempo uno se bajaba en la pista y tenía que caminar hasta entrar por una especie de sótano, una gran caminata bajo tierra, atravesando un pasillo largo largo largo. A mucha gente la habían desaparecido en ese pasillo. Entraban pero nunca aparecían del otro lado. Yo venía cargando a tu hermano, en uno de esos canguros que uno usaba para los bebés, y tu papá caminaba delante de mí. Sentía pavor, que el corazón se me salía, sobre todo por mi bebé. De que le fuera a pasar algo. Y venía detrás de tu papá casi temblando, hasta el aire me faltaba, y de repente tu papá me volteó a ver a medio túnel y me dijo que yo estaba verde. Pensé que me iba a desmayar.

Pero logramos salir y tomamos un taxi. Ni siquiera le habíamos dicho a mi mamá que íbamos a llegar, porque temíamos que tuvieran controlados los teléfonos, así que cuando al fin llegamos a la casa de mi mamá casi cae desmayada también.

Ese era el terror. Yo no tenía ganas de venir a Guatemala ni vivir en Guatemala ni saber nada de Guatemala. Cada vez que me enteraba de noticias de Guatemala estando fuera era de muertos y de cosas horribles que le había pasado a gente que yo conocía.

Como no nos pasó nada en ese primer viaje, comenzamos a venir de repente, pero en la época cuando ya era presidente Vinicio Cerezo y había terminado la dictadura, a finales de los ochenta. O venía yo con vos y tu hermano para visitar a mi mamá. Así que poco a poco ese terror de venir a Guatemala fue cambiando. Porque aquí estaban amigos nuestros, y entonces teníamos cenas y salidas y empezó a ser alegre otra vez, porque las cosas parecían estar cambiando políticamente también.

Me uní a la conversación por Zoom y ahí, desde el otro lado de la pantalla, Ana Lucía me saludó con su sonrisa juvenil de siempre. Estaba en su apartamento en Nueva York, y a sus espaldas vi las plantas y arbustos tropicales reunidos junto a la ventana —un pequeño rincón de vida y verdor para los meses de invierno en Nueva York— así como una mesa larga que me trajo recuerdos de cenas épicas junto a familia y amigos. Recordé los deliciosos platillos cocinados por mi tía que se sucedían uno tras otro en un festín interminable, condimentado por las risas y la buena conversación. *Crêpes suzette* flameadas, una de sus tantas especialidades, endulzaban los finales de esas veladas.

Ver a mi tía ahora me llenó de felicidad, pero también reactivó circuitos durmientes de mi sistema nervioso. De inmediato estábamos especulando sobre el caso, compartiendo las últimas noticias, acelerándonos entre los dos al tiempo que intentábamos darnos sosiego. Éramos una maquinita de paranoia bien aceitada, si bien constatar la paranoia compartida concedía algún alivio.

Hablamos hasta entrada la noche; le pedí que me contara historias sobre el pasado de la familia y de su papá. Mencioné que había estado leyendo el libro de mi abuelo y describí el gusto de encontrarme con esas frases declarativas y concisas, así como el tono ameno e inesperadamente divertido considerando lo relatado. Había ahí una especie de optimismo que imaginé indispensable para gente con una visión como la de él, sobre todo en esa época. Era agridulce percibirlo desde este lado de la historia.

Ana Lucía me contó de la campaña para diputado de mi abuelo en el '77, luego de regresar junto a la familia del exilio en Ginebra, cuando ella lo acompañó por distintas aldeas del altiplano. Ahí lo vio subirse a tarimas y sillas para dar discursos, presenciando la facilidad con que hablaba ante públicos cada vez más grandes. Había sido tímido de joven, pero ya no lo era. Ganó esa elección con un margen muy amplio.

Recordé la conversación entre papá y mi abuelo poco después de esa elección, una que papá seguía teniendo presente. El general Romeo Lucas acababa de llegar a la presidencia y estaba claro que las cosas se estaban poniendo mal, que la represión empezaba a desbocarse. Por teléfono, mi abuelo le expresó dudas a papá sobre la conveniencia de incorporarse al Congreso, de seguir la lucha en ese ámbito. No le miraba salidas democráticas al país en un contexto así. Papá le dijo que siguiera adelante, que le diera. «Fue solo una opinión», me dijo papá, «y la opinión mía no creo que fuera determinante. Pero la expresé. Cuando lo mataron, poco menos de un año después, pensé en esa conversación que habíamos tenido.»

El día que yo muera,
El día que me maten
Que mis hijos no me lloren
Y prosigan la pelea.

Así empezaba un poema, o más bien una carta, que mi abuelo escribió para sus hijos poco antes de ser asesinado. Colgó enmarcada durante años en el estudio de nuestra casa. Recuerdo leerla muy de cerca, buscando a mi abuelo en su letra cursiva.

Para Ana Lucía eran varios los sectores que podrían haber deseado su muerte: el ejército, por supuesto, con sus intereses políticos y económicos, pero también la élite empresarial que se servía del ejército para mantener sus privilegios y poder. Tenían una relación de conveniencia porque ambos se necesitaban, aun si el patrón despreciaba al capataz, y el capataz recelaba del patrón.

La visión de país de mi abuelo implicaba un modelo económico incompatible con los intereses de la élite empresarial. Ya para entonces él y otros correligionarios preparaban la inscripción oficial del PSD —el Partido Socialista Democrático— como alternativa progresista para las siguientes elecciones.

Al ser diputado en el '78, mi abuelo denunció la represión del Estado bajo el mando del general Romeo Lucas. En la prensa y en el Congreso criticó con dureza a la dictadura, tanto a la guatemalteca como la nicaragüense, pues Lucas apoyaba en público a Somoza. Ni una cosa ni la otra cayeron en gracia a los poderes locales, sobre todo al ver que llevaba esas denuncias a instancias internacionales donde tenían mayor impacto.

Mi abuelo se reunió una vez con Lucas, cuando este acababa de llegar a la presidencia. Mario Aníbal González, un amigo cercano de mi abuelo, relata en sus memorias la conversación con él después de la reunión: «Nos explicó que Lucas lo recibió con las manos metidas en una chumpa de militar, parado; Alberto le tendió la mano por cortesía y no le devolvió el saludo, sino le dijo: ¿Qué quiere, dinero? Alberto le contestó que no: Yo vengo a hablar como político. Lucas le respondió: No tengo nada que hablar con políticos.» Al regresar de la reunión, mi abuelo le pidió a su amigo que le sirviera un whisky y, después de un trago grande, dijo: «Ese adobe de Lucas me va a mandar a matar, lo sé.»

Tiempo después de esa conversación con mi tía, me encontré con un texto escrito por Rodrigo Borja, un político ecuatoriano que había coincidido con los dos dirigentes socialdemócratas de Guatemala —Manuel Colom Argueta y mi abuelo— en una conferencia internacional en Portugal en el '78. Describía la caminata que emprendieron juntos por las «retorcidas y empinadas callejuelas de la Lisboa bohemia»; mi abuelo mencionó lo maravilloso que era pasear por la calle sin preocuparse de que alguien les disparara. Colom Argueta le reprochó que no anduviera con guardaespaldas, como lo hacía él, y mi abuelo respondió que con o sin seguridad los iban a matar. Ya de vuelta en Quito, Rodrigo Borja se enteró del asesinato en plena calle de mi abuelo: «Pensé que Manuel había tenido la razón en aquel reproche de Lisboa. Pero pocas semanas después cayó a balazos Manuel Colom, con guardaespaldas y todo. Entonces cambié de opinión: tuvo Alberto la razón —trágica razón póstuma— puesto que, sin guardias el uno y con guardias el otro, corrieron la misma suerte.»

Mamá

Esa noche iba a haber una cena en la casa de tu abuelita Shirley. Ya sabés que su cumpleaños cae el 20 de enero, pero en el '79 ella y tu abuelo habían salido de visita a Quetzaltenango. Se decidió que la celebración no sería sino hasta el jueves 25 de enero en la capital, ya junto a toda la familia.

Yo solo había tratado a Alberto Fuentes Mohr unas tres veces, casi siempre en su casa y acompañando a tu papá. La última vez fue el día lunes de esa misma semana, porque en esos próximos días iban a inscribir el comité del Partido Socialista Democrático. Habían logrado hacer todos los trámites a pesar de que estábamos en un régimen militar. Se sentía mucha emoción, y también algo de miedo.

Yo participaba en el comité de juventud del partido. Tu papá me había invitado a ir un día y me gustó la discusión política. Estaban hablando de una ideología con la que yo congeniaba, la socialdemocracia, me gustaban las ideas y la forma de entender al país y los problemas del país.

En esa reunión del PSD en su casa estaba todo el comité dirigencial del partido. Recuerdo que en la sala habíamos varias personas cuando Alberto Fuentes Mohr nos preguntó quiénes iban a ir con él a inscribir el partido ese jueves, quiénes lo íbamos a acompañar.

Fuimos uno por uno diciendo si podríamos ir. Alberto me miró cuando fue mi turno, pero conmigo era un poco tímido porque todavía no había tanta confianza. Era muy correcto, pero también tímido para hablarme. Me preguntó «¿Y usted va a ir?», y yo le dije que no podía, porque tenía que trabajar —trabajaba en la SEGEPLAN y sabía que no daban permiso para algo así. Así que se definió el listado de las personas que iban a participar y todos se despidieron y yo también.

Eso pasó el día lunes.

Llegó el jueves, el día de la inscripción, y en la noche iba a ir con tu papá a la cena del cumpleaños de Shirley, con ella y con Alberto Fuentes Mohr y tus bisabuelos y con la familia. Era mi primera vez en una cena con todos y me sentía un poco nerviosa. Este sería un evento más formal, digamos.

Por eso, ese día regresé de mi oficina para el almuerzo —recordá que en ese tiempo no había tráfico y la gente iba a almorzar a casa para luego volver al trabajo— y al terminar de comer llamé a Juan Alberto por teléfono para hacer los planes de esa noche. Estaba hablando con tu papá cuando oí algo como gritos al fondo.

Entonces tu papá me dijo:

Permítame un momentito, creo que algo pasa con mi mamá, aquí acaban de llegar los vecinos.

Al rato vino de regreso y me dijo:

Parece que hubo un atentado contra mi papá y está herido. Me voy con mi mamá ahorita.

Yo oía como gritos o llantos.

¿Dónde fue, dónde fue?, le pregunté.

En la Reforma, por la Politécnica, y colgó.

Ahí estaba mi hermano Roberto, así que le dije:

Hubo un atentado contra el papá de Juan Alberto, ¡voy a ir a ver qué pasó!

La acompaño, me respondió enseguida.

Yo iba a toda velocidad en mi carro, con mi hermano a la par, y entonces pasé el Campo Marte en dirección a la Reforma y ya cerca de la Politécnica vi que había un gentío. Yo iba reasustada, alterada, en shock supongo, un revoltijo de sentimientos.

No podía estacionar así que en la siguiente cuadra paré a un lado de la calle y salí corriendo del carro y me metí entre toda la gente. Llegué a donde estaba el carro de Alberto Fuentes Mohr y ahí vi a tu papá abrazando a Shirley, parados al lado del carro, y entendí.

Los abracé a los dos, y podía oír a tu abuelita Shirley llorando y llorando y tu papá la abrazaba.

Estaba lleno de bomberos y policías y gente y probablemente militares, ahí frente a la Escuela Politécnica, y en ese momento me separé un poco y vi que el cuerpo de Alberto estaba adentro del carro, inclinado sobre el asiento de copiloto. Había sangre pero no quise ver más.

No me acuerdo cuando los bomberos sacaron el cuerpo pero apareció Olguita, una amiga de Shirley, y para entonces ya habían metido a Alberto en la ambulancia. Preguntamos «¿A dónde lo llevan?» y nos dijeron que a la clínica del IGSS al lado de Tecún Umán, para hacerle la autopsia.

Nos subimos en el Fiat de Shirley, Juan Alberto al volante y Shirley a la par, y en ese carro nos fuimos, Olguita y yo en el asiento de atrás, siguiendo a la ambulancia.

Había tantos carros que no nos dejaban pasar, era un gentío, y la ambulancia se iba alejando, así que Shirley sacó la cabeza por la ventana y le gritó a la gente de esos carros:

Déjenos pasar, déjenos pasar, ¡asesinaron a mi marido!

Durante todo ese tiempo, desde que lo vi junto al carro de tu abuelo, tu papá se había mantenido muy pálido, casi transparente, pero sin llorar, acompañando a Shirley. Fuimos juntos a la clínica del IGSS para la autopsia y al final de todo eso tu papá me pasó dejando a mi casa antes del velorio.

En casa me cambié para ponerme de luto y luego más tarde pasó tu papá de nuevo por mí.

Nos fuimos a la funeraria y estuvimos ahí con Shirley y el resto de la familia, y entraba más y más gente. Estaba llenísimo de gente, no cabía nadie, y también había muchas personas del ambiente político del país. Ahí llegó Meme Colom, que era el otro gran líder del progresismo en Guatemala, ¿no?

Recuerdo que le decían «Meme, andate, ya mataron a Alberto, andate, Meme, te van a matar a vos.»

Y claro, Meme no se fue y a él también lo mataron menos de dos meses después.

Ya cuando era bien tarde tu papá me fue a dejar a mi casa, en la Zona 15, en la Colonia del Maestro.

Estaba oscuro y un poco antes de llegar a mi casa solo frenó el carro junto a la banqueta y se puso a llorar. Ahí lloró y lloró y lloró. Pobrecito. Solo lloraba.

Por teléfono me respondieron que simplemente tenía que llegar y dar el nombre del pariente desaparecido o asesinado. Ya en persona harían un rastreo para ver qué se podía encontrar.

Era la primera vez que visitaba el Archivo Histórico de la Policía Nacional. Papá tampoco había ido, a pesar de la información que seguramente tenían ahí sobre la vida y muerte de mi abuelo. De distintas maneras, habíamos sido satélites orbitando alrededor de esa muerte; ahora aparecía, como si recién se revelara, la posibilidad de ir juntos ahí.

El sorprendente descubrimiento del Archivo se dio en el 2005, con la explosión de un antiguo polvorín del ejército en una zona urbana. Investigadores de la Procuraduría de Derechos Humanos llegaron para buscar material explosivo y dieron con un edificio abandonado. Estaba colmado hasta el techo de documentos; ratas y cucarachas recorrían a su antojo las montañas de papeles, fotografías y fichas.

Se trataba de archivos de la ya disuelta Policía Nacional, uno de los principales órganos represivos del Estado. Los rostros en las fichas confirmaban asesinatos y desapariciones cometidos por las fuerzas de seguridad durante el conflicto armado interno. A partir de su descubrimiento, un equipo de archivistas nacionales y extranjeros empezó a recuperar y catalogar los millones de papeles. Era una carrera a contrarreloj, pues sectores asociados a la represión del Estado buscaban bloquear el trabajo de los archivistas y, en general, dar vuelta a la página de esa historia.

Luego de registrarnos en la recepción, un archivista cabizbajo se nos acercó, su mirada esquiva tras los lentes. Tenía un modo suave, quizás derrotado, y sobre la camisa vestía un chaleco beige, como guardaespaldas u observador de derechos humanos. Nos pidió que lo siguiéramos y avanzamos por un pasillo oscuro de techos altos hasta su oficina. Solo había un escritorio y en las paredes unas cuantas reproducciones de Van Gogh en papel Bond.

Pues sobre Alberto Fuentes Mohr sí tendremos varios documentos, dijo, ya que fue una figura pública, ¿verdad?

Asentimos.

¿Y él es algo de Ana Lucía?, preguntó.

Nos volteamos a ver.

Sí, dijo papá, ¿usted la conoce?

Es que nosotros estudiamos juntos en la San Carlos, y de ahí la recuerdo.

Una vez más, Ana Lucía aparecía como un duende en las memorias de otros. Pero el hombre no agregó nada; solo nos hizo llenar unos papeles y los llevó al técnico que buscaría el material correspondiente en el Archivo. Al regresar explicó que en unos treinta minutos estaría listo.

Puchis, dijo papá, qué eficiente.

Es más rápido ahora, respondió el archivista. Aquí hay 90 millones de documentos, de los cuáles tenemos 25 millones digitalizados. Al principio todo esto era un caos. Para poder entenderlo, para poder organizarlo, tuvimos que pensar como policías.

¿Cómo así?

Teníamos que conocer la estructura de la policía, las dependencias, los cargos y responsabilidades, saber qué hacía un comisario, por ejemplo, y a la vez entendiendo que a veces ese comisario también era un capitán del ejército.

Una policía militarizada, dijo papá.

Completamente. De hecho en la policía nacional se replicaron las estructuras del ejército. Y teníamos que entender eso. Porque los expertos dicen que solo se puede empezar a trabajar un archivo hasta que ya está organizado; solo una vez se entiende su lógica se puede empezar el trabajo. Pero como nosotros no sabíamos si teníamos un año o dos meses o una semana antes de que alguien con poder decidiera cerrarnos el acceso, ni modo. Cuando empezamos a trabajar rompimos todas las reglas de la archivística.

No supe si lo decía con orgullo o resignación. El archivista miró a nuestras espaldas y entendimos que alguien había asomado su cabeza.

Pasá, dijo.

El técnico entró con pasos suaves y un gesto ligeramente compungido.

Yo les quería preguntar algo, dijo viéndonos.

¿Sí?

Es que estamos digitalizando los documentos sobre Fuentes Mohr, pero también hay fotos, de su asesinato pues.

Miró al archivista.

Y no sé si quieren que incluyamos esas o las dejemos afuera. Es que por los balazos, dijo... aparece el rostro destrozado, ¿verdad?

Nos vimos con papá; arrugó la nariz, dijo que él no quería ver eso, y me preguntó qué pensaba yo.

Mejor inclúyalas, le dije, solo para tenerlo todo.

Disculpen, respondió, es que algunos parientes prefieren no verlas.

No, dijo papá, se lo agradecemos, es una pregunta importante.

El hombre salió y el archivista tras el escritorio siguió contándonos un poco más:

Aquí incluso llegan policías, dijo, para buscar documentos sobre sí mismos de los años en que participaron en todo esto. Pero como ya aprendimos a pensar y hablar como policías, muchos de ellos creen que uno es o era policía. Así que se abren y nos cuentan de todo, a veces demasiado, dijo riéndose, mostrando una mirada pícara que no le había imaginado.

Le preguntamos cómo pintaba el futuro próximo del Archivo.

Pues siempre hay gente intentando que dejemos de hacer nuestro trabajo, pero de cierta forma es muy tarde: ya mucho está digitalizado. De hecho hay una copia digital segura y bajo llave en Suiza, así que incluso si nos cierran, dijo mirando a su alrededor, esto no se pierde.

¿Por qué es que nunca vino al Archivo?, le pregunté a papá.

Nos encontrábamos parados bajo el cielo abierto del estacionamiento. En mi mano sostenía el sobre con el CD que nos había entregado el archivista.

No sé, dijo ojeando el suelo polvoriento.

¿No había razón?

Bueno, yo me metí mucho al tema de la muerte mi papá en los ochenta, muchísimo, denunciamos el asesinato a través de comités de solidaridad, en el Consejo de Derechos Humanos de Naciones Unidas, ¿verdad? Pero también acudimos a la unión parlamentaria mundial, fuimos con tu abuelita a la Unión Internacional de Trabajadores de la Alimentación, nos reunimos con Amnistía Internacional, hicimos un montón de gestiones.

Sí.

Y explicábamos cómo había sido el asesinato, la impunidad que había en Guatemala, aprovechábamos para denunciar el contexto más amplio, todo lo que estaba pasando. En Costa Rica fundamos una asociación de derechos humanos de Guatemala y sacamos un boletín que nadie nunca conoció aquí. Totalmente insignificante el impacto.

Papá esbozó una sonrisa tristona:

Contaba la intención más que el resultado, dijo.

Pero nunca vino aquí, dije o más bien pregunté, y los dos volteamos al edificio chato y macizo del cual acabábamos de salir. Digo, ya van más de diez años desde que encontraron este archivo.

Es que no sé, respondió. La búsqueda de los asesinos, tratar de que Lucas y los responsables se enfrentaran a algún tipo de justicia... todo eso significó un gran esfuerzo por muchos años, tanto a nivel de tiempo pero también a nivel emocional. Es un trabajo de rendimientos decrecientes, se podría decir, donde hay algunas excepciones de personas que logran avances, pero para eso hay que meterse de cabeza, y hacer las cosas bien, y encima tener suerte, y aún así no sabés. Se convierte casi en una profesión, en una vida entera. Pero cuando ves que todo está bloqueado, que no hay absolutamente ningún avance ni cambio, desgasta.

Miró el sobre en mi mano, lo señaló con un movimiento de cabeza:

Y además duele, dijo. Esas fotos, por ejemplo, yo no quiero verlas. Pero todo lo demás es difícil también, pensar en la muerte de mi papá es difícil. Eso duele mucho.

Consideré que esas pesquisas de papá en los ochenta habían continuado para él por otros caminos. Que su trabajo era una forma de enfrentarse a los asesinos. Y nuestro abuelo vivía también en las historias que la familia compartió a lo largo de los años —los recuerdos de otros con los que mi hermano y yo, así como mis primas, lo conocimos después de su muerte. Recordé unos versos de la poeta Carmen Lucía Alvarado:

El silencio no existe
el silencio son los nombres nómadas
que algún día fueron cuerpo.

Ana Lucía

Yo no me enteré de inmediato que había muerto. En ese tiempo estaba haciendo mi maestría en biología en el Centro de Investigación en Costa Rica. Había un pasillo con ventanas para cada uno de los laboratorios, y nunca se me olvida porque llegó el Doctor Gámez, mi asesor de tesis, y tocó en la ventana para decirme: «Ahí está su otra mitad, la está esperando». Entonces salí y le vi la cara a mi pareja, y supe que algo había pasado. Me dijo «Es que hubo un atentado contra su papá» y me acuerdo que también le cambió la cara al Doctor Gámez.

A mí se me paralizó todo. Una sensación rarísima. Como de urgencia de querer ir a ver a mi papá, porque mi pareja dijo que querían que fuera a Guatemala porque no iba a sobrevivir, para que me despidiera de él. Aún hoy no sé por qué me dijo eso, por qué no me dijo que ya había muerto. Solo me acuerdo que en el camino a la casa de sus papás yo iba cambiando estaciones en la radio para ver si decían algo, y mi pareja repetía «No cambie de estación, no cambie de estación», porque sabía que ahí iban a decirlo. Ya en la casa todo el mundo se me quedaba viendo con una cara... Yo no sabía que estaba muerto, pero claro, casi igual de terrible era saber de un atentado y que se estaba muriendo. Pero ahí ya me dijeron que lo habían matado.

Fue una cosa rara, porque me quedé como paralizada. No podía sentir nada. Era como estar muerta, adentro. Y pasé toda la noche sin dormir, sentada en una silla. No sé si estaba pensando, no recuerdo. No podía llorar, no podía hacer nada. Solo estaba sentada.

En la sala de espera del aeropuerto había un periódico guatemalteco porque era un vuelo a Guatemala, y ver eso me pegó durísimo. En la portada salía la foto de mi papá muerto sobre el timón del carro. Una foto grande, en primera plana. Nunca me he podido quitar esa imagen de la cabeza. Y aún así yo no reaccionaba. Había otros guatemaltecos en ese vuelo, amigos de mi papá que se acercaron a darme el pésame, y me subí al avión y seguí igual hasta llegar al aeropuerto La Aurora.

Tu papá había logrado que lo dejaran pasar hasta las puertas de embarque para recibirme, y entonces ahí, cuando lo vi, ay dios.

Todavía me cuesta.

Lo abracé y empezamos a llorar los dos. Era como haber tenido que sobrevivir hasta llegar ahí. Y ver a tu papá era ver a mi papá.

En el aeropuerto también estaba Magalí, que había ido con mi hermano a recogerme. Yo no tenía ropa de luto, y ellos me habían traído ropa prestada, y nos fuimos a la casa funeraria. Me estaban esperando para irnos a Quetzaltenango, donde sería el entierro.

Me acuerdo que llegué a la funeraria y ahí estaba mi abuelita Marie. Hecha pedazos. Ella nunca se recuperó. Nunca salió de eso. Nos fuimos en varios carros, todos juntos —mi mamá, mis abuelos, mi tío Fernando, tu papá y tu mamá. Eventualmente llegamos al cementerio. Estaba lleno de gente, aunque habían amenazado con que iban a poner una bomba. Hubo discursos.

Pero me tuve que alejar hacia una tumba ahí a la par, porque sabía que me iba a desmayar. A veces me desmayaba en ese tiempo, y sabía que iba a desmayarme. Me desmayé, pero me recuperé y volví. Nadie se dio cuenta.

Nos fuimos a quedar en la casa de un primo de mi papá. Estábamos varios ahí. Me acuerdo que me dormí y cuando desperté estaba con la esperanza de que todo fuera una pesadilla.

Durante meses tuve esa sensación, de despertar y pensar por un segundo que quizás solo lo había soñado, que no era verdad. Poco después regresé a Costa Rica, y muchos en la familia tuvieron que salir del país también. Pero en Costa Rica, despertar en Costa Rica, hacía más fácil creer que todo había sido una pesadilla.

Al regresar del Archivo abrí el CD en la computadora vieja de la casa de mamá. Me encontré con reportes de vigilancia donde detectives seguían a mi abuelo y describían sus movimientos entre su casa y otros lugares. Vi copias de *flyers* del Partido Socialista Democrático mezclados entre otros «materiales subversivos». Leí las denuncias que papá y Shirley y Ana Lucía habían hecho en el extranjero luego del asesinato, y también memorándums donde funcionarios del Estado guatemalteco discutían cómo responder.

Me acuclillé frente al estante más bajo de la librera y encontré los volúmenes empolvados de *Memoria del silencio*, el informe realizado por la Comisión para el Esclarecimiento Histórico de Guatemala. Saqué el sexto tomo, más limpio que el resto, y busqué una vez más la sección titulada *La ejecución de Alberto Fuentes Mohr*:

El 25 de enero de 1979, hacia la una y media de la tarde, después de haber participado en una sesión ordinaria del Congreso, Alberto Fuentes Mohr se dirigía en su automóvil hacia la casa del vicepresidente de la República, Francisco Villagrán Kramer, ubicada en la zona 14 de la capital, donde sostendrían una reunión junto al secretario adjunto de la OEA, licenciado Jorge Luis Zelaya Coronado.

Se trataba de una reunión rutinaria con un representante del Gobierno, para discutir sobre el contexto político en general. «Era para discutir algunas de las actividades vinculadas con la visita previa de Alberto a Washington, donde él había tenido una serie de reuniones, precisamente advirtiendo sobre la polarización que se estaba dando en Guatemala».

El vehículo conducido por Fuentes Mohr avanzaba sobre la avenida La Reforma en dirección norte-sur cuando, al llegar a la intersección de esa avenida con la 1.ª calle, a pocos metros de la antigua Escuela Politécnica, fue interceptado.

Desde un vehículo y dos motocicletas se abrió fuego cruzado y cerrado. La víctima cayó acribillada. La necropsia reportó un total de veintitrés impactos de bala en su cuerpo, correspondientes a armas de fuego de munición calibre 45.

Fuentes periodísticas, sobre la base de testimonios recibidos in situ, aseguraron que el ataque tardó treinta segundos y que, después, los autores se dieron a la fuga tomando distintas direcciones a bordo de los vehículos que tripulaban.

Junto al vehículo conducido por Fuentes Mohr, circulaba un automóvil marca Toyota tripulado por Ana María Méndez de Rodríguez, quien también fue alcanzada por dos impactos de bala y resultó herida en el cuello.

El Organismo Judicial ordenó instruir la correspondiente investigación sumaria de los hechos. Sin embargo, ésta concluyó sólo trece días después, sin resultado alguno. Igual que en otros casos similares, la última diligencia efectuada en el proceso consistió en la devolución del vehículo en que se movilizaba la víctima. No constan más diligencias y el expediente fue archivado.

Existen dos partes policiales: uno procedía del Tercer Cuerpo de la Policía Nacional y otro de la Sección de Detectives de la misma Policía, los cuales no sólo no guardan armonía entre sí, sino que son claramente contradictorios, resaltando una evidente ligereza en el registro de la información.

Uno de los pocos registros del asesinato de mi abuelo que quedaban eran los periódicos de la época. Llegué a la Hemeroteca, un salón de ventanales altos en el segundo piso de la Biblioteca Nacional, y le pedí al dependiente las ediciones de los días posteriores al asesinato. Me senté con los periódicos en una mesa amplia y desplegué las enormes páginas.

La portada de Prensa Libre mostraba dos imágenes lado a lado. A la izquierda mi abuelo miraba a la cámara mientras escribía algo en el Congreso la mañana de su asesinato. A la derecha, a las dos de la tarde, su cuerpo derrumbado sobre el asiento de copiloto.

Las fotos al interior de los periódicos eran más gráficas. Las noticias mencionaban algunos detalles que yo conocía. Que el atentado se dio a pocas cuadras de la residencia del Ministro de Defensa, donde había nutrida presencia policial y militar. Que los primeros en llegar fueron los bomberos municipales. Que minutos antes del crimen, Fuentes Mohr había asistido a una reunión para firmar el acta de fundación del comité del Partido Socialista Democrático. Que el Juez de Paz se apersonó al lugar y para entonces ya había alrededor de dos mil personas aglomeradas. Que amigos y correligionarios inculpaban al gobierno del general Romeo Lucas del crimen. Que el gobierno del general Romeo Lucas condenaba el asesesinato y lo «calificaba de incalificable crimen».

En otra noticia se aseguraba que una nueva agrupación autodenominada Fuerza de Acción Armada (FADA) había enviado un comunicado a los periódicos donde se atribuía el asesinato. Incluían un listado heterogéneo de otras personas a ser eliminadas. Era común que grupos paramilitares como la «Mano Blanca», «El Jaguar Justiciero» o el «Ejército Secreto Anticomunista» publicaran en la prensa las listas negras de profesores, sindicalistas, opositores y cualquiera que estuvieran prontos a asesinar o desaparecer —mi tío abuelo tuvo que salir huyendo del país poco después de ver su nombre publicado así en la prensa. Cables desclasificados de la embajada de Estados Unidos confirmaron años después que esos grupos eran financiados y organizados por algunos de los grandes empresarios del país. Pero papá me explicó que el comunicado de la FADA era una farsa, que esa agrupación en particular era ficticia, desinformación creada por los asesinos con el fin de descarrilar cualquier indagatoria.

Regresé a la nota sobre la señora Ana María de Rodríguez, quien conducía tranquilamente por la Reforma cuando fue alcanzada por los disparos. Papá me contó que esa mujer recibió amenazas de muerte por ser testigo del atentado y tuvo que salir huyendo del país.

No fue la única que vio lo sucedido. En la edición de Prensa Libre dos días después del asesinato, me encontré con un titular en las páginas interiores, *Dos hombres fueron asesinados a tiros ayer*, así como una acotación inferior, *Testigo del atentado contra Fuentes Mohr queda silenciado*. Se explicaba que dos personas que se conducían en un picop color verde habían sido ametralladas desde un carro color rojo en la Zona 5. Uno de ellos era Salvador Álvaro Iturrios, quien parecía haber presenciado el asesinato de mi abuelo un par de días antes.

Al ser entrevistada por los medios, la madre de Salvador Álvaro Iturrios explicó entre sollozos que a las 9 de la mañana de ese día tres hombres se habían hecho presentes en su casa preguntando por su hijo. Querían que les hiciera un flete y como él se dedicaba a eso ella fue a avisarle. Luego oyó que los hombres le decían «Qué onda canche, vos sabés muchas cosas así que te vamos a dar dinero para que te callés». Cuando la señora salió de la casa su hijo y los hombres habían desaparecido.

«Ahora», decía, «cuando me informaron de que habían tenido un accidente en el carro me hice presente, dándome cuenta de que lo habían matado. Pobre mi hijo, lo han asesinado.»

Víctimas como Salvador Álvaro Iturrios serían recordadas por su gente más cercana. Pero a diferencia de lo sucedido con mi abuelo y unos cuantos otros, el significado de esas pérdidas quedaría confinado solo a los hogares y recuerdos de sus parientes. *Seguro andaba metido en babosadas*, diría el resto.

Los informes de memoria histórica no consignan los nombres de la mayoría de las víctimas. Sus familias no tienen ese tenue consuelo. Como casi siempre, el privilegio dado a una muerte solo es comparable al privilegio dado a esa vida.

A las semanas de visitar la Hemeroteca acompañé a papá en un viaje a Quetzaltenango. Desde el asiento de copiloto se podían ver las laderas escarpadas del altiplano, el tapiz multicolor del maíz cubriendo los valles. El juzgado le permitía salir del departamento de Guatemala por motivos de trabajo y una universidad en Quetzaltenango lo había invitado a dar una charla sobre la Revolución del '44.

¿Sobre algo en particular?, le pregunté.

Voy a hablar de la economía política de la Revolución, dijo. Tengo unas cuantas notas.

Dio un timonazo para evitar un cráter a media carretera y cambiamos de tema. Aun así supe lo significativo que era para él ir a la tierra de su familia para hablar de una revolución que, de muchas maneras, dio luz al ideario de su propio papá.

¿Cuántas veces habíamos viajado por ese camino? Las curvas ascendían a zonas cada vez más boscosas, con los nombres de pueblos y aldeas marcando su compás familiar: San Lucas, Chimaltenango, Zaragoza, Tecpán, Los Encuentros, Nahualá, Cuatro Caminos, Salcajá, Quetzaltenango. En las cimas del altiplano aparecían entre la niebla las rocas pintadas de colores desgastados. Correspondían a la publicidad de partidos en elecciones pasadas, una tornasolada geología política de Guatemala.

Era la primera vez en mucho tiempo que íbamos juntos a la ciudad de mi abuelo. Me entusiasmaba ver el parque central, acercarnos a la Casa de Cultura, caminar entre el frío altiplánico de esos callejones empedrados.

Hace unos años, Kate se encontró con una caja de fotos viejas de mi niñez y las usó para hacer un álbum. En varias aparecíamos mi hermano y yo lado a lado, nuestras camisetas bien metidas en los shorts, calcetines hasta las rodillas y tenis nítidos —Kate dice que parecemos personajes de Wes Anderson, mi hermano alto e impecable, yo bajo, gordo y desaliñado.

Hay una donde tengo unos cinco años y papá y yo jugamos ajedrez en el suelo. El tablero está en una alfombra y él se encuentra recostado sobre un codo, viendo la partida. Los dos llevamos nuestro pelo peinado idéntico, el mismo gesto de concentración, camisas polo iguales, excepto que la mía tiene un dibujo del pato Donald en la espalda. Kate le envió la foto a papá y le dijo que yo parecía ahí un pequeño prodigio de ajedrez, a lo que él respondió: «La foto no lo convierte en prodigio, pero sí aprendió a jugar...» Moderar la retroalimentación positiva ha sido un rasgo consistente de papá. Recuerdo que cuando jugábamos ajedrez él siempre ganaba. Nos mostraba las posibles movidas que mi hermano y yo no alcanzábamos a vislumbrar, los errores que cometíamos, pero nunca nos dejó ganar solo por dejarse ganar. Bastante distinto al modelo de crianza estadounidense, me dijo Kate riendo.

Durante unas vacaciones de verano de la universidad conseguí un trabajo en una ONG de Quetzaltenango. Viví en una pensión en la que me comieron las pulgas, pero estaba feliz de conocer y recorrer a mi propio ritmo la ciudad de mis antepasados. Una noche regresaba por el Pasaje Enríquez cuando noté que tres personas de mi edad jugaban ajedrez afuera del Bar Tecún. Tomaban cerveza y paré para ver la partida.

Pronto nos hicimos amigos. Durante las siguientes semanas nos dedicamos a jugar ajedrez en la tarde y recorrer por las noches distintas cantinas de la ciudad. Papá me vino a visitar al final de esa estadía. Él y mamá se habían separado un par de años antes y yo aún sentía el dolor y la vergüenza y una cierta rabia que a veces me sorprendía. Pero las cosas empezaban a cambiar. Hablábamos más seguido, intentando restablecer el contacto. No se trataba de recuperar la relación anterior, sino de ir vislumbrando poco a poco, de forma tentativa, la relación que podríamos tener de ahí en adelante.

Cuando llegó a Quetzaltenango le mencioné que había estado jugando ajedrez, y decidimos ir al Café Luna por una partida. Por primera vez en mi vida le gané; en la revancha le gané también. Papá propuso una tercera, y jugamos así varias más, con el mismo resultado. Ganar y ganar y volver a ganar: esa era mi necia consigna. Se podría decir que ese día, a mis veinte años de edad, maté al padre.

Mamá

Me acuerdo que Ana Lucía venía con unos suecos que siempre usaba y un pantalón de lona, y la cara que traía cuando entró a la funeraria me partió el alma. Al salir de ahí, la caravana fue pasando por los pueblos y la gente salía a las calles a ver, porque la noticia ya se conocía, y cuando llegamos a Quetzaltenango era un gran gentío. Luego fue la misa en la catedral de Xela, que estaba a reventar porque tu abuelo era muy querido en Quetzaltenango.

Desde la catedral hicimos el recorrido a pie hacia el cementerio. Íbamos detrás del féretro, que llevaban en un carro, con tu papá y Shirley y Ana Lucía. Estaba llenísimo, parecía una manifestación, pero con un silencio tan... como que te entraba, como que te traspasaba ese silencio.

Ya que llegamos al cementerio hubo varios discursos, y después de eso lo enterraron. Me acuerdo que había un pequeño mausoleo de la familia y ahí lo bajaron en el ataúd a una bóveda oscura. Yo estaba como en shock, todavía no lo podía creer.

Después del cementerio fuimos a la casa de sus papás, de Doña Marie y Don Alberto. Ahí íbamos a pasar la noche. Te acordás de la casa, vos la conociste. Ahí al lado del Parque Central, junto a la Pensión Bonifaz. Se entraba por el portón y había un zaguán grande, como en esas casas antiguas, y de ahí estaba el corredor que rodeaba un jardín en el centro.

Había un montón de parientes y a mí me tocó dormir en la misma cama que Shirley. Caí muerta, estaba exhausta por toda la tristeza y la caminata y lo que habíamos vivido. Y en algún momento de la noche oí algo que me despertó. Era Shirley que lloraba quedito, tratando de no hacer ruido. Yo no llevaba mucho tiempo conociéndola, no nos habíamos casado aún con tu papá, pero me acerqué para abrazarla. Ella solo lloraba y decía: Pobrecito, en ese lugar tan frío y ahí solo, pobrecito.

La abracé hasta que pudo tranquilizarse y finalmente nos dormimos. Y al día siguiente volvimos a Guatemala, regresamos a todo lo que nos esperaba allá.

Compro un café para mí y otro para papá y nos sentamos en una banca de piedra en el parque central de Quetzaltenango. No ocupa más que una cuadra y media, pero pequeñas áreas jardinizadas y árboles ancianos le confieren cierto esplendor entre los edificios del centro histórico.

Lo leí casi de corrido, dice papá.

Anoche, papá terminó de leer lo que he estado escribiendo desde su arresto. Ahora lo tiene en un fólder sobre la banca.

¿Y cómo le fue?

Pues no soy un lector imparcial, ¿verdad? Así que creo que mi percepción es diferente a la de otros lectores.

Sí, papá, eso pensaría.

Bastante parcial. Aunque fijate que me puse a llorar mientras leía.

Me toma por sorpresa; él también parece sorprendido de haberlo dicho así, o tal vez de constatar en palabras que así sucedió.

Nos quedamos en un silencio largo y apacible. Le menciono, entonces, que no sé cómo cerrar el libro.

El final me está costando, digo.

¿Ah sí?

Es que el caso continúa, y supongo que va a continuar por algún tiempo, por mucho tiempo. Me gustaría poder darle una resolución.

Se ríe.

A mí también me gustaría una resolución, dice, me imagino que a todos nosotros. Pero igual creo que los libros sobre temas así en Guatemala no tienen finales cerrados, ¿no? Es casi un género chapín.

Me cuenta entonces de las cosas que le gustaron, las cosas que le dolieron. Lugares donde se rio. Ya lo hemos conversado antes, le había enviado algunas secciones por correo electrónico, pero hasta ahora ha podido verlo todo en papel.

¿Algo para cambiar?, le pregunto.

Hmm, no sé. Creo que no. Bueno, es que todo es muy cercano, ¿no? Es muy cercano y es difícil poder verlo de forma crítica. Por la cercanía.

Le digo que entiendo, que yo siento lo mismo.

Y bueno, dice, hay cosas duras ahí, pero vos tenés que contarlo como lo viviste, como ha sido.

¿Así que nada?

Papá descansa la espalda contra el respaldo de la banca.

Solo un detalle, dice.

¿Ajá?

Se pasa una mano por el pelo.

Yo tengo el pelo... ¿blanco?

¿Qué?

Escribiste que cuando me arrestaron, en la foto de la prensa, yo aparecía con el pelo blanco. Pero yo pensaba que tenía el pelo gris.

Me cuesta entender que habla en serio. Me empiezo a reír.

Bueno, digo, supongo que puedo cambiar eso.

Bueno, responde.

Un poquito vanidoso, papá.

Él se sonríe ahora:

Tal vez con la edad uno se va poniendo un poco vanidoso.

Está bien, digo, creo que eso puede cambiarse, vamos a ver qué podemos hacer.

Papá busca el vasito de café que tiene sobre la banca y lo acerca al mío.

Salud, dice.

Salud.

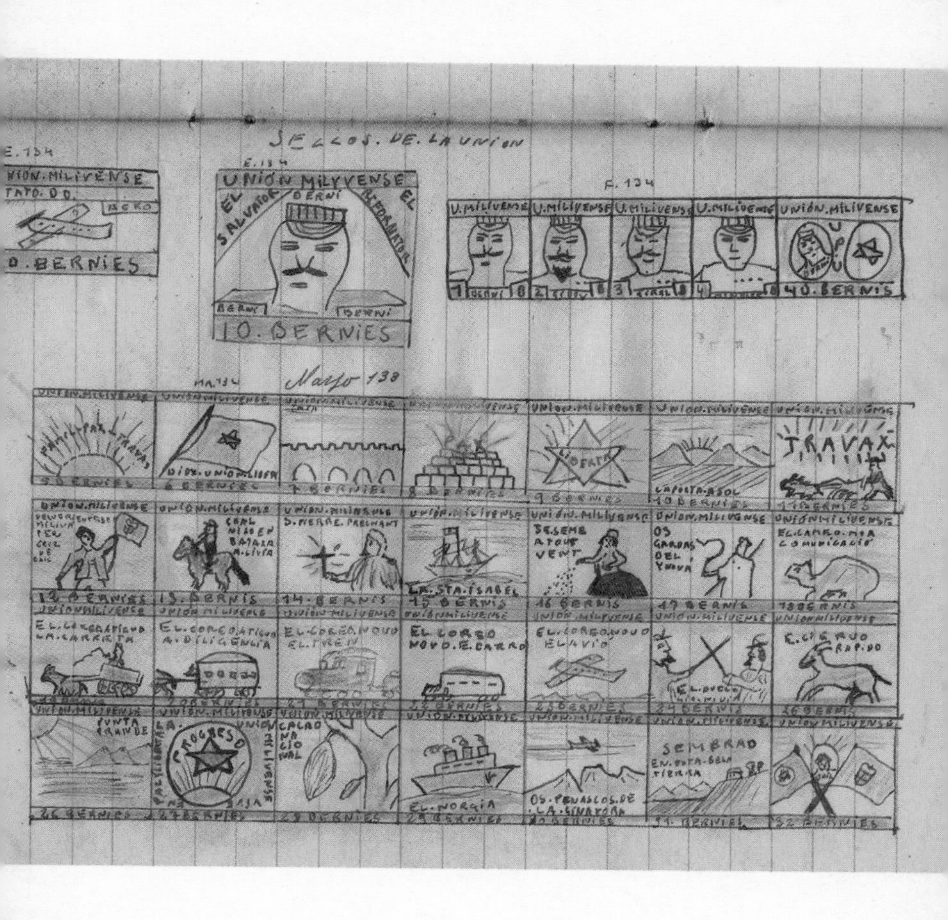

SELLOS. DE. LA UNION
E. 134
UNION MILIVENSE
10. BERNIES
UNION MILYVENSE
EL SALVADOR
BERNI
EL REFORMATOR
BERNI
BERNI
10. BERNIES
F. 134
U. MILIVENSE
U. MILIVENSE
U. MILIVENSE
U. MILIVENSE
UNION. MILIVENSE
40. BERNIS
Mayo 138
UNION. MILIVENSE
LIBERTA
UNION. MILIVENSE
TRAVAX
UNION. MILIVENSE
UNION. MILIVENSE
S. PIERRE. PRELMANT
UNION. MILIVENSE
LA. STA. ISABEL
15 BERNIS
SE SEME A TOUT VENT
16 BERNIS
OS GARDAS DEL YNOVA
17 BERNIS
EL. CORREO. NOVO EL. TREN
EL CORRO NOVO. E. CARRO
EL. CORREO. NOVO EL AVIÓ
UNION MILIVENSE
SEMBRAD EN. ESTA. BELA TIERRA
PROGRESO
EL. NORGIA
OS. PEÑASCOS. DE LA SIVAYORA
31. BERNIES
32 BERNIES

Agradecimientos

Este libro existe gracias al apoyo y las lecturas cuidadosas de buenos amigos. Por eso, y por tolerar encontrarse a sí mismos en algunas de estas páginas, les debo mucho a Arnoldo Gálvez Suárez, Rodrigo Hasbún, Stefan Benchoam, Philippe Hunziker, Rafael Orozco-Ramírez, Otto Argueta, Carmen Lucía Alvarado, Luis Méndez Salinas, Edmundo Paz Soldán, Danielle Mackey, Andrés Castaño y Scarlet Villar.

Por las conversaciones que enriquecieron mi entendimiento de los movimientos anticorrupción, así como de la historia guatemalteca y la vida de mi abuelo, quiero agradecerle a Luis Aceituno, Miguel Ángel Albizures, Richard Aitkenhead, Carlos Arrazola, Hugo Beteta, Maria Antonieta del Cid de Bonilla, Philip Chicola, Kate Doyle, Carmen Rosa de León, José Elías, Sebastián Escalón, Vanessa Fajans-Turner, Dina Fernández, Mario Aníbal González, Edgar Gutiérrez, Daniel Haering, Lucrecia Hernández Mack, Alfred Kaltschmitt, Stephen Kinzer, Mario García Lara, Brinton Lykes, Helen Mack, Rigoberta Menchú Tum, Claudia Méndez, Michelle Mendoza, Eugenia Mijangos, Álvaro Montenegro, Javier Monterroso, Estuardo Porras Zadik, Julio Prado, Magalí Rey Rosa, Héctor Rosada, Renzo Rosal, Gert Rosenthal, Margit Rosenthal, Ricardo Sáenz de Tejada, Jennifer Schirmer, Megan Thomas, David Toscana, José Eduardo Valdizán, Luis Felipe Valenzuela, Irma Alicia Velásquez Nimatuj, Kirsten Weld, Gabriel Wer, Daniel Wilkinson, Carol Zardetto y Raquel Zelaya.

Los nombres de mi familia podrían acompañar al mío en la portada. Por ser protagonistas visibles e invisibles de estas páginas, y por buscar la risa y la alegría incluso en los momentos más difíciles, les doy las gracias a mamá, Ana Lucía, Shirley, papá, Alberto, Aury, Harald, Lorena, Kristy, Alexander, Kimmie y mis sobrinos. Este libro es de ustedes.

Y para Kate, que fue clave en cada palabra, página y paso. Con inteligencia y sensibilidad, logró vencer casi siempre mi necedad y orgullo. Mi vida y este libro son mejores gracias a ella.